実戦NBC災害消防活動
災害事例に見る活動の実際

発刊にあたって

　2001年9月11日アメリカで発生した同時多発テロ事件は、ニュースメディアを通じて全世界に配信され、我々にテロの脅威をまざまざと見せ付けました。また、最近では、ロンドンやインドでの爆破テロなど世界各国においてテロ事案が発生し、我国においても1995年3月地下鉄サリン事件が発生し多くの被害者を出しました。このような状況下、2004年6月には国民保護法制が整備され、有事における国民の生命の安全確保に関する任務は主として消防機関に課せられたところであります。

　さらに、平時においても、核燃料施設での臨界事故をはじめとして特異な災害が発生し、従来の消防活動では対応できない事件・事故が続発しています。

　一方、私たちは、日常生活において多くの化学物質等に囲まれて生活しており、それらを大量に取り扱う工場や運搬中の道路上において毒・劇物、危険物等の漏洩などの災害が発生しています。

　このように、昨今ではNBC災害はテロに起因するもののほかにも、日本全国どこにおいても起こりうるごく身近なものとなっています。

　こうした現況を踏まえ、全国消防長会では東京消防庁をはじめ全国の消防本部にご協力をいただき、NBC災害における消防活動の実践的必携書として本書を発刊するにいたったものであります。

　本書の内容は、テロや日常に発生するNBC災害活動時における消防活動上の留意事項、活動要領及び実際の災害事例で構成し、これらの災害に立ち向かう消防職員に、災害事例を通してその根拠となる基礎的な消防活動を示すことによって、類似災害に対する災害対応力の向上や二次災害の防止をはじめとする安全性の向上を図るものとしています。

　本書は、この種の災害発生時に第一線に立って任務を遂行する消防職員や消防関係者にとり有益な手引きとして活用できる他に類の少ない参考書であると考えます。

　発刊にあたり、東京消防庁の全面的な協力をはじめ全国の消防本部に多大な協力をいただくとともに、東京法令出版㈱の担当者にご支援をいただきました。記して、感謝申し上げます。

　本書が消防業務必携として、広く活用されることを念願するものであります。
　平成19年3月

全国消防長会　会長

目　次

緒　言 ……………………………………………………………………………… 1

第1章　NBC災害消防活動上の留意事項

第1節　N災害時の消防活動要領 …………………………………………… 4

第1　N災害消防活動の基礎知識 …………………………………………… 4
　1　N災害として取り扱う災害等 ………………………………………… 4
　2　「被ばく」と「汚染」 ………………………………………………… 4
　3　被ばく防護と汚染防護 ………………………………………………… 5
　4　隊員の被ばく・汚染管理のあり方 …………………………………… 7
　5　放射線測定器の活用 …………………………………………………… 8
　6　消防活動上の留意事項のまとめ ……………………………………… 9

第2　消防活動の原則 ……………………………………………………… 12

第3　覚知時の措置（情報収集） ………………………………………… 13
　1　原子力施設、RI物質取り扱い施設、X線使用施設、加速器使用施設の災害 ……………………………………………………………………… 13
　2　放射性物質輸送物の災害 ……………………………………………… 14

第4　N災害時の消防活動要領 …………………………………………… 17
　1　出動時の措置 …………………………………………………………… 17
　2　集結場所における措置 ………………………………………………… 19
　3　現場到着時の活動 ……………………………………………………… 19
　4　放射線測定 ……………………………………………………………… 20
　5　消防警戒区域等の設定 ………………………………………………… 20
　6　要救助者の救出・救護 ………………………………………………… 21
　7　汚染検査及び除染活動 ………………………………………………… 21
　8　救急活動 ………………………………………………………………… 24

第5　消防活動の終了 ……………………………………………………… 24

第6　安全管理 ……………………………………………………………… 25
　1　被ばく管理 ……………………………………………………………… 25
　2　放射線防護 ……………………………………………………………… 25

3　被ばく時の措置･･･26
第7　原子力発電所災害時の活動要領･･･29

第2節　B災害時の消防活動要領 ･･･31

第1　B災害消防活動の基礎知識･･･31
　　　1　B災害として取り扱う災害等･･31
　　　2　B災害の特徴･･･31
　　　3　病原体貯蔵・取り扱い施設の災害････････････････････････････････････32
　　　4　Bテロ･･･32
　　　5　白い粉事案･･･34
第2　消防活動の原則･･･34
第3　覚知時の措置･･･35
第4　B災害時の消防活動要領･･･35
　　　1　出動時の措置･･･35
　　　2　集結場所における措置･･･35
　　　3　現場到着時の活動･･･35
　　　4　生物剤等の測定･･･37
　　　5　消防警戒区域等の設定･･･37
　　　6　要救助者の救出・救護･･･38
　　　7　除染活動･･･38
　　　8　救急活動･･･39
第5　消防活動の終了･･･39
第6　安全管理･･･39
　　　1　消防隊員の身体防護原則･･･39
　　　2　安全管理の原則･･･40

第3節　C災害時の消防活動要領 ･･･41

第1　C災害消防活動の基礎知識･･･41
　　　1　C災害として取り扱う災害等･･41
　　　2　C災害の特徴･･･41
第2　消防活動の原則･･･42
第3　覚知時の措置･･･43
第4　C災害時の消防活動要領･･･43
> ケース1　特殊災害部隊が先着した場合･･･････････････････････････････････････43
　　　1　出動時の措置･･･43
　　　2　集結場所における措置･･･43
　　　3　現場到着時の活動･･･45
　　　4　毒・劇物等及び化学剤等の測定･･････････････････････････････････････45

	5	消防警戒区域等の設定··45
	6	要救助者の救出・救護··47
	7	除染活動··47
	8	救急活動··48
	9	傷病者に対する神経剤解毒剤自動注射器の使用判断・取り扱い要領·······48

ケース2　特殊災害部隊以外の隊が先着した場合·····································51

- 1　先着隊の初期活動要領··51
  - 1　活動の主眼··51
  - 2　対象とする災害及び部隊等··51
  - 3　出動時の措置···51
  - 4　現着時の措置···52
  - 5　初動対応···53
- 2　特殊災害部隊到着後の活動要領·······································67
  - 1　指揮支援への活用···67
  - 2　災害実態の把握··67
  - 3　ゾーニングと活動体制の確立···67
  - 4　除染体制の確立··68
  - 5　指揮分担···68
  - 6　傷病者に対する神経剤解毒剤自動注射器の使用···················70
  - 7　汚染監視モニターの設置··70

第5　消防活動の終了··70

第6　安全管理···70
- 1　消防隊員の身体防護原則··70
- 2　安全管理の原則··71
- 3　除染区域・危険区域で活動する隊員の時間管理（空気呼吸器のボンベ残圧管理）··72
- 4　化学防護服の損傷防止···72
- 5　熱中症の防止···73
- 6　コミュニケーション手段の確保······································73
- 7　陽圧式化学防護服着装隊員の事故対応······························73

第7　消防活動中にC災害と判明した場合の対応···························74

第4節　NBC災害時の除染活動要領·······································75

- 1　除染の対象事象··75
- 2　除染活動の基本··75
- 3　除染の実施体制··76
- 4　具体的実施要領··76
- 5　除染の効果···77

6　除染資機材の例·······86
　　7　留意事項·······86

第5節　NBC災害時の現地関係機関との連携要領·······88
　　1　救助・救急搬送、救急医療体制連携モデル·······88

第2章　NBC災害事例

第1節　化学物質による中毒・化学熱傷等·······94
第1　塩素·······94
　　事例1　プール施設での薬品混合による塩素ガス発生事故·······94
　　事例2　高圧ガス施設で発生した塩素漏洩事故·······99
　　事例3　プリント回路製造業の作業所内で発生した薬品混合による塩素ガス中毒事故·······101
第2　アンモニア·······103
　　事例4　アンモニア貯蔵庫内において配管作業中の作業員が漏洩物質で受傷した事故·······103
　　事例5　ワインクーラーの冷媒が漏れて室内に充満した事故·······106
　　事例6　水酸化アンモニウム漏洩事故·······110
第3　硫化水素·······112
　　事例7　硫化水素滞留現場における救助活動·······112
　　事例8　寒天製造工場の汚泥槽で発生した硫化水素中毒事故·······121
　　事例9　食品加工会社ピット内で発生したガス中毒事故·······123
　　事例10　薬品により発生した硫化水素による自損行為事案·······124
　　事例11　受傷者の除染不対応による医療関係者の曝露事案·······129
第4　一酸化炭素·······131
　　事例12　飲食店で複数のCO中毒者が発生した事故·······131
　　事例13　居酒屋で発生したCO中毒事故·······136
　　事例14　洋菓子店の厨房で発生したCO中毒事故·······138
　　事例15　樹脂製造工場CO中毒事故·······141
　　事例16　解体工事中の建物で発生したCO中毒の事例·······143
第5　二酸化炭素·······146
　　事例17　地下倉庫内でドライアイスを使用し意識消失した事故·······146
　　事例18　地下駐車場で二酸化炭素消火設備が作動した事故·······148
第6　ホスゲン·······151
　　事例19　同一事業所において短期間に2度ホスゲン漏洩が発生した事故·······151
第7　過酸化水素·······154

事例20	美術品の補修作業中、化学熱傷を負った事故	154
事例21	大型フォークリフトの転倒による60%過酸化水素の漏洩事故	156

第8 強酸 ... 158

事例22	運送会社配送センター内で発生した硫酸人身事故	158
事例23	何者かに硫酸をかけられ受傷した事例	160
事例24	トラックの荷台から塩酸が流出した事故	163
事例25	トンネル内で発生した塩酸流出を伴う交通事故での救助活動	164
事例26	大型タンクローリーからの塩酸流出事案	168
事例27	屋外タンクからの塩酸の漏洩	172

第9 アルカリによる化学熱傷 ... 177

事例28	次亜塩素酸ナトリウムの漏洩による受傷事故	177
事例29	地中に埋設されたアルカリ性廃液による受傷事故	179
事例30	生石灰の水溶液によって活動中の消防隊員が受傷した事例	182

第10 危険物・有機溶剤 ... 184

事例31	開放型タンク内部を清掃中に塗料剥離剤（ジクロロメタン）により受傷した事故	184
事例32	ガソリン中毒の受傷者を扱った救急事例	186
事例33	航空機事故での積載燃料漏洩による二次災害対策	188
事例34	工場内で発生したブチルフェノール漏洩事故	190
事例35	地震によるトリクロロエチレン漏洩事故での救助活動	192

第11 農薬・殺虫剤 ... 194

事例36	農地近辺の住宅地で発生したクロルピクリン中毒事故	194
事例37	交通事故によるクロルピクリン流出事故	200
事例38	自宅で農薬を服用した受傷者の搬送に伴う救急隊員等の有機リン中毒事故	202
事例39	リン化アルミニウム燻蒸剤による中毒事故	204
事例40	殺虫剤により多数の受傷者が発生した事故	206

第12 ハロン消火設備の作動 ... 208

事例41	駅舎地下機械室の火災（ハロン消火設備作動）事例	208
事例42	地下駐車場のハロン消火設備が作動した事故	210

第13 テロ・意図的事案（疑い含む。） ... 212

事例43	地下鉄サリン事件	212
事例44	地下鉄車両内で撒かれた液体で乗客が受傷した事故	214
事例45	新交通システム車内で塩酸がまかれた事故	216
事例46	駅ホームに停車中の電車内床面の液体からの異臭	218
事例47	催涙スプレーにより多数受傷者が発生した事故	219
事例48	路上にて強アルカリの液体をかけられ受傷した事例	221

第14 毒・劇物等の危険性を有する火災 ... 223

	事例49 めっき工場火災で化学熱傷が発生した事例	223
	事例50 モノクロロ酢酸を積載したトラックの車両火災	228

第15 混触・反応による爆発等 ………………………………………………… 230
  事例51 研究施設でアジ化ナトリウムと酢酸エステルの混合によりフラスコが破裂した事故 …………………………………………… 230
  事例52 化学反応した薬品が飛散し工場従業員が受傷した事故 ……… 232
  事例53 高校の理科室で濃硫酸と硝酸カリウムが混合して爆発した事例 …… 234
  事例54 大学実験室で異常反応により臭素ガスが発生し、重症者が発生した事故 …………………………………………………………… 236
  事例55 難燃剤製造工場敷地内で塩化ホスホリルが漏洩し、塩化水素ガスが発生した事故 …………………………………………… 237
  事例56 大学実験室内で有毒ガスに曝露し受傷した事故 ……………… 241

第16 掘削作業中のガス発生等 ………………………………………………… 244
  事例57 サッカー場（改装中）の整地作業中に発生した危険排除事案 …… 244
  事例58 住宅街の新築工事現場における有害物質発掘事故 …………… 246
  事例59 道路掘削工事中に発生した黄リンの自然発火 ………………… 247

第17 その他 ……………………………………………………………………… 249
  事例60 飲食店内で多数傷病者が発生した異臭事案（フロン中毒疑い） …… 249
  事例61 遊技施設内での異臭による集団災害 …………………………… 250
  事例62 ヒスタミン中毒の集団発生 ……………………………………… 251
  事例63 回収したゴミからの異臭 ………………………………………… 253
  事例64 水素ステーションにおいて水素ガス漏洩が疑われた事例 …… 254

第2節　放射性物質・原子力に関する災害 …………………………………… 257

第1 放射性物質関係 …………………………………………………………… 257
  事例65 火災調査に出向した隊員が放射能汚染検査を受けた事例 …… 257
  事例66 火災建物内にウラン鉱石があった事例 ………………………… 259

第2 原子力関係 ………………………………………………………………… 261
  事例67 核燃料加工施設で発生した臨界事故 …………………………… 261
  事例68 原子力発電所蒸気噴出事故 ……………………………………… 265
  事例69 地震、津波による原子力発電所の事故 ………………………… 267

第3節　B災害と疑わしい災害 ………………………………………………… 279
  事例70 地下鉄車内で白い粉がまかれた危険排除 ……………………… 279

第4節　特殊火災 ………………………………………………………………… 281
  事例71 博物館爆発火災事故 ……………………………………………… 281
  事例72 製油所屋外タンク火災における消火活動（その1） …………… 284

事例73　製油所屋外タンク火災における消火活動（その2）………………… 287
　　事例74　タイヤ製造工場火災……………………………………………………… 292
　　事例75　危険物移送車両の積荷（ガソリン）に引火した火災事例………… 294
　　事例76　廃油地下タンク貯蔵所の爆発火災…………………………………… 295
　　事例77　アルミニウムから出火した火災……………………………………… 297
　　事例78　アクリル酸製造設備の爆発火災事故………………………………… 299
〔参考1〕主なNBC関連測定器………………………………………………………… 305
〔参考2〕訓練実施の主な現示要領…………………………………………………… 311
参考文献……………………………………………………………………………………… 319
事例執筆協力一覧………………………………………………………………………… 320

緒　言

　NBC災害は、困難性が高い災害であるといわれている。その理由の一つに、通常の火災や救助活動のように「迅速」を全て良しとする活動を必ずしも展開することができないということが挙げられる。初期の段階では何ら情報がないケースも少なくないことや、そのような中で、活動隊員の安全確保を最大限に考慮する必要があること、そして専門部隊や資機材の集結に時間を要すること、などが主な要因である。
　更にNBC災害は、他の災害に比較して実例が少ないため、必要な知識・技術や経験を積むことが容易ではなく、各消防本部では、消防隊員のNBC災害対応力向上に苦慮しているのが実情である。
　このようなNBC災害対応にあって、指揮者は、放射性物質、病原体、化学物質等に関する専門知識、専門的な装備や資機材に関する知識、そして消防活動要領の習得が欠かせない。学習と訓練を重ねてこれらの知識・技術を習得し、災害現場においては、活動隊員の安全に関わる身体防護をどのレベルで行うべきか、要救助者対応時の汚染拡大や二次災害発生防止はどのようになすべきかなど、様々な事案を具体的に判断しながら対応しなければならない。

本書の構成

　第1章では、習得すべき知識・技術の一つである具体的な消防活動要領について解説する。
　第2章では、全国の消防本部から寄せられたNBC災害事例の紹介と、活動上重要な留意事項や判断すべき事項を解説する。NBC災害に直面した指揮者が、現場で部隊を指揮するときの判断材料として有益であろう。いかに優れた指揮者であっても、災害現場においては、全てに目を向けることはできない。原因や背景も含めた災害の全体像を知るには、事後に、活動に携わった多くの職員からの情報や受傷者を収容した医療機関の医師の所見などを総合し、検証を行う必要がある。本書に掲載した事例は全て、全国の消防本部の担当者が、携わった災害を事後に検証してまとめた貴重な事例である。
　なお、第2章の事例解説に当たっては、出動部隊の指揮者の立場に立ち、次の流れで記述している。
　(1)　災害入電時情報
　(2)　指令番地到着時の現場状況
　(3)　関係者や救護した受傷者から得られる情報

(4) 災害の実態についてどのような判断を行ったか
(5) どのような部隊指揮や活動を行ったか
(6) その結果どのような反省事項があったか

本書の活用

　NBC災害に対しては、初期段階において、いかにして指揮者が「これはNBC災害である」という認識を持てるかが、特に重要なカギとなる。通報内容、先着した消防隊による状況確認及び情報収集内容、そして関係者との初期対応の内容等に接し、NBC災害である可能性を示唆する情報を入手して、早期に指揮者自らの「スイッチを入れる」ことが、その後の円滑な活動の成否を大きく左右する。このスイッチを切替える能力こそが、指揮者が知識・技術と経験を積み上げて高める判断力に他ならない。本書を大いに活用していただきたい。

　なお、NBC消防活動要領等に関しては、総務省消防庁から活動マニュアルが示されているが、実災害に直面したときに、具体的にどのような判断を行い、どのような活動体制を確立し、どの時点で部隊縮小や消防活動の終息を行うべきかについて、今後さらに検討を加える必要があるといえる。

　読者諸氏におかれては、本書の内容に関して忌憚のない意見をお寄せいただきたい。また、本書を題材にして、NBC災害対応の消防活動要領について大いに熱い議論をしていただきたいと思う。それによって、NBC災害対応消防活動要領の内容が、より充実したものに発展していくことを期待したい。

　本書が対象とする「NBC災害」とは、放射性物質、毒・劇物、病原体、有毒ガスなど、人体に有害な影響を与えるおそれのある物質や細菌類を原因とする災害（火災、救助、救急、危険排除事象で意図的に起こされたもの）全般を指している。NBCテロ災害や国民保護法による緊急対処事態等は、これらの災害の一部分として位置付けている。

第1章
NBC災害消防活動上の留意事項

第1節　N災害時の消防活動要領

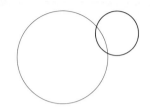

第1　N災害消防活動の基礎知識

1　N災害として取り扱う災害等

「N」とは、Nuclear（核）の略であり、RI（＝ Radio Isotope　放射性同位元素）と区別されることがあるが、本書では核燃料物質と放射性同位元素による災害をN災害として扱うこととする。

N災害は、原子力施設に関わる災害はもちろん、核燃料物質や放射性同位元素の輸送時の災害、放射線を農業や工業、医療に利用する施設内の災害、非破壊検査業務を行う事業所の災害など、あらゆる場所において発生危険が存在する。

放射線であるγ線、中性子線による被ばくは防護服により防ぐことができないことから、消防活動は被ばく線量の管理など厳重な活動管理の下、困難性の高い活動となる。

N災害消防活動現場において、指揮者が活動上の判断をする場合、消防隊が活動を行う場合に、「これだけは知っていなければならない」という基礎的な知識や概念がある。放射線や放射能に関する詳細な解説は専門書に譲るが、ここでは所轄の現場指揮本部長の視点から消防活動の組み立てや指揮判断に必要な事項について簡単に解説する。

2　「被ばく」と「汚染」

放射線とは、核燃料物質や放射性同位元素の原子核が壊れる時等に放出される高速の粒子や高エネルギーを持つ電磁波をいい、α線、β線、γ線、X線、中性子線などがある。

一方、放射性物質とは、放射線を放出する物質をいい、放射線を放出する性質あるいは能力を放射能という。

消防活動上、「放射線に被ばくすること」と、「放射性物質を含む浮遊物質や蒸気などに汚染されること」は異なる。何が異なるかというと、消防隊員の防護方法も異なり、また、要救助者や受傷者の除染の要否判断も異なる。このことをはっきりと区別して理解しておくことが、N災害現場における消防活動方針の決定や、活動隊員の安全管理を行う上での必須要件である。

(1)　放射線被ばく

人体が放射線を受けることを「被ばく」という。体の外側から放射線を受けることを「外部被ばく」といい、呼吸器や開いた傷口（創）などから体内に取り込まれた放射性物質によって、体の中から人体組織や臓器が被ばくすることを「内部被ばく」という。

(2)　放射性物質による汚染

　放射性物質が体の表面に付着したり、放射性物質が呼吸器や開いた傷口から取り込まれることを「放射性物質による汚染」あるいは「放射能汚染」という。

図1-1　被ばくと汚染の違い

3　被ばく防護と汚染防護

(1)　被ばく防護

　Ｎ災害現場あるいはＮ災害が疑われる災害現場において、消防隊員の放射線被ばく（外

部被ばく）を軽減する方法は、次の三つの原則により行う。

　ア　遮蔽物により防護する。
　　・化学防護服（ディスポーザブル）を着装する。なお、放射線種のうちγ線、X線、中性子線については防護服による完全防護は期待できない。
　　・コンクリートの壁、建物の陰などに隠れる。γ線、X線は鉛やコンクリートなどの密度の高いものによって弱めることができる。また、中性子線は水、パラフィンなど水素原子を多く含む物質によって弱めることができる。
　イ　放射線を受ける時間を短くする。
　　　現場の隊員全員に、積算被ばく量が9mSvに達したときに警報を発するように設定された被ばく管理用の個人線量計を常時携行させ、隊員の被ばく量を監視しながら活動させる。警報を発した隊員は、この現場での活動を中止させる。この活動による個人被ばく量の記録を保存する。
　　※　1回の消防活動における被ばく線量限度は10mSvである。
　ウ　放射性物質からできるだけ離れる。
　　　放射線測定器を用いて、被ばく線量がバックグラウンドレベルを超えない場所を安全区域として活動する。
　　※　放射線の線量率は、線源からの距離の二乗に反比例して減衰する。

図1－2　外部被ばく防護の3原則

(2)　汚染防護

　放射線源が漏洩して、生活空間の中に放出した場合、放射性物質を含む粉塵やエアロゾル、液体が散乱することがある。消防隊員や要救助者がこのような粉塵や液体、エアロゾル、フュームなどに曝露したり吸い込んだりして汚染をすることから守る必要がある。体の表面に付着した汚染物質は、除染をすることによって取り除くことができるが、吸い込んだり開いた傷口から体内に取り込まれると、専門の薬剤を使用して体の中から

強制的に排泄する処置を受けなければならなくなる。
   ア　防護服の着装
　　　身体への直接の汚染を防ぐため、放射性物質を含んだ粉塵や液体エアロゾル等を遮断できる防護服を着装する。鉛等による放射線防護を考慮した場合、効果を得るにはかなりの重量を要するため、防護服に遮蔽効果を求めるのは現実的には困難である。時間や距離による放射線防護を前提に活動性を重視すると、軽量で体表面全体を保護できる気密性の高い不織布製の簡易型防護服等で十分である。
   イ　呼吸保護具の着装
　　　空気呼吸器や酸素発生式呼吸器、HEPA等防塵フィルター付きの防毒マスクを着装することで気道からの放射性物質取り込みは完全に防止できる。

バックグラウンドレベルとは？

　放射線の測定に当たって、事故の対象となる放射線源以外の原因により観測される値のことである。測定の際に、宇宙線の影響、土壌に含まれる自然の放射線の影響などにより、ゼロを示さない場合がある。このときの測定器の示す値をバックグラウンドレベルといい、消防活動時はこの値が観測されるエリアでも安全区域として扱うことができる。

4　隊員の被ばく・汚染管理のあり方

　例えば、放射性同位元素運搬車両が事故を起こした現場を想定すると、まず、第一番につかむべき情報は、「線源の漏洩があるか・ないか」「線源の線種は何か」「密封線源か非密封線源か」である。

(1) 線源の漏洩がないと確認できない場合
　指揮者は、漏洩しているという前提で、汚染や被ばくを防がなければならない。
   ア　活動隊員は、防護服と呼吸保護具の着装によって汚染を防ぐ。
   イ　全隊員に放射線線量率計及び被ばく管理用の個人線量計を携行させ、外部被ばく線量を測定・管理しながら活動させる。
   ウ　受傷者や要救助者はサーベイメータで汚染検査を行い、汚染がある場合は除染を行う必要がある。除染設備がない場合で緊急的に医療機関へ搬送する必要がある場合は、受傷者の全身をビニールシートや簡易型防護服等で包んで、汚染範囲が拡大したり、隊員に付着したりすることを防ぐ措置をして、医療機関に搬送する。なお、いずれの場合も、医療機関に対し、放射性物質による汚染のある受傷者の収容について同意を得る必要がある。

(2) 線源の漏洩がないと確認できた場合

　指揮者は「漏洩物質による放射能汚染の危険はない」と判断し、外部被ばくに対する被ばく管理のみを実施する。
　ア　防護服・呼吸保護具の着装は必ずしも必要はない。
　イ　全隊員に放射線線量率計及び被ばく管理用の個人線量計を携行させ、外部被ばく線量を測定・管理しながら活動させる。
　このように、「被ばく危険」に対する活動上の判断と、「汚染危険」に対する判断の内容は性質が全く違うことに留意する。

5　放射線測定器の活用

　放射線は五感で感じることができないことから、N災害現場では測定器によって活動環境や場所の危険性を定量的に把握しながら活動する。

(1) 隊員の外部被ばく管理を行う測定器

　隊員の外部被ばくを管理するため、単位時間当たりの被ばく線量率を測定できる線量率計と、1回の活動における積算被ばく線量が9mSvを超えたときに警報を発する機能を持つ積算線量計を所持した活動が必要となる。このため、両方の機能を併せ持つポケット線量計などの個人線量計を全隊員に持たせて活動させる。また、1回の現場活動における隊員個々の被ばく量を記録し、個人放射線被ばく記録として生涯にわたって保存する。

(2) 放射性物質による汚染検査測定器

　α線源の測定にはZnSシンチレーションサーベイメータ、微量なβ線源はGM管式表面汚染サーベイメータなどを使う。

(3) 空気中に含まれる放射性物質の測定

　現場周辺の空気中に放射性物質を含んだ粉塵等が浮遊しているかを確認するためには、空間線量率の測定ができるNaIシンチレーションサーベイメータを使う。この測定器によってバックグラウンドレベルを超えるエリアの存在を確認することができる。

(4) 中性子線測定器

　^{3}He計数管、BF_3計数管、ASP2e／NRD型中性子線測定器、中性子線警報器（X線・γ線兼用⇒DOSEi-nγ）などを使う。

(5) 放射線管理区域内で活動する場合の測定器

　放射線管理区域内で災害が発生した場合には、ポケット線量計などの個人線量計を携行させて活動する。

写真1-1　線量率計

写真1-2　シンチレーションサーベイメータ（α・β用）

写真1-3　NaIシンチレーションサーベイメータ

写真1-4　中性子線測定器（ASP2e／NRD）

写真1-5　個人線量計（DOSEi-nγ）

6　消防活動上の留意事項のまとめ

N災害消防活動上の重要な留意事項について、まとめておく。

(1)　N災害の特異性
　ア　放射性物質や放射線は、測定器を用いることによって、健康への影響が少ない微量でも検知することができる。
　イ　放射線は五感で感じることができないため、測定器を使用することなく、放射線の存在や被ばくの程度、汚染の有無を判断することはできない。
　ウ　指揮者や活動隊員は、火災のように危険性を煙や熱で判断できないことから、放射線対処に関する知識を必要とする。

エ　事業者が、事故に対する予防策や応急対策について責務を有する。
　　オ　原子力に関する専門知識を有する機関の指示、助言等が重要である。

(2)　消防活動上の留意事項
　　ア　目的に応じた複数の測定器の使用が不可欠である。
　　イ　α線、β線は遮蔽することはたやすいが、測定器で検知した場合は既に汚染された区域内に進入している可能性がある。
　　ウ　α線による人体への影響は、主に体内に取り込まれたときの内部被ばくが問題となるため、防護服や呼吸保護具の着装によって防護する。
　　エ　γ線、中性子線は防護服による有効な防護は不可能であるが、測定器の使用によって比較的遠方からでも存在を検知することができることから、外部被ばく防護の3原則（遮蔽物・時間・距離）により防護を行う。
　　オ　活動開始から終了まで個人線量計を携帯し、活動中は常時被ばく値を確認しながら行動する。積算被ばく線量が限界値（9mSv）に達した隊員は脱出させ、人員交替を行う。
　　　※　消防隊員の1回の活動における被ばく線量限度は10mSvであるが、測定器は9mSvに達した時点で警報を発するようセットする。
　　カ　臨界事故の場合、通常、中性子線と同時に、γ線が放出される。
　　キ　閉鎖された空間に進入するときは、被ばく線量が急激に上昇することがある。

(3)　外部被ばく対策
　　ア　外部被ばくを考慮すべき放射線種は、γ線、X線、中性子線である。
　　イ　α線、β線は透過力が弱く、外部被ばくによる影響はほとんどない。
　　ウ　被ばく量の測定は、個人線量計により容易に把握できる。
　　エ　外部被ばくの防護には、外部被ばく防護の3原則が重要である。

(4)　内部被ばく対策（汚染防止対策）
　　ア　内部被ばくを考慮すべき放射線種は、α線、β線である。エネルギーの大きいα線が特に重要である。
　　イ　内部被ばくを直接測定することは不可能である。
　　ウ　内部被ばくの防護は、防護服や呼吸保護具の着装により可能である。
　　エ　外傷を持った隊員は、傷口から放射性物質を摂取する危険があるため、N災害現場への出動メンバーから外すか、バックグラウンドレベルの区域内での活動に限定する。

(5)　その他
　　女性隊員は、N災害現場への出動メンバーから外すか、被ばくや汚染の危険のない安全な区域内に限定して活動させる必要がある。

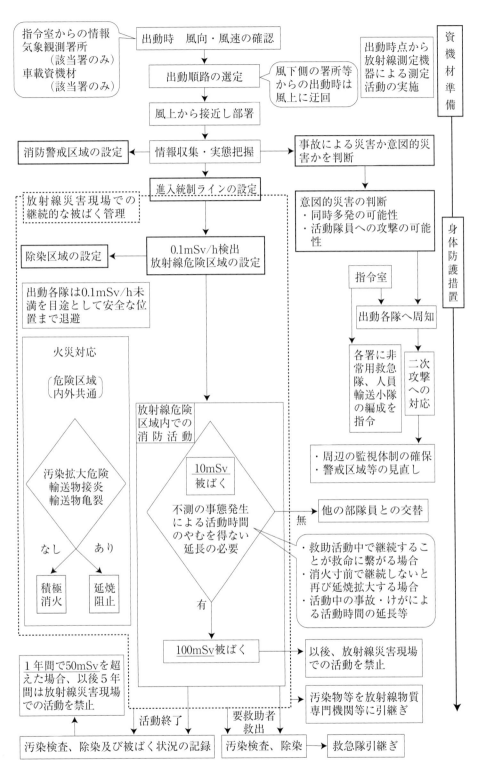

図1-3　放射性物質に係る火災等における消防活動フロー

第2　消防活動の原則

　消防活動は、消防隊員の被ばく及び汚染を防止し、住民の安全を確保しながら原因物質の汚染拡大防止を図り、次により行動することを原則とする。
(1)　被災者を早期に救出及び救護し、放射線による障害の軽減を図る。
(2)　災害の状況から判断し、活動中の被ばくが避けられない場合は、活動隊員の積算被ばく量を予測し、被ばく限度（※）を超えない活動とする。
　　なお、危険区域及び除染区域で活動する隊員は、必ず警報を発する個人線量計を携帯する。

※　消防活動における隊員の被ばく限度基準

1　1回の消防活動における被ばく線量限度は、10mSvとする。
2　人命救助のために、やむを得ない場合は、100mSvを限度とすることができる。
3　1年間の積算被ばく線量が50mSvに達した場合は、以降5年間、放射線災害現場で活動させてはならない。
4　積算被ばく線量が100mSvを超えた隊員は、生涯にわたって放射線災害現場で活動させてはならない。

---

(3)　被ばく限度に達した隊員を現場活動から離脱させた後の補充隊員を十分に確保するため、特殊災害部隊等の応援要請を行う。
(4)　活動方針の決定に当たっては、施設又は輸送関係者を早期に確保して有効に活用するとともに、専門家の助言を参考とする。
(5)　空調設備を停止する。ただし、空調設備に汚染拡大を防止する構造がある場合及び災害状況から空調設備を作動させる必要がある場合は活用する。
(6)　放射線危険区域等の設定を明確に行い、厳重な進入管理と被ばく管理及び汚染防止措置を実施する。
(7)　意図的災害（テロ災害）の可能性を示唆する情報を得たときは、直ちに消防本部に報告する。
(8)　消防活動方針は、指揮者を通じて全隊員に周知徹底し、隊員の行動を強く統制する。
(9)　放射性物質等に係る安全規制担当省庁、都道府県、市区町村及び警察機関と密接に連携し行動する。
(10)　消火活動は、防火区画等を利用した密閉による窒息消火等の効果的な消火方法を選定し、延焼防止を重点とする。
(11)　被ばくした受傷者、放射性物質等による汚染を受けた受傷者や活動隊員を受け入れ可能な緊急被ばく対応医療機関を確保する。

第3　覚知時の措置（情報収集）

　119番通報などの内容にN災害であることを示唆する内容が含まれていた場合は、部隊運用を始める前にできる限りの情報を聴取して現場指揮者の活動方針決定や活動隊員の二次災害を防止するための措置を講じる必要がある。1、2に示す内容は、主として消防本部が収集すべき情報等であるが、指揮本部長も現場において本項目の内容をできる限り収集し、活動各隊に周知する。

1　原子力施設、RI物質取り扱い施設、X線使用施設、加速器使用施設の災害

(1) 災害の具体的内容
　ア　火災、爆発事故
　イ　放射線被ばく事故
　ウ　放射性物質の漏洩事故
　エ　施設・設備の破壊事故
　オ　原子力災害対策特別措置法第10条に該当する事故
　カ　原子力災害対策特別措置法第15条に該当する事故
　キ　その他（テロ行為の可能性等）

(2) どこで起きたのか
　ア　放射線管理区域内
　イ　放射線管理区域外

(3) 受傷者、要救助者等の有無（人数）
　ア　受傷者、要救助者
　イ　放射線被ばく者、放射性物質汚染者

(4) 危険の実態
　ア　放射線源の種類、核種
　イ　放射性物質漏洩の有無及び放射性物質拡散危険
　ウ　放射線被ばく危険
　エ　延焼拡大、爆発、漏洩等の危険（放射性物質、冷却水、高温蒸気、ナトリウム）

(5) 消防活動拠点の確保
　ア　消防隊が部署できる安全な場所（被ばく・汚染危険のない場所）
　イ　施設の全容を説明できる担当者の確保
　ウ　現場の風向・風速

(6) 施設側の事故対応措置
　ア　消防隊が到着する前に実施した措置
　イ　施設で保有する防災資機材（測定器、防護服、除染剤等）
　ウ　放射線・原子力技術者の有無

2 放射性物質輸送物の災害

(1) 何が起きたのか
 ア　交通事故（船舶、航空機を含む。）
 イ　火災、その他の災害
(2) どこで起きたのか
 ア　一般道路上
 イ　自動車専用道路上
 ウ　トンネル内
 エ　船舶、航空機内
 オ　空港、埠頭、鉄道貨物ターミナル
 カ　その他
(3) 受傷者、要救助者等の有無（人数）
 ア　受傷者（開放創があるか）、要救助者
 イ　放射線被ばく者、放射性物質汚染者
(4) 輸送物の種類
 ア　L型、IP型、A型、B型の区分
 イ　核種名、用途名、積載量
 ウ　密封線源、非密封線源の区別
(5) 被ばく危険、汚染危険（漏洩の有無）
 ア　容器の破壊、核種の露出、漏洩
 イ　発生場所周囲の被ばく線量、空間線量率
 ウ　輸送物に関する専門家の同乗
(6) 関係者対応
 ア　輸送車両同乗者が実施した事故対応措置
 イ　保有する測定器類
(7) 消防本部から通報者に対する指示事項
 ア　現場付近の通行止め、立ち入り禁止措置
 イ　風上側への避難
 ウ　事故車両に放射性物質積載を示すマークがあるかどうかの確認

放射性輸送物の種類

核燃料輸送物は、輸送容器に収納する核燃料物質等の放射能の量、輸送物表面の放射線量率等によりL型輸送物、A型輸送物、B型輸送物（B型輸送物は更にBM型輸送物、BU型輸送物に分類されている）、IP型輸送物（IP型輸送物は更にIP-1型輸送物、IP-2型輸送物、IP-3型輸送物に分類されている）に区分されている。

また、核燃料物質のうち、特定の物質を運搬する場合は、上記の輸送区分とは別に「核分裂性輸送物」として分類している。

1．L型輸送物

　少量の放射能を有する極少量の分析用サンプル、テスト試料、核燃料物質等で技術上の基準に適合するものはL型輸送物として輸送される。

　なお、天然六フッ化ウランはL型又はIP型輸送物として輸送可能であるが、耐圧密封性もあるシリンダー（48Yシリンダー）に充填しA型輸送物として取り扱っている。

2．A型輸送物

　A型輸送物は、一般に、燃料加工施設へ輸送される低濃縮六フッ化ウラン、二酸化ウラン等の核燃料物質、原子力発電所へ輸送される新燃料集合体等の核燃料物質はA型核分裂性輸送物として輸送されている。A型核分裂性輸送物は一つの輸送容器に新燃料集合体など1体又は2体を銅製の輸送容器に収納することから、数トンの重量の輸送物になる。

3．B型輸送物

　B型輸送物はBM型輸送物及びBU型輸送物に分類されるが、一般に使用済燃料やウラン・プルトニウム混合酸化物（MOX）などはBM型輸送物又はBU型輸送物として輸送されている。多量の放射性物質を輸送するBM型輸送物又はBU型輸送物は、最も設計条件の厳しい輸送容器を使用している。

4．IP型輸送物

　IP型輸送物の主なものとしては回収ウランや低レベル放射性廃棄物がある。低レベル放射性廃棄物は原子力発電所から出るわずかに放射能を持つ廃棄物で、床などを洗った水、使い古した作業衣、手袋、工具等である。原子力発電所では、これらを燃やして灰にしたり、圧縮や濃縮をした後セメントやアスファルト、プラスチック等と混ぜて固め、ドラム缶に密封して輸送されている。

		第1類白標識	第2類黄標識	第3類黄標識
標識		☢ RADIOACTIVE I 7	☢ RADIOACTIVE II 7	☢ RADIOACTIVE III 7
表示箇所		輸送物の表面2箇所	輸送物の表面2箇所	輸送物の表面2箇所
法令規制値	輸送物表面における1cm線量当量率	5μSv/h以下	5μSv/hを超え500μSv/h以下	500μSv/hを超え2mSv/h以下
	輸送物表面より1mの地点における1cm線量当量率	―	10μSv/h以下	10μSv/hを超え100μSv/h以下
	輸送指数	0	1.0以下	10以下

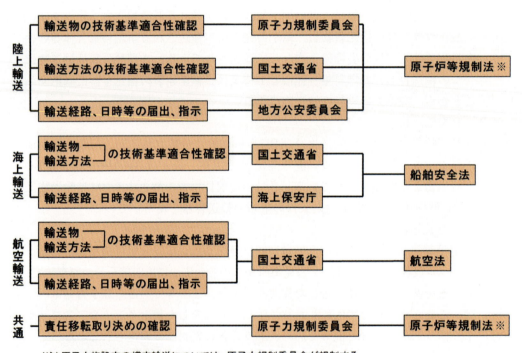

(注)原子力施設内の構内輸送については、原子力規制委員会が規制する。
郵便物及び信書便物については、総務省が規制する。
※核原料物質、核燃料物質及び原子炉の規制に関する法律

図1-4　輸送の安全に関係する行政機関の規制体系

出典：原子力規制委員会ホームページ
（https://www.nra.go.jp/activity/regulation/nuclearfuel/yusou/yusou0.html）

第4 N災害時の消防活動要領

1 出動時の措置

　消防部隊が出動指令に基づき、出動する際に判断し、行動すべき事項について解説する。出動時からN災害として指令された場合は、N災害に適応した防護装備を着装し、資機材を積載し出動する。現場では、N災害の防護装備と測定器を備えた部隊を中心とする活動を行うこととし、指揮隊や救急隊等は除染区域外（進入統制ラインより安全側、バックグラウンドレベルを超えないエリア）で活動する。

　Ⅰ　指令内容に基づく災害の予測

⑴　放射線管理区域の内か外か。
⑵　部隊は指令番地に直行するか、指令番地の手前で一時集結を行うべきか。

　Ⅱ　隊員の服装・装備等

⑴　予測される危険に適合する防護服の選択
　ア　火災の場合⇒「化学防護服（ディスポーザブル）」、「化学防護服」又は「簡易型防護服」の上に、防火服を着装
　イ　火災以外の場合⇒「化学防護服（ディスポーザブル）」又は「化学防護服」（動きやすく、体全体を覆うことができる防護服）

写真1-6　化学防護服（ディスポーザブル）＋空気呼吸器着装

簡易型防護服と面体やグローブなどはテープを貼り、外気の侵入を防ぐ

写真1−7　簡易型防護服＋防毒マスクの着装

(2) 呼吸保護具

　　空気呼吸器、HEPA等防塵フィルター付きの防毒マスク

(3) 積載資機材の確認

　ア　放射線測定器、警報付個人線量計

　　※　放射線測定器は出動と同時に電源を投入し、校正を実施するとともに、空間線量率を測定しながら出動する。なお、爆発火災にあっても、放射性物質等に関わる可能性があることから空間線量率を測定しながら出動する。

　イ　風向・風速計

　ウ　除染資機材、受傷者保護用資機材、養生シート類

(4) 警防資料

　ア　施設の関係資料

　イ　アイソトープ手帳等

(5) 出動隊員のチェック

　ア　体調不良者、外傷（開いた創傷）のある者

　イ　女性隊員

(6) 出動順路の選定

　ア　現場の風向を考慮した出動路の選定

　イ　部隊集結場所の選定

2 集結場所における措置

　出動部隊が不用意に指令番地に接近して、被ばくや汚染の被害を受けることを防ぐとともに、指揮本部長から活動上の必要事項の指示等を受けることを目的として、指令番地から離れた安全な場所を選定して部隊を一時的に集結させることが有効な場合がある。
(1) 出動途上において、放射線測定器積載隊がバックグラウンドレベルを超える線量率を確認した場合、隊長は次の措置を実施する。
　ア　車両を停止させて、放射線（空間線量率）がバックグラウンドレベルを超えない安全な位置まで移動し、バックグラウンドレベルを超える線量率を示した位置及びバックグラウンドレベルを超えない安全な位置を消防本部へ速報する。
　イ　出動隊は、消防本部から新たに指定された集結場所に直ちに集結する。
　ウ　指揮者は、隊員に対し呼吸保護具の着装、資機材の再点検等、必要な指示を行う。
　エ　特殊災害部隊と合流後は、特殊災害部隊の隊長の助言に基づいた活動を行う。
(2) 集結場所に集結した場合は、次の措置を実施する。
　ア　集結場所の放射線（空間線量率）がバックグラウンドレベルを超えないことを複数の測定器を用いて確認する。
　イ　指揮者は、隊員に対し、呼吸保護具の着装、資機材の再点検等、必要な指示を行う。

3 現場到着時の活動

(1) 指令番地の風上の、測定器がバックグラウンドレベルを超えない位置に車両を停止させ、活動を開始する。
(2) 隊員は全員ポケット線量計等の個人線量計を携行して活動する。
(3) 指揮本部は、放射線（空間線量率）がバックグラウンドレベルを超えない安全な位置で、施設又は輸送関係者等と連携が取りやすい場所を選定して設置する。
(4) 出動隊は、早期に施設又は輸送関係者等を確保し、災害実態の把握に努めるとともに、活動方針決定に関わる技術的支援者として有効に活用する。
(5) 消防警戒区域を早期に設定する。
(6) 災害が発生している施設等への接近に際しては、関係者の助言と誘導に従い、必ず複数の放射線測定器による継続的な放射線（空間線量率）の測定を実施し、慎重に接近する。
(7) 施設又は輸送関係者等と接触し、放射性物質の漏洩の有無を確認する。確認できない場合は、「漏洩あり」を前提とした活動を行う。
(8) 放射線（空間線量率）の測定値がバックグラウンドレベルを超えた場所及び情報等により進入統制が必要と判断される場所の安全側に進入統制ラインを設定し、消防隊員の被ばく防止及び汚染防止のため、身体防護をしていない隊員の進入を統制

する。

4 放射線測定

(1) 放射線（空間線量率）の測定は、努めて測定に専従する隊員により実施する。
(2) 放射線の測定は、必ず複数の測定器を用いて実施するものとし、測定結果は、測定地点、測定時刻、線量率が分かるように記録し、被ばく管理に活用する。
(3) 放射線危険区域への隊員の進入は、原則として、交替要員の確保と除染体制の確立後に開始する。

5 消防警戒区域等の設定

(1) 消防警戒区域及び火災警戒区域の設定
  ア 住民等の安全確保及び現場における消防活動エリアを確保するため、測定器を用いた測定値（空間線量率）がバックグラウンドレベルを超えない区域に速やかに消防警戒区域を設定する。この場合、安全を見込んで十分に広いスペースを確保し、区域を縮小することはあっても拡大することがないように設定する。
  イ 火災の発生するおそれが著しく大きいときには、火災警戒区域を設定し、その区域からの退去命令、区域への出入り制限及び火気の使用を禁止し、住民等の安全を確保する。
  ウ 現場広報
    災害の実態が明らかになり、<u>周囲に「放射性物質の漏洩による環境汚染の危険性がある」と判断される場合は、施設責任者、輸送関係者、警察、地元自治体等と協議の上、汚染が予想される地域の住民に対する広報を実施する。</u>
(2) 放射線危険区域の設定
    放射線危険区域は、N災害現場において消防職員や緊急作業を行う消防職員以外の作業員を不要な被ばくや汚染から保護するために、施設又は輸送関係者等との協議の上で設定するほか、下記の設定基準により設定し、人命救助等でやむを得ない場合を除き、原則として進入を禁止する。
    この区域内で活動する隊員や作業員には、個人線量計を携行させ、個々の積算被ばく量の管理を行わせる。

  Ⅰ 放射線危険区域の設定基準

  (1) 放射性物質輸送時の事故は、輸送物容器から半径15ｍの区域内
  (2) <u>線量率0.1mSv/h以上を</u>検出した区域
  (3) 関係者の情報から、放射線被ばく（放射能汚染を含む。）の危険性が高いと判断される区域
  (4) 放射性物質の飛散、漏洩による汚染がある区域

(5)　風向、土地の高低及び排水経路の条件を考慮し、放射性物質を含んだ煙や流水等で汚染の危険が予想される区域
　(6)　原子力施設の場合は、放射線管理区域内
　(7)　指揮本部長又は特殊災害部隊の隊長が必要と認めた区域

Ⅱ　放射線危険区域設定要領

　(1)　線量率の測定に当たっては、複数の線量率計で測定を行い、そのうちのいずれかが基準線量率を示した場合に指定する。
　(2)　区域は、それとはっきりと分かるように、ロープや表示物により明示して活動隊員に警告を促す。
　(3)　区域の設定に当たっては、以降の活動経過において**縮小することはあっても、拡大することのないように、予め広く指定する。**
　(3)　除染区域の設定
　　ア　放射線（空間線量率）がバックグラウンドレベルを超えない安全な場所に、隊員・要救助者及び資機材の汚染検査所及び除染所を設定し、汚染検査所及び除染所を含むエリアを除染区域とする。
　　イ　放射線危険区域から除染区域までの隊員の入退出経路及び受傷者の搬送経路にあっては、状況により放射線危険区域又は除染区域を設定する。
　　ウ　災害の状況により、汚染拡大危険を考慮した範囲で設定する。

6　要救助者の救出・救護

　(1)　要救助者を発見した場合は、被ばく又は汚染危険のある場所から一時的に危険の低い場所へ移動（ショートピックアップ）し、被ばくによる障害の軽減を図る。
　(2)　救助した要救助者は、放射線危険区域外に搬出し、一次トリアージ担当、汚染検査・除染担当に引き継ぐ。

7　汚染検査及び除染活動

　汚染検査及び除染は、除染区域内に設置した汚染検査所及び除染所において、放射線危険区域内で活動した消防隊員、関係者、要救助者及び使用した消防装備に対し、次により行う。
　(1)　汚染検査所及び除染所の設置
　　　汚染検査及び除染は、原則として施設内の汚染検査室及び除染設備を活用する。ただし、汚染検査室及び除染設備がない場合又は使用できない場合は、空間線量率がバックグラウンドレベル以下で汚染の拡大を防止できる場所に汚染検査所及び除染所を設置する。
　(2)　汚染検査要員及び除染要員の指定

汚染検査及び除染は、原則として施設関係者に行わせ、状況により除染担当の隊を指定し、実施させる。

(3) 汚染検査

危険区域から除染区域に移動する際には、一次トリアージを実施し、汚染検査及び除染を実施する優先順位を判断する。なお、現場に医師等が到着している場合、その助言に基づくものとする。

ア　要救助者及び関係者の汚染検査

乾的除染後、汚染検査所において汚染検査を実施する。

イ　隊員の汚染検査

防護服を離脱した後、体内被ばくを防止しながら呼吸保護具を交換し、汚染検査所において汚染検査を実施する。

ウ　緊急に救急処置が必要と判断される場合の汚染検査

複数の放射線測定器（汚染検査用）を活用し、救急処置と並行して、迅速に汚染検査を実施する。

エ　資機材等の汚染検査

1箇所に集中管理し、汚染検査を実施する。必要により、監視人を置くとともに、警戒ロープ、標識を掲出し、紛失及び移動等による二次汚染の防止に努める。

(4) 除染

乾的除染後の汚染検査により、汚染が認められた場合は、次により除染を行う。

ア　要救助者、関係者及び隊員の除染

拭き取り除染又は水的除染を実施し、除染実施箇所の汚染検査を行う。なお、水的除染後の汚染検査で測定値に変化がない場合は、それ以上の除染は行わない。

イ　緊急に救急処置が必要と判断される場合の除染

除染の実施及び程度は、医師の助言が得られる場合、これに基づき行うものとし、医師の助言が得られない場合、救急処置と並行し、努めて人員を増強し前アによる除染を迅速に実施する。

ウ　資機材等の除染等

汚染が認められた装備資機材は、事業主等に処理を依頼する。

エ　その他

(ｱ) 除染実施後は、指示があるまで、絶対に喫煙及び飲食はしない。

(ｲ) 汚染が認められた装備資機材は、除染の結果、再使用できるものを除き、原則として再使用しない。

※　N災害時の除染要領の留意事項

1　N災害における除染は「脱衣」、「拭き取り」、「洗い流し」の順位で実施する。
　　「洗い流し」が必要な場合は、洗浄剤の活用やぬるま湯（体温程度）での流水により、水量を少なく効率よく行うとともに、汚染水を広げないように配意する。
2　除染に必要なもの
　　大小ビニール袋、ポリバケツ、荷札、サーベイメータ、バスタオル、ポンチョ、替え下着や替え靴下
3　除染の順番
　　手　⇒　頭髪　⇒　頭　⇒　顔面　⇒　皮膚　の順に拭き取りを行う。
4　除染時の留意事項
　(1)　創傷・熱傷がある場合
　　ア　創傷部位の衣服を脱がせ（衣服を切り取る）、汚染の拡大を防ぐための滅菌ガーゼを当てる。
　　イ　創傷部位を水道水などの清潔な水で洗い流す。
　(2)　頭髪・頭部
　　ア　頭髪は湿った布等で毛先に向かって拭き取る。
　　イ　頭部皮膚は湿ったガーゼやウェットティッシュで拭き取る。
　(3)　顔面
　　ア　眼は清潔な水で除染側を下にして受水器を当てながら洗い流す。
　　イ　鼻は本人に鼻をかませてから、湿った綿棒で軽く拭き取る。
　　ウ　口は口角を綿棒で拭き取り、洗ってからうがいをさせる。
　　エ　耳は表面をよく拭き取ってから、湿った綿棒で耳の穴を拭き取る。
　　オ　眼、鼻、口、耳に汚染水が入らないように十分注意する。
　(4)　皮膚
　　ア　皮膚は洗浄剤（ボディソープ等）を付けた布で拭き取る。落ちないときはスポンジか柔らかい毛ブラシを使って数回拭き取る。
　　イ　拭き取りの注意事項は、汚染部位を中心に、中心に向かって拭き取るようにする。
　　ウ　一度使ったガーゼ、綿棒は再使用せずに新しいものを使う。
　　エ　中性洗剤は原液を使うが、皮膚の弱い人には数倍に薄めて使ってもよい。

8 救急活動

(1) 活動要領
　ア　救急活動は、受傷者の救命を主眼として傷病者の観察及び必要な救急処置を実施し、速やかに適応医療機関等に搬送する。
　イ　救急隊は、指揮本部長の指揮の下に、危険区域外において活動する。
　ウ　内部被ばくのおそれがある受傷者にあっては、嘔吐物等による二次汚染に注意し活動する。
　エ　除染後の汚染検査で測定値に変化がない受傷者にあっては、除染部位の被覆を実施した後、搬送する。
　オ　災害現場に医師が到着している場合は、現場救護所での傷病者に対するトリアージ及び救命処置を要請するとともに、搬送を行う救急隊等への医学的な助言を求める。

(2) 搬送要領等
　ア　嘔吐物等による汚染を防止するため、ゴム手袋、ゴーグル、マスク、簡易型防護服等を着装する。
　イ　救急搬送時は、放射線測定器（被ばく管理用）等により被ばく線量及び空間線量率を確認しながら搬送する。
　ウ　指揮本部長は搬送に際して、傷病者の被ばくした状況及び放射線に関する適切な説明及び助言等を搬送医療機関に説明できる者（専門家等）の同行を求める。
　エ　受傷者を救急車等へ収容するに当たっては、必要により救急車の床等をビニールシート等により防護する。

第5　消防活動の終了

　部隊の縮小や消防活動の終了判断は、次に掲げる活動全てが完了したことを指揮本部長が確認した時点とする。
(1) 全ての要救助者の救出及び医療機関への搬送が完了したとき。
(2) 放射性物質等による被害の拡大防止措置が完了したとき。
(3) 活動隊員全員の汚染検査、放射線個人被ばく管理表の作成が完了したとき。
(4) 現場に残された放射性物質及び汚染物等の処理について事業者、関係者及び荷主等との協議が完了したとき。

第6 安全管理

　放射性物質への接近に際しては、防護服を着装しても完全な被ばく防護は困難であり、積算被ばく線量の許容範囲内で活動させるための時間管理によって隊員の安全管理をせざるを得ない。ここでは現場指揮本部長が、安全管理上遵守すべき事項について解説する。

1　被ばく管理

(1)　個人線量計の携行
　　活動隊員には、積算被ばく線量が9mSvに達したときに警報を発するようにセットした個人線量計を携行させる。
(2)　被ばく線量の把握
　　被ばく線量は、個人線量計により把握する。個人積算被ばく線量管理のため次の資料を準備し、被ばく線量を記録管理する隊を指定して、隊員の被ばく管理を実施させるとともに、将来にわたり適正に管理する。
　ア　表1-1「放射線汚染被ばく状況記録表」
　イ　表1-2「放射線個人被ばく管理表」

2　放射線防護

消防隊員の被ばくを防止するため、特に次により放射線の防護を図る。
(1)　外部被ばくの防護原則
　ア　γ・X線及び中性子線は、透過能力が大きいため、透過阻止能力の大きなコンクリート壁、コンクリート塀、土壁及び土手等重量のある（密度の高い）遮蔽物や関係者が保有する資機材等、現場にある資機材等の活用を図る。
　　　また、放射線管理区域内で活動する場合は、急なドアの開放や壁の陰からの飛び出しによる高線量率の放射線被ばくを受けないように行動する。
　イ　被ばく線量は、放射線の強さ（線量率）と被ばく時間により決定されるので、被ばく時間の短縮を図る。
　ウ　放射線の強さは、距離の二乗に反比例するので、線源からの距離をとる。
　　　また、放射性物質等に接近する場合は急激な接近は避け、放射線測定器を活用して高線量率の放射線被ばくを回避しながら行動する。
(2)　内部被ばくの防護原則
　ア　放射性物質等を含んだ空気、ガス、粉塵を吸わないように、放射線危険区域及び除染区域内では、必ず呼吸保護具を着装する。
　イ　汚染した水、粉塵等が皮膚、着衣に付着するのを防止するため、危険区域及び除染区域内では、必ず防護服等を着装する。

(3) 指揮者は、危険区域又は除染区域内で消防活動を実施して退出した隊員に身体状況を報告させるなどして、隊員の身体の変調について十分掌握する。
(4) 危険区域又は除染区域内での活動中、防護服に異状等が認められた場合は、速やかに除染区域で防護装備を離脱後、除染区域外に退出し、身体上の異状の有無を確認し、指揮者に報告する。
(5) 火災又は火災が発生するおそれのある場合は、汚染した煙及び熱気から身体を防護するため、化学防護服（ディスポーザブル）等の上に防火服及び空気呼吸器を着装する。
(6) 施設又は輸送関係者等に応急措置及び消火活動で協力を求める場合は、消防隊員と同等の安全措置を講ずる。
(7) 消防警戒区域内では、努めて呼吸保護具及び簡易型防護服等を着装するなどの身体防護措置を行い活動する。

3　被ばく時の措置

(1) 被ばく・汚染時の応急処置
　ア　急激に高線量率の放射線を被ばくしたとき又は放射性物質等による汚染を受けたときは、直ちに放射線危険区域から脱出し、汚染検査・除染実施後、緊急被ばく医療機関で受診する。
　イ　創傷部が汚染された場合は、直ちに活動を中断し、汚染検査・除染実施後、緊急被ばく医療機関に搬送する。創傷程度が重い場合は、身体全体を被覆して汚染拡大措置を実施後、緊急被ばく医療機関に搬送する。
(2) 危険区域内で消防活動を実施し、被ばく又は汚染のあった者若しくはそのおそれのある者は、専門家等と協議し必要に応じて臨時健康診断を受けさせる。

表1-1

放射線汚染被ばく状況記録表

　　　　　　　　　　　　　　　　　　　　　　　　　年　　　月　　　日

所属		隊名					
階級		氏名			職員番号		
任務	□ 救出救助 □ 計測、記録 □ 応急措置 □ その他（　　　　）	活動時間	進入		月　　日　　時　　分		
			退去		月　　日　　時　　分		
			合計		時間　　分		

防護装備・活動内容等	防護装備	身体	□ 化学防護服（ディスポーザブル）　□ 簡易型防護服 □ その他（　　　　　　　）				
		呼吸	□ （空気・酸素）呼吸器　□ 防護マスク　□ その他（　　　）				
	ヨウ素剤	□ 服用あり □ 服用なし	服用時間	月　日　時　分	服用量		錠
	個人被ばく線量測定	被ばく線量	mSv	測定器	メーカー： 型　番： 使用後検査：□正常、□異常（　　　）		
	空間線量率測定	最高検出線量率	mSv/h	測定器	メーカー： 型　番： 使用後検査：□正常、□異常（　　　）		
	活動概要 （特異事象） （退去理由）						

汚染状況	汚染検査実施者	□ 当庁職員 □ 事業者等	階級肩書		氏名	
	測定器名	メーカー			型番	
	・装備等装着時　（なし・あり [　　　cps] 部位：　　　　　　　　） ・装備等離脱後　（なし・あり [　　　cps] 部位：　　　　　　　　） ・除染実施後　　（なし・あり [　　　cps] 部位：　　　　　　　　）					

除染	実施方法		実施結果	

特記事項	

注　チェックした項目の□にはレ印を記入すること。

表1-2

放射線個人被ばく管理表

氏　　名				職員番号			
勤務経緯	年月日	所　属	階　級	年月日	所　属	階　級	

所属名	年月日	発災害概要	場所	測定器具	被ばく放射線量	積算被ばく放射線量		
						延　べ	過　去1年間	過　去5年間
					mSv	mSv	mSv	mSv
					mSv	mSv	mSv	mSv
					mSv	mSv	mSv	mSv
					mSv	mSv	mSv	mSv
					mSv	mSv	mSv	mSv

被ばく限度量と活動制限
1　過去1年間の積算被ばく放射線量が50mSvを超えたものは、以後5年間は放射線災害現場での活動を実施させないこと。
2　延べの積算被ばく放射線量が100mSvを超えたものは、以後、放射線災害現場での活動を実施させないこと。

第7 原子力発電所災害時の活動要領

　原子力発電所内で発生した災害によって、消防隊出動の要請があった場合の活動要領を示す。（表1-3参照）

　原子力発電所内部で放射線や放射性物質に関わる災害が発生した場合は、原子力災害対策特別措置法に基づく対応が行われることとされているが、火災や救助、救急事象等の必要に応じて消防隊の要請が行われる場合が想定される。原子力災害現場における消防隊活動は、高線量被ばくが予想される現場への接近は不可能であるため、活動は厳しく限定される。

　このような場合には、消防隊はオフサイトセンター等に集結し、事業所専門技術社員のアドバイス、指示、案内、誘導に従いながら活動することが重要である。

原子力災害対策特別措置法第10条事象（通報事象：緊急事態応急対策準備）
【施設】
①敷地境界付近に設置した放射線測定設備において1地点で10分以上又は2地点以上で同時に5μSv/h以上の放射線量の検出
②排気筒などの通常放出部分において、拡散などを考慮して敷地境界で5μSv/h以上相当の放射性物質を10分間以上検出
③火災、爆発などが生じ、管理区域の外で50μSv/h以上の放射線量の検出及び5μSv/h以上に相当する放射性物質の検出
④臨界事故の発生又はそのおそれのある状態
⑤非常用炉心冷却装置の作動を必要とする原子炉冷却材の漏洩の発生
⑥その他、原子力緊急事態に該当する事象

原子力災害対策特別措置法第15条事象（原子力緊急事態判断基準：避難等の緊急事態応急対策の実施）（基本的に第10条事象の100倍）
【施設】
①敷地境界付近に設置した放射線測定設備において1地点で10分以上又は2地点以上で同時に500μSv/h以上の放射線量の検出
②排気筒などの通常放出部分において、拡散などを考慮して敷地境界で500μSv/h以上相当の放射性物質を10分間以上検出
③火災、爆発などが生じ、管理区域の外で5mSv/h以上の放射線量の検出又は500μSv/h以上に相当する放射性物質の検出
④臨界事故の発生
⑤中性子吸収材を挿入する等の操作によっても原子炉の停止ができないこと等

表1-3 原子力発電所災害時における活動要領

	活動上の留意事項	活動要領	特 記 事 項
119番入電時の情報収集要領	消防隊集結場所		原子力専門技術者の確保
	放射性物質漏洩・放射線被ばく危険の有無		モニタリング・ポスト観測情報
	原子力災害対策特別措置法第10条・第15条該当災害か？		オフサイトセンター立ち上げの有無
	事業所における汚染検査体制、除染体制の確保		事業所内汚染検査所の設置
出動指令内容	119番通報入手情報		
	活動任務		
	消防隊集結場所の指定		
出動時の留意事項	積載資機材の確認		防護服、防毒マスク、各測定器
	集結場所・接近経路の確認		現地対策本部を設置時は、オフサイトセンターに集結
	救急隊は後部車内をビニールシート養生実施後に出動		救急隊員は、簡易型防護服、防毒マスクを積載
	個人線量計の動作確認		出動時にスイッチON
集結場所における行動内容	専門技術社員との打ち合わせ		
	指揮本部の設置・活動方針の決定		
	汚染検査体制・除染体制の確保（事業所側に依頼）		
発電所敷地内における活動要領	事業所敷地内での行動は、社員の指示に従う		
	隊員携帯の個人線量計が警報を発したときは緊急脱出		緊急脱出時は、汚染検査・除染を実施する
	防護服は敷地内常時着装、呼吸保護具の着装は測定結果により着装		防護服は簡易型防護服、火災時は簡易型防護服、その上から防火服着装
	指揮本部において、出動隊員全員の積算被ばく量を監視	記録する	隊員個々の生涯被ばく記録として保存する
汚染検査・除染要領	活動終了後に全隊員、全車両、全使用資機材の汚染検査を行う		
	放射能汚染が確認された場合は、事業所側に除染を行わせる		発電所内の汚染検査所において、事業所社員に実施させる
	出動隊員の体調確認後、引き揚げる		

第2節　B災害時の消防活動要領

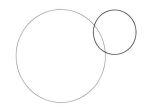

第1　B災害消防活動の基礎知識

1　B災害として取り扱う災害等

「B」とは、Biologicalの略である。「B災害」とは、細菌やウイルスなどの病原体を扱う施設での火災等のほか、生物兵器禁止条約の実施に関する法律で定義される生物剤を用いたテロなど、生物学的（Biological）な危険性を伴う災害であり、4の後段のテロ災害現場における生物剤の存在確認や、3、5のような災害を想定して、現場指揮者の視点から活動すべき要領について解説を行うものとする。

2　B災害の特徴

(1)　B災害の危険要因は細菌やウイルス等の感染症の病原体等であり、万一曝露し感染しても一定の潜伏期間後に症状が出るため、災害現場では病原体等の曝露に起因する傷病者は発生しない。
(2)　測定器で特定できる病原体の種類は限られ、また、測定に時間を要するなど、現場での検知が困難である。
(3)　万一病原体等を曝露した場合には、発病の可能性のある間は経過観察が必要となる。また、曝露した人が除染、治療、経過観察等を受けずに移動し発病した場合、二次感染により広範囲にわたり同時に多数の傷病者が発生する可能性がある。
(4)　生物剤や研究施設で取り扱っている病原体等には、万一感染した際の危険性が高いものがある。
(5)　B災害時における病原体等からの防護の基本は感染対策であることから、標準予防策（スタンダードプレコーション）に基づく防護措置を講ずる必要がある。なお、第6に示す安全管理措置は、標準予防策を満たす内容である。

※　標準予防策（スタンダードプレコーション）
　米国疾病対策予防センター（CDC）が発表した感染管理対策のガイドライン。救急活動での感染防止にも用いられている。B災害に当てはめた場合の主な概要は次のとおり。

① ゴム手袋の着装
② マスクの着装（B災害時はN95マスク）
③ ゴーグルの着装
④ ガウンの着装（感染防止衣の着装）
⑤ 活動後の手洗いの実施（手袋をしているか否かにかかわらず）
※ 化学防護服等の全身防護服及び呼吸保護具の着装により、標準予防策の装備が満たされる。

3 病原体貯蔵・取り扱い施設の災害

　国立感染症研究所は、病原体を扱う施設について、病原体の人に対する危険度により、4段階の危険度レベル（BSL1～4、表1-4参照）に分類している。該当施設は各レベルに応じた設備を設置して、病原体が周囲の環境に漏洩拡散しないように対策を講じることとされている。このような施設内では、様々な病原体や遺伝子組み換えによるウイルスや細菌類を取り扱っており、市町村条例等によっては「消防活動に重大な支障を生ずるおそれのある物質」として消防への届出が義務付けられている場合がある。
　このような病原体取り扱い施設に対しては、警防計画を樹立しておくことが望ましい。また、火災等の災害が発生した場合は、以下のとおり活動する。
　ア　施設の関係者（専門家）の指示に従い、延焼していても関係者が「ここには立ち入ってはいけない」という場所には絶対に隊員を進入させない。
　イ　火勢の制圧は、防火区画等を利用した窒息消火とする。

4 Bテロ

　想定されるBテロの手段としては、ある特定の場所で生物剤を含んだ物質を散布したり、航空機などによって広範囲の地域に生物剤を散布するような行為が考えられる。また、海外では、特定の人物を狙って細菌に感染させる方法によるテロ行為が行われたケースが報道されている。
　Bテロ災害の発生形態を考えてみる。ある場所で生物剤が散布されたとしてB災害に発展するまでの経緯を考えると、
　ア　生物剤が付着した人々は、それと気付かないまま、それぞれの目的地に移動してしまう。
　イ　生物剤が付着した人の誰かが感染したとしても、発病までには一定の潜伏期間が存在する。
　ウ　生物剤に感染した人々の中の何人かが、それぞれ全く別の場所において発病する。また、ヒトからヒトへ感染するものでは、潜伏期間を経て二次感染者が発生する。
　エ　医療機関からの報告を受けた保健機関の追跡によって、発病者の共通点が解明され、ある特定の場所に居たことが割り出される。

表1-4　バイオセーフティレベル

レベル	病原体等のリスク群による分類	実験室の使用目的	実験手技及び運用	実験室の安全機器
BSL 1	(「病原体等取り扱い者」及び「関連者」に対するリスクがないか低リスク)ヒトあるいは動物に疾病を起こす見込みのないもの。	教育、研究	標準微生物学実験手技(GMT)	特になし(開放型実験台)
BSL 2	(「病原体等取り扱い者」「関連者」に対する中等度リスク、あるいは動物取り扱い者や関連者に対し、重大な健康被害を起こす見込みのないもの。また、実験室内の曝露で重篤な感染を起こすこともあるが、有効な治療法、予防法があり、関連者への伝幡のリスクが低いもの。	一般診断検査、研究	標準微生物学実験手技、個人用曝露防止器具(PPE)、バイオハザード標識表示	病原体の取り扱いは生物学用安全キャビネット(BSC)で行う
BSL 3	(「病原体等取り扱い者」及び「関連者」に対する高リスク)ヒトあるいは動物に感染すると重篤な疾病を起こすが、通常、感染者から関連者への伝幡の可能性が低いもの。有効な治療法、予防法があり得るもの。	特殊診断検査、研究	上記BSL2の各項目、専用個人用曝露防止器具、立入りの厳重制限、一方向性の気流	病原体の取り扱いの全操作を生物学用安全キャビネットあるいは、その他の一次封じ込め装置を用いて行う
BSL 4	(「病原体等取り扱い者」及び「関連者」に対する高リスク)ヒトあるいは動物に感染すると重篤な疾病を起こし、感染者から関連者への伝幡が直接又は間接に起こり得るもの。通常、有効な治療法、予防法がないもの。	高度特殊診断検査	上記BSL3の各項目、エアロックを通っての入室、退出時シャワー、専用廃棄物処理	クラスⅢ生物学用安全キャビネット又は陽圧スーツとクラスⅡ生物学用安全キャビネットに加え、両面オートクレーブ、給排気はフィルター濾過が必要となる。

このように、Bテロ災害は「ある特定の場所に、消防部隊を出動させて消防活動を行う」という形態をとることは考えにくく、必ずしも消防活動の対象となるものではないことが分かる。
　しかし、爆発物による同時多発テロなどの現場において消防活動を行う場合、爆発物に生物剤や放射性物質、毒・劇物などが仕込まれている可能性に基づき、N、B、Cそれぞれの対応測定器によって有害物質の存在を確認する作業が行われる。
　そのような意味で、爆発物によるテロ災害での消防活動は、初動の段階では全ての可能性を考慮して対応しなければならない。

5　白い粉事案

　アメリカ合衆国の9.11テロ以降、アメリカ国内では郵便物に生物剤を混ぜた粉末状の物質を郵送して、郵便物の中身に接触した人物を攻撃する手段によるテロが発生し、日本でも同様の手口を真似た悪戯行為が多発して世間を騒がせている。このような「白い粉事案」が発生した場合は、警察や消防が出動し、感染危険区域を設定して、物質に生物剤が含まれているかどうかを確認する作業を行う。
　白い粉事案が起こると、粉に接触した人の中で「気分が悪い」という者が出ることがあるが、感染から発病までの時間を考えて、精神的なショックによるものか、若しくは白い粉が有害な化学物質の可能性が高い。

第2　消防活動の原則

　消防活動は、消防隊員の感染及び汚染を防止し、住民の安全を確保しながら、原因物質の汚染拡大防止を図り、次により行動することを原則とする。
　(1)　被災者を早期に救出及び救護し、被害の軽減を図る。
　(2)　活動方針の決定に当たっては、施設関係者等を早期に確保して有効に活用するとともに、専門家の助言を参考とする。
　(3)　空調設備を停止する。ただし、空調設備に汚染拡大を防止する構造がある場合及び災害状況から空調設備を作動させる必要がある場合は活用する。
　(4)　危険区域等の設定を明確に行い、厳重な進入管理と感染防止・汚染防止措置を実施する。
　(5)　意図的災害（テロ災害）の可能性を示唆する情報を得たときは、直ちに消防本部に報告する。
　(6)　消防活動方針は、指揮者を通じて全隊員に周知徹底し、隊員の行動を強く統制する。
　(7)　消火活動は、防火区画等を利用した密閉による窒息消火等の効果的な消火方法を選定し、延焼防止を重点とする。
　(8)　感染及び汚染した傷病者や活動隊員を受け入れ可能な医療機関を確保する。

第3 覚知時の措置

119番通報等により、病原体を扱う施設やＢテロによる災害の可能性があると判断される場合は、次により対応する。
⑴　Ｂ災害である（疑いがある）旨、出動隊員に周知する。
⑵　特殊災害部隊等Ｂ災害対応資機材を積載する部隊を中心とした部隊運用を行う。
⑶　病原体、生物剤による感染回避のため、必要に応じて適当な場所に消防部隊を一時集結させ、指揮本部長の強い統制の下に活動させる。

第4　Ｂ災害時の消防活動要領

1　出動時の措置

⑴　病原体貯蔵・取り扱い施設の災害の場合は、警防計画及び指揮資料等を携行する。
⑵　出動隊は、通常の火災出動の装備、服装のほか、呼吸保護具、防護服、ゴム手袋等必要資機材の積載を確認し出動する。
⑶　通報者との連絡が取れる場合は、次の内容の情報を優先的に収集する。
　ア　何が起きたのか。
　イ　どこで起きたのか。
　ウ　要救助者・傷病者の状況
　エ　消防隊の寄り付き位置
　オ　活動隊や市民に対する感染危険の有無
　カ　施設として対応した処置内容

2　集結場所における措置

⑴　関係者情報等により、集結場所の安全を確認する。
⑵　指揮者は、隊員に対し防護服・呼吸保護具の着装、資機材の再点検等、必要な指示を行う。
⑶　特殊災害部隊と合流後は、特殊災害部隊の隊長の助言に基づいた活動を行う。

3　現場到着時の活動

⑴　指揮本部は、風上の安全な位置で、施設関係者等と連携が取りやすい場所を選定して設置する。
⑵　出動隊は、早期に施設関係者等を確保し、災害実態の把握に努めるとともに、活動方針決定に関わる技術的支援者として有効に活用する。

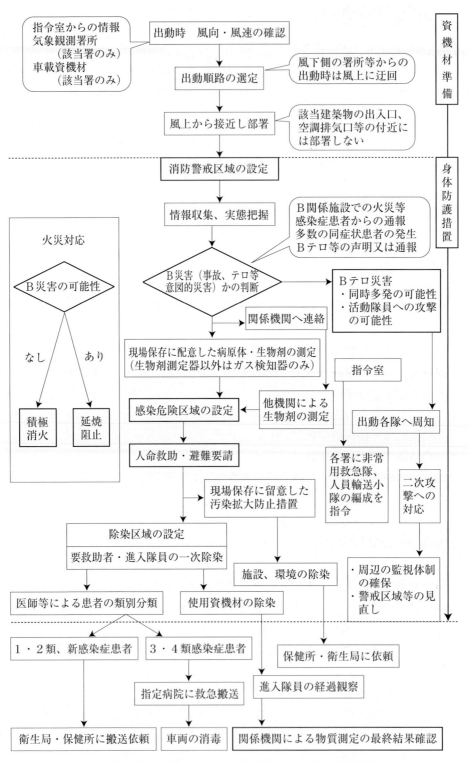

図1-5 病原体・生物剤に係る火災等における消防活動フロー

(3) 消防警戒区域を早期に設定する。
(4) 災害が発生している施設や現場への接近に際しては、関係者の助言と誘導に従い、慎重に接近する。
(5) 感染危険のある場所の安全側に進入統制ラインを設定する。
　なお、消防隊員の感染及び汚染防止のため、身体防護をしていない隊員の進入を統制する。

4 生物剤等の測定

(1) Bテロや白い粉事案等で生物剤等の測定を行う必要がある場合は、複数の測定箇所を指定し、広範囲に行う。
(2) 測定結果を判別するための測定結果確認場所を除染区域内の危険区域に近い場所に設定する。
(3) 感染危険区域への隊員の進入は、原則として、交替要員が確保できた後に開始する。

5 消防警戒区域等の設定

(1) 消防警戒区域又は火災警戒区域の設定
　ア　住民等の安全確保及び現場における消防活動エリアを確保するため、消防警戒区域を設定する。この場合、安全を見込んで十分に広いスペースを確保する。
　イ　火災の発生するおそれが著しく大きいときには、火災警戒区域を設定し、その警戒区域からの退去命令、区域への出入り制限及び火気の使用を禁止し、住民等の安全を確保する。
(2) 感染危険区域の設定
　ア　病原体貯蔵・取り扱い施設においては、原則として当該施設全体を感染危険区域と設定する。
　　なお、陰圧設備が正常に作動し、空調設備が停止していることが確認された場合は、生物剤等を保管及び取り扱う棟の防火区画によりその区域を設定する。
　イ　屋外及び集客施設等の前ア以外の場所において発生した場合は、災害状況、風位・風速及び街区状況等から感染の可能性がある区域に感染危険区域を設定する。
　ウ　感染危険区域は、常に設定範囲の見直しを行い、災害の実態に応じ、設定範囲の拡大又は縮小を行う。
(3) 除染区域の設定
　ア　汚染のない安全な場所に、隊員、要救助者及び資機材の除染所を設定し、除染所を含むエリアを除染区域とする。
　イ　感染危険区域から除染区域までの隊員の入退出経路及び傷病者の搬送経路にあっては、状況により感染危険区域又は除染区域を設定する。

ウ　災害の状況により、汚染拡大危険を考慮した範囲で設定する。

6　要救助者の救出・救護

(1)　要救助者を発見した場合は、汚染又は感染危険のある場所から一時的に危険の低い場所へ移動（ショートピックアップ）し、汚染及び感染危険の軽減を図る。
(2)　救助した要救助者は、感染危険区域外に搬出し、一次トリアージ担当、除染担当隊に引き継ぐ。

7　除染活動

　除染は、除染区域内に設置した除染所において、危険区域内で活動した消防隊員、関係者、要救助者及び使用した装備資機材の全てについて、次により行う。
(1)　除染所の設置
　　ア　研究施設等の屋内で発生した場合は、原則として施設内の設備を活用するものとし、設備がない場合又は使用できない場合は、災害の状況から汚染の拡大を防止できる場所に除染所を設置する。
　　イ　屋外で発生した場合は、風位・風速及び街区状況等を考慮し、災害の状況から汚染の拡大を防止できる場所に除染所を設置する。
(2)　除染要員の指定
　　　除染は、原則として施設関係者に要請し、状況により除染担当の隊を指定し、実施する。
(3)　除染
　　　汚染の可能性がある場合は、一次トリアージ実施後、次により除染を行う。
　　ア　要救助者の除染
　　　(ｱ)　乾的除染後、必要により、露出していた体表面の部分的な拭き取り除染又は水的除染を実施する。
　　　(ｲ)　除染後、除染区域内に一時避難場所を設定し、傷病者を避難させる。除染区域外への避難誘導にあっては、原則として、施設関係者又は専門家等との協議により安全が確認されるまで実施しない。
　　イ　隊員の除染等
　　　(ｱ)　防護服を着装した状態で水的除染を実施し、防護服離脱後、必要による乾的除染を実施する。
　　　(ｲ)　除染シャワー等からの排水は簡易水槽等にためて、次亜塩素酸ナトリウム0.5％溶液を作成し2時間程度殺菌する。
　　ウ　資機材等の除染等
　　　　汚染の可能性がある装備資機材は事業主等に処理を依頼し、必要により、水的除染を実施する。

エ　その他
　　(ｱ)　除染後、必要により除染結果を測定器等を用いて確認する。
　　(ｲ)　汚染の可能性がある装備資機材は、原則として再使用しない。ただし、除染の結果、再使用できるものは除く。

8　救急活動

(1)　活動要領
　ア　救急活動は傷病者の救命を主眼として傷病者の観察及び必要な応急措置を実施し、速やかに適応医療機関等に搬送する。
　イ　救急隊は、指揮本部長の指揮の下、危険区域外において活動する。
(2)　搬送要領等
　ア　傷病者を救護する場合には、二次汚染及び二次感染を防止するためゴム手袋、ゴーグル、マスク、簡易型防護服等を着装し、身体、衣類が傷病者に直接触れないようにする。
　イ　二次汚染及び二次感染を防止するため、全身を被覆具等で包み、頭髪は三角巾等で被覆する。ただし、長時間の搬送を行う場合は、被覆具等で被覆すると熱中症様症状を惹起することがあるので注意する。
　ウ　傷病者を救急車へ収容するに当たっては、救急車の床等を汚染防止のため、必要によりビニールシート等により防護する。

第5　消防活動の終了

　部隊の縮小や消防活動の終了判断は、次に掲げる活動全てが完了したことを指揮本部長が確認した時点とする。
(1)　全ての要救助者の救出及び医療機関への搬送が完了したとき。
(2)　病原体・生物剤による被害の拡大防止措置が完了したとき。
(3)　活動隊員全員の除染が完了したとき。
(4)　現場に残された病原体・生物剤及び汚染物等の処理については事業者、関係者及び荷主等との協議が完了したとき。

第6　安全管理

1　消防隊員の身体防護原則

(1)　進入統制ライン、除染区域及び感染危険区域内に対する防護装備は、病原体・生物剤による人体危険に対応する、防毒マスク等の呼吸保護具及び化学防護服等の装

備を着装する。
(2) 各区域内には、確実な身体防護措置を講じた者以外の者の進入を禁止する。

2　安全管理の原則

(1) 病原体・生物剤の感染危険等について早急に把握するとともに、指揮者はこれらの情報を周知徹底する。
(2) 指揮者は、感染危険区域内で消防活動を実施して退出した隊員に身体状況を報告させるなどして、隊員の身体の変調について十分掌握する。
(3) 感染危険区域内での活動中、防護服に異状等が認められた場合は、速やかに感染危険区域外に退出し、身体上の異状の有無を確認し、指揮者に報告する。
(4) 感染危険区域が広範囲に設定される場合又は長時間の活動が予想される場合は、早期に交替要員を確保し、活動時間の管理を行う。
(5) 消防警戒区域内で活動した隊員は、消防活動終了後、うがい、手の洗浄等を必ず実施する。
(6) 除染した防護服等の資機材は、除染区域内の1箇所に集め、さらにビニール等で密封し、所要の殺菌措置を行う。
(7) 消防警戒区域内では、努めて呼吸保護具及び簡易型防護服等を着装するなどの身体防護措置を行い活動する。
(8) 指揮者は、感染危険区域及び除染区域で活動した隊員について、病原体・生物剤の潜伏期間を考慮して経過観察を行うものとする。

第3節　C災害時の消防活動要領

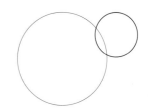

第1　C災害消防活動の基礎知識

1　C災害として取り扱う災害等

　「C」とは、Chemicalの略である。NBC災害の中で発生頻度が最も高いのがC災害であり、本書第2章の災害事例でもほとんどがこの事例である。その理由は多種多量の化学物質が流通し、また、一般家庭でも洗剤や漂白剤、殺虫剤などの形で人体に有害な化学物質が取り扱われていること、混触により火災や有毒ガスが発生しやすいこと及び化学物質は曝露してから短時間のうちに自覚症状が出るために、救急要請や救助活動として立ち上がる頻度が高いことなどが考えられる。

　ここで扱うC災害は、有害化学物質による災害全般とし、次に示す例による災害とする。

(1) 119番通報時に、何らかの有害化学物質や有毒ガスによる災害を示唆する内容が含まれている場合
　　ア　喉や眼の痛み・違和感、呼吸の圧迫感、刺激臭
　　イ　毒・劇物曝露、農薬散布、殺虫剤使用等による受傷者発生
　　ウ　ガス系消火設備の作動、火気設備の不完全燃焼、酸欠、冷媒ガスの漏洩
　　エ　同一場所での複数の原因不明の受傷者発生
　　オ　有害物質や毒・劇物を用いた意図的災害、犯罪行為
(2) 火災、救急、救助等により出動した消防部隊が、災害現場でC災害であることを認知した場合、又はその可能性があると判断できる場合
(3) 多数の受傷者が発生した集団救急事故等で、何らかの化学物質の存在や、意図的な有害物質の混入による犯罪の可能性が示唆される場合
(4) 化学物質を扱う工場・作業所・輸送車両の火災や漏洩事故

2　C災害の特徴

(1) 119番通報や110番からの転送によって入電する災害は、当初からC災害として判断される以外に、救急要請などによって出動した消防隊が、現場の状況からC災害対応が必要と判断する場合がある。

(2) 毒性の高い化学物質や有毒ガスでは、人体への曝露から短時間のうちに重篤な症状に至ることがあり、また、無臭の有毒ガスや一酸化炭素などでは気付かないうちに中毒症状が現れることがある。

(3) 家庭用として販売されている洗剤や漂白剤、殺虫剤などの混合による有毒ガスの発生や誤飲による中毒事故など、工場や研究施設以外の一般家庭でもＣ災害が発生することがある。

(4) サリン事件以降、住民が正体不明の臭気などに敏感となっており、下水道の臭気や工事現場で使われる有機溶剤や塗料の臭気に不安を覚えて119番通報する「異臭さわぎ」が増加している。

(5) 前(4)のような、異臭による消防活動において、原因物質の濃度が極めて低い場合が多く、消防隊が持っている測定器には反応しない場合がほとんどであるため、原因物質の特定に至らないケースが多く存在する。

(6) 化学物質や有毒ガス（原因不明を含む。）により受傷者が発生した災害の場合は、測定器を使った分析による原因物質の特定のほかに、受傷者を収容した医療機関の臨床情報から原因物質の推定を行うことができる。現場指揮者は救急隊情報の収集に配慮する必要がある（第２章・事例60）。

(7) 飲食店や旅館等で複数の受傷者が発生する一酸化炭素中毒事故や、汚水ピット等で発生する硫化水素や酸欠事故等、災害状況から有毒物質の存在を推測できる場合があることから、過去の事例を教訓とし、安易に素面で災害現場に進入しないなどの安全対策をとることによって、隊員が受傷する危険を減らすことができる。

第２　消防活動の原則

消防活動は、消防隊員の曝露及び汚染を防止し、住民の安全を確保しながら原因物質の汚染拡大防止を図り、次により行動することを原則とする。

(1) 被災者を早期に救出及び救護し、被害の軽減を図る。

(2) 消防隊は化学防護服及び酸欠空気危険性ガス測定器等の装備を有効に活用し、迅速に対応する。

(3) 活動方針の決定に当たっては、施設又は輸送関係者等を早期に確保して有効に活用するとともに、専門家の助言を参考とする。

(4) 空調設備を停止する。ただし、空調設備に汚染拡大を防止する構造がある場合及び災害状況から空調設備を作動させる必要がある場合は活用する。

(5) 毒・劇物危険区域等の設定を明確に行い、厳重な進入管理と汚染防止措置を実施する。

(6) 意図的災害（テロ災害）の可能性を示唆する情報を得たときは、直ちに消防本部に報告する。

(7) 消防活動方針は、指揮者を通じて全隊員に周知徹底し、隊員の行動を強く統制する。

(8) 消火活動は、防火区画等を利用した密閉による窒息消火等の効果的な消火方法を選定し、延焼防止を重点とする。
(9) 汚染した受傷者や活動隊員を受け入れ可能な医療機関を確保する。

第3 覚知時の措置

(1) 119番受付勤務員は、通報者の主観的通報内容に捉われず、できるだけ客観的事実を聴取するように努める。
(2) 原因が特定できない集団救急事故等の受信時は、一酸化炭素中毒や有毒ガスによる事故、意図的な毒物使用事件等の可能性を視野に入れた部隊運用を考慮する。
(3) 出動指令時には、Ｃ災害である（疑いのある）こと及び具体的な通報内容の詳細を付加指令する。
(4) 特殊災害部隊等、Ｃ災害対応資機材を積載する部隊を中心とした部隊運用を行う。
(5) 必要に応じて適当な場所に消防部隊を一時集結させ、指揮本部長の強い統制の下に活動させる。
(6) 要救助者が発生することが予想される場合は、早期に除染体制が確立できるよう、複数の除染設備と除染実施部隊、除染設備設営を支援する部隊を投入する。
(7) Ｃ災害が確定した場合は、早期に医療機関との連携活動を開始する。その際に、除染実施状況を医療機関に伝えて、受け入れ可能な医療機関を選択する。
(8) Ｃ災害による受傷者を搬送する場合、原因物質名等を、搬送先医療機関の医師に伝達するとともに、搬送途上の救急処置に関する助言を得て、救急隊に伝達する。

第4 Ｃ災害時の消防活動要領

ケース1 特殊災害部隊が先着した場合

1 出動時の措置

(1) 警防計画及び指揮資料等を携行する。
(2) 出動隊は、測定器、呼吸保護具、防護服、ゴム手袋等必要資機材の積載を確認し出動する。

2 集結場所における措置

(1) 関係者情報等により、集結場所の安全を確認する。
(2) 指揮者は、隊員に対し呼吸保護具の着装、資機材の再点検等、必要な指示を行う。
(3) 特殊災害部隊と合流後は、特殊災害部隊の隊長の助言に基づいた活動を行う。

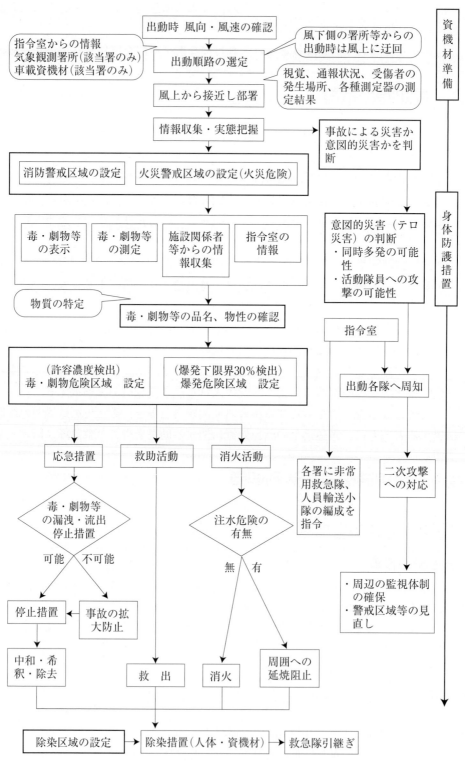

図1-6　毒・劇物に係る火災等の消防活動フロー

3 現場到着時の活動

(1) 指揮本部は、風上の安全な位置で、施設関係者等と連携が取りやすい場所を選定して設置する。
(2) 出動隊は、早期に施設関係者等を確保し、災害実態の把握に努めるとともに、活動方針決定に関わる技術的支援者として有効に活用する。
(3) 消防警戒区域を早期に設定する。
(4) 災害が発生している施設や現場への接近に際しては、関係者の助言と誘導に従い、慎重に接近する。
(5) 曝露及び汚染危険のある場所の安全側に進入統制ラインを設定する。消防隊員の曝露及び汚染防止のため、身体防護をしていない隊員の進入を統制する。

4 毒・劇物等及び化学剤等の測定

(1) 複数の測定器を用いて測定する。
(2) 物質の特定は、複数の測定器による測定結果から総合的に判断する。
(3) 毒・劇物危険区域への隊員の進入は、原則として、交替要員が確保できた後に開始する。

5 消防警戒区域等の設定

(1) 消防警戒区域又は火災警戒区域の設定
　ア　住民等の安全確保及び現場における消防活動エリアを確保するため、消防警戒区域を設定する。この場合、安全を見込んで十分に広いスペースを確保する。
　イ　火災の発生するおそれが著しく大きいときには、火災警戒区域を設定し、その警戒区域からの退去命令、区域への出入り制限及び火気の使用を禁止し、住民等の安全を確保する。
(2) 毒・劇物危険区域の設定
　ア　次に該当する区域に毒・劇物危険区域を設定する。
　　(ア)　人体許容濃度を超えるガス濃度が検出された区域

> ＊人体許容濃度とは、以下に示すものをいう。
> ・労働安全衛生法の作業環境評価基準にある管理濃度
> ・労働安全衛生法の管理濃度として示されていない物質については、産業衛生学会勧告による許容濃度
> ・労働安全衛生法の管理濃度及び産業衛生学会勧告による許容濃度で示されていない物質については、米国産業衛生専門家会議（ACGIH）で示している許容濃度（TLV—TWA）

　　　　(イ)　毒性ガスの品名及び毒性が不明な場合
　　　　　　a　臭気、刺激臭又は有色ガスを確認した区域
　　　　　　b　毒性ガスが発生している可能性が高い区域
　　　　　　c　体調等に何らかの異状が現れた区域
　　　　(ウ)　指揮本部長又は特殊災害部隊の隊長が必要と認める場合
　　　　　　a　施設関係者等が示した区域
　　　　　　b　災害実態から判断して人命危険が高いと予測される区域
　　イ　毒・劇物危険区域は、街区、建物、敷地等を単位として設定し、ロープ、標識等で設定表示を行うとともに、出動部隊に周知する。
　　ウ　毒・劇物危険区域は、常に危険範囲の見直しを行い、測定結果、風向・風速、漏洩・流出量等から危険性を判断して、設定範囲の拡大又は縮小を行う。
　　エ　毒・劇物危険区域を設定し、変更し、又は解除した場合は、消防本部にその時間、範囲等を報告する。
　　オ　意図的災害において、噴霧器等が発見された場合には、毒・劇物危険区域は広めに設定する。
　(3)　爆発危険区域の設定
　　ア　次に該当する区域に爆発危険区域を設定する。
　　　　(ア)　可燃性ガス濃度が爆発下限界値の30％を超える濃度を検出した区域
　　　　(イ)　指揮本部長又は特殊災害部隊の隊長が必要と認める区域
　　　　(ウ)　施設関係者が勧告した区域
　　　　(エ)　災害実態から判断して引火及び爆発の危険性が高いと予測される区域
　　イ　爆発危険区域は、街区、建物、敷地等を単位として設定し、ロープ、標識等で設定表示を行うとともに、出動部隊に周知徹底する。
　　ウ　爆発危険区域は、常に危険範囲の見直しを行い、測定結果、風向・風速、漏洩・流出量等から危険性を判断して、設定範囲の拡大又は縮小を行う。
　　エ　爆発危険区域を設定し、変更又は解除した場合は、消防本部にその時間、範囲等を報告する。
　(4)　毒・劇物危険区域及び爆発危険区域を同時に設定する場合
　　　可燃性毒性ガス等の漏洩により、毒・劇物危険区域及び爆発危険区域を同時に設定する場合は、設定範囲の広い区域をもって当該区域とする。
　(5)　除染区域の設定
　　ア　汚染のない安全な場所に、隊員・要救助者及び資機材の除染所を設定し、除染所を含むエリアを除染区域とする。
　　イ　毒・劇物危険区域から除染区域までの隊員の入退出経路及び傷病者の搬送経路にあっては、状況により毒・劇物危険区域又は除染区域を設定する。
　　ウ　災害の状況により、汚染拡大危険を考慮した範囲で設定する。

6 要救助者の救出・救護

(1) 要救助者を発見した場合は、曝露及び汚染危険のある場所から一時的に危険の低い場所へ移動(ショートピックアップ)し、曝露及び汚染危険の軽減を図る。
(2) 救助した要救助者は、毒・劇物危険区域外に搬出し、一次トリアージ担当、除染担当に引き継ぐ。

7 除染活動

除染は、除染区域内に設定した除染所において、毒・劇物危険区域内で活動した消防隊員、関係者、要救助者及び使用した装備資機材について、次により行う。
(1) 除染所の設置
　ア　研究施設等の屋内で発生した場合は、原則として施設内の設備を活用するものとし、設備がない場合又は使用できない場合は、災害の状況から汚染の拡大を防止できる場所に除染所を設置する。
　イ　屋外で発生した場合は、風向・風速及び街区状況等を考慮し、災害の状況から汚染の拡大を防止できる場所に除染所を設置する。
(2) 除染要員の指定
　　除染は、原則として施設関係者に行わせ、状況により除染担当の隊を指定し、実施させる。
(3) 除染
　　汚染の可能性がある場合は、一次トリアージ実施後、次により除染を行う。
　ア　受傷者の除染
　　　乾的除染後、必要により、露出していた体表面の部分的な拭き取り除染又は水的除染を実施する。必要により、全身の水的除染を実施する。
　イ　隊員の除染等
　　(ｱ)　防護服を着装した状態で水的除染を実施し、防護服離脱後、必要により乾的除染を実施する。
　　(ｲ)　除染シャワー等からの排水は簡易水槽等にため、物質の性状にあった方法で処理する。
　ウ　資機材等の除染等
　　　汚染の可能性がある装備資機材は事業主等に処理を依頼する。必要により、水的除染を実施する。
　エ　その他
　　(ｱ)　除染後、必要により除染結果を測定器等を用いて確認する。
　　(ｲ)　汚染の可能性がある装備資機材は、除染の結果、再使用できるものを除き、原則として再使用しない。

8　救急活動

(1)　活動要領
　ア　救急活動は受傷者の救命を主眼として受傷者の観察及び必要な応急処置を実施し、速やかに適応医療機関等に搬送する。
　イ　救急隊は、毒・劇物等及び神経剤等により汚染された受傷者及び疑いのある受傷者の救護に当たっては、指揮本部長の指揮の下、危険区域外において活動する。
(2)　搬送要領等
　ア　二次汚染を防止するため、全身を被覆具等で包み、頭髪は三角巾等で被覆する。ただし、長時間の搬送を行う場合は、被覆具等で被覆すると熱中症様症状を惹起することがあるので注意する。
　イ　受傷者を救護する場合には、二次汚染を防止するためゴム手袋、ゴーグル、マスク、簡易型化学防護服等を着装し、身体及び衣類が要救助者に直接触れないようにする。
　ウ　受傷者を救急車へ収容するに当たっては、救急車の床等を汚染防止のため、必要によりビニールシート等により防護する。

9　傷病者に対する神経剤解毒剤自動注射器の使用判断・取り扱い要領

　有機リン系農薬やサリン等の神経剤等による化学災害・テロによる集団的な被害が発生し、その被害者の生命に重大な危害が及ぶ切迫した状況において、医師及び看護職員以外の実働部隊の公務員（消防隊員、警察官、海上保安官及び自衛官）が、その公務として、その解毒剤（アトロピン及びオキシム剤）の自動注射器を使用する場合については、「化学災害・テロ時における医師・看護職員以外の現場対応者による解毒剤自動注射器の使用に関する報告書（化学災害・テロ対策に関する検討会　令和元年10月30日）」（以下「報告書」という。）を踏まえ取り扱うこととなっている。ここでは、報告書の一部を引用し、解説を加えることとする。
　(1)　医師法上の解釈は、以下のとおりと考えられるとされている。

(1)　対象者に対する当該自動注射器の使用については、医行為に該当するものであり、非医師等が反復継続する意思をもって行えば、基本的には、医師法第17条に違反する。
(2)　一般的に、法令若しくは正当な業務による行為及び自己又は他人の生命、身体に対する現在の危難を避けるため、やむを得ずにした行為は違法性が阻却され得る。
(3)　違法性阻却の可否は個別具体的に判断されるものであるが、少なくとも以下の5つの条件を満たす場合には、医師法第17条における違法性が阻却されると考えられる。
　①　当該事案の発生時に、医師等による速やかな対応を得ることが困難であること。

② 対象者の生命が危機に瀕した重篤な状況であることが明らかであること。
③ 自動注射器の有効成分が対象者の症状緩和に医学的に有効である蓋然性が高いこと。
④ 自動注射器の使用者については、定められた実施手順に従った対応を行うこと。
⑤ 自動注射器については、簡便な操作で使用でき、誤使用の可能性が低いこと。
(4) 実施手順に従った対応を確実に行うため、使用者はその使用に必要な講習を受けていることが望ましい。

(2) 非医師等による自動注射器の使用

> **自動注射器使用**
> 　模擬注射器による使用訓練を通して、解毒剤自動注射器を使用することの抵抗感をなくす必要がある。
> 　自動注射器の模擬注射器を使用した訓練では、解毒剤自動注射器の使用判断がなされても、使用することなく傷病者と未使用の解毒剤自動注射器（模擬注射器）が引き継がれていく傾向がある。解毒剤自動注射器の使用判断後、隊員に対して使用する場所やタイミングを具体的に指示することを考慮すること。
> **注意！！　解毒剤自動注射器の端に親指をかけない。**
> 　誤って自動注射器を逆に保持した場合、自動注射器の端に親指をかけていると親指に針が刺さることから、端に親指をかけないことを訓練で徹底する必要がある。
>
>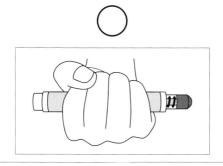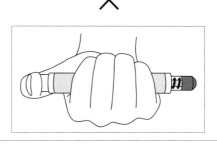

図1-7　解毒剤自動注射器の使用判断チェックリスト

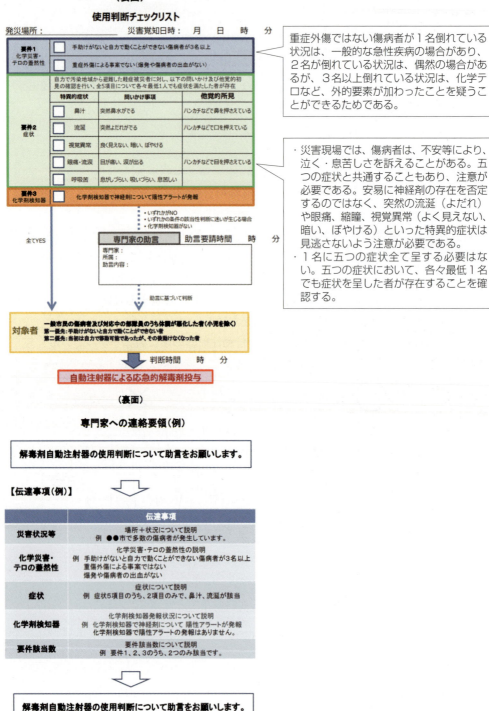

出典：令和3年度救助技術の高度化等検討会（解毒剤自動注射器の運用に関する報告書）

ケース2 　特殊災害部隊以外の隊が先着した場合

1 　先着隊の初期活動要領

1 　活動の主眼

　Ｃ災害現場に先着するポンプ隊等は、活動隊員及び関係者等の安全を確保しつつ、配置資機材を活用した要救助者の迅速な救出救護、悪化防止及び被害の拡大防止を主眼とした活動を行う。

2 　対象とする災害及び部隊等

Ⅰ　対象とする災害

　以下に例示する毒・劇物、化学剤等に係る災害（疑いを含む。）全般とする。
　(1)　工場、研究施設、輸送車両、冷凍倉庫、その他毒・劇物取り扱い施設等での漏洩等
　(2)　薬品の曝露、農薬・殺虫剤散布等による受傷者の発生
　(3)　ガス系消火設備の作動、火気使用設備の不完全燃焼、酸欠、冷媒ガスの漏洩
　(4)　家庭用洗剤、プール用消毒薬等の混合に起因する有毒ガスの発生
　(5)　有害物質を用いた意図的災害（犯罪、テロ）
　(6)　その他、刺激臭、眼・喉の異常、呼吸の違和感等による複数の受傷者の発生など、通報内容、また、現着時の状況から、何らかの有害物質に係る災害の可能性が疑われる場合
　※　毒・劇物施設等での火災は、本要領を考慮した消火活動を実施する。

Ⅱ　対象とする部隊

　Ⅰに示す災害現場に特殊災害部隊よりも先に到着するポンプ隊（化学小隊を含む。）、特別救助隊等とする。

3 　出動時の措置

Ⅰ　出動指令に基づく災害実態・危険性の予測

　(1)　災害の実態及び規模、有害物質による受傷危険、活動危険及び被害拡大危険
　(2)　受傷者、要救助者の有無及び状態

Ⅱ　防護服及び測定器等の準備

　(1)　指令内容や気象状況等によるが、原則として化学防護服を着装して出動する。
　(2)　酸欠空気危険性ガス測定器及び検知管式ガス測定器の積載を確認するとともに、

酸欠空気危険性ガス測定器は、出動時など有害ガスや排気ガス等を吸引しない場所で電源を入れ、校正する。
(3) 熱中症防止用資機材（冷却ベスト、冷水等）を積載する。

Ⅲ 水利選定

出動ポンプ隊のうち1隊は消火栓に部署するものとし、指令番地付近の消火栓を、現場の風向き等を考慮して複数選定する。
※ 水利部署の目的は、警戒筒先、隊員の応急除染のほか、受傷者の水的除染である。消火栓部署が困難な地域では自然水利に部署し、水的除染が必要な場合には、除染テントとともに中継隊や水槽車の要請を考慮する。

4 現着時の措置

Ⅰ 車両部署等

(1) 指令番地付近では風向きを考慮し、酸欠空気危険性ガス測定器及び五感を活用しながら風上又は風横側から接近する。
(2) 次の事象を確認したら、事象が発生している場所から風上側で安全な距離を確保した位置に停車し、必要に応じて車両を後退させる。
　ア　臭気、眼・鼻・喉に刺激を感じる。
　イ　樹木の異常な枯れ、小動物の異常行動や死骸、体調不良や意識障害を起こした人が散見される。
　ウ　原因不明の煙が漂っている。
(3) 指令番地付近に何らの異常も認められず、通行人も景観も平常である場合は、接近できるところまで進み、指揮本部の活動や除染設備の設置を妨げない位置に部署する。
(4) 水利部署するポンプ隊は、漏洩等が拡大しても影響を受けず、かつ、部署車両が後着隊や指揮本部の活動を妨げない位置にある消火栓に部署する。
(5) 集結場所が指定された場合は、指令番地ではなく指定された場所へ集結する。
※「集結場所」は、NBC災害（疑いを含む。）で通報・指令内容及び指令番地の状況から、消防本部、指揮本部長又は署隊本部が「指揮本部長による確実な活動統制が必要で、指揮隊、ポンプ隊、救急隊等の初動対応隊が事前に集結して指令番地に向かう必要がある」と判断した場合に指定する。指揮本部長は集結場所の変更が可能であり、また、直近ポンプ隊等を指令番地に先行させることができる。

Ⅱ 無線報告及び応援要請

(1) 現場到着後、把握した初期情報及び状況を直ちに消防本部へ報告する。
(2) 災害の状況から、必要と判断される特殊災害部隊、資材輸送小隊（除染テント、空気ボンベ等）、特別救助隊、救急隊、人員輸送小隊等の応援要請を行う。

5 初動対応

Ⅰ 情報収集と誘導・救助

(1) 情報収集の原則

情報収集は先入観を持つことなく、五感を活用しつつ関係者、各種表示、イエローカード等から幅広く行う。

(2) 関係者等からの情報収集

(3)の事項に留意しながら早期に関係者等を確保し、「気分は悪くないですか」等の声掛けにより受傷の有無や目視による汚染の有無を確認し、別記1により情報収集を行う。

(3) 危険性があると予想される場所にいる関係者、要救助者への対応

　ア　危険性があると予想される場所にいる、若しくは手招きや助けを求めているなどの関係者、要救助者を確認した場合には、安易に接触せずに「歩ける方は、こちらに来てください」等と呼び掛けて、自力歩行可能者を安全な場所（進入統制ライン（「5．Ⅳ．進入統制ラインの設定」参照）を設定した場合は、ラインの危険側直前又は指定した場所）まで誘導する。

　イ　自力歩行不能者を確認した場合には、周辺には高濃度の化学物質が存在する可能性があることから、「5．Ⅲ．身体防護要領」に基づく確実な身体防護の下救助を行う。この際、複数の要救助者がいるなど救助に時間を要する場合には、まず化学物質の濃度が低い安全側方向へ一時的に移動（ショートピックアップ：別添え資料参照）し、高濃度の化学物質の吸入や曝露の軽減に配意する。

　ウ　ベランダや窓等から救助を求める要救助者を確認した場合は、建物内部を通った避難を避けた避難誘導や救助も考慮する。

Ⅱ 情報収集に基づく危険性の判断

(1) 公衆の場所で複数の人が倒れるなどテロの可能性がある場合には、慎重に対応する。

(2) 歩行可能者が確認できる屋外での事故や、少量の薬品等による事故などの場合は、身体防護を図り安全を確保した上で救出・救護を優先した対応に心掛ける。

Ⅲ 身体防護要領

(1) 別記2に、毒・劇物危険区域（設定前は、毒・劇物危険区域の設定が予想される区域）内におけるポンプ隊等の身体防護措置例を示す。

(2) 化学防護服及び空気呼吸器面体の着装状況は、必ず隊長、補助者等が確認するとともに、確実に気密確認を行う。

(3) 次の場合は速やかに活動を中止し、隊員の身体状況を確認するとともに、必要により除染を行う。また、使用した防護服及び空気呼吸器は、安全が確認できるまで再使用しない。

ア　空気呼吸器、面体の破損又は異常等により、面体内部で臭気、目・鼻・口・喉部の刺激、その他違和感がある場合
　　イ　皮膚に痛み、刺激、その他違和感がある場合
　　ウ　面体と防護服のフード部分がずれる等により、面体内部の気密が保てなくなった場合
　　エ　防護服が破損した場合
　　オ　その他活動中に異常を感じた場合
　(4)　臭気等が無く、かつ、一般の人が通常に歩行しているなど、客観的に判断して毒・劇物危険区域や進入統制ラインの設定の要がないことが明らかな場合には、化学防護服又は防火服に空気呼吸器を背負い緊急時に速やかに面体を着装できる状態で、救助等を優先した活動を行う。

Ⅳ　進入統制ラインの設定
　(1)　臭気の有無、建物状況、その他の状況から判断しておおむね安全と思われる範囲を消防隊の活動拠点とし、その前方（災害現場方向）に進入統制ラインを設定する。
　(2)　進入統制ラインの危険側へ進入する隊員は、確実な身体防護措置を行う。
　(3)　進入統制ラインは、除染区域設定用テープで表示する。ただし、迅速な救助活動等のためテープによる設定のいとまがない場合は、全隊員に確実に周知し、その後テープにより表示する。
　※　「進入統制ライン」は、隊員の化学物質による曝露と活動隊員や要救助者を介した化学物質の拡大を防ぐため、危険区域、除染区域が設定されるまでの間、危険のある区域への出入りを統制するための暫定的なものである。設定及び解除は、以下の点を考慮する。
　　①　必ずしも測定器による測定結果に基づくものではなく、初動時に指揮者が災害現場の状況から「危険」と判断した位置に設定する。この場合、まず指揮者から全隊員に設定位置を周知することとし、テープによる表示を優先しない。
　　②　要救助者及び進入隊員の除染に必要なスペースを考慮して設定する。

Ⅴ　測　定
　(1)　酸欠空気危険性ガス測定器により活動場所や活動拠点の安全性を継続して確認するとともに、必要に応じて検知管式ガス測定器を使用して測定する（別記3～5参照）。
　(2)　進入統制ラインの危険側の測定は身体防護措置を講じた隊員により、情報収集や要救助者の誘導等の活動と併せて行う。
　※　先着ポンプ隊が行う初動時の測定は、可燃性ガスの有無など活動場所の安全確認が目的であり、原因物質の特定や危険区域の設定が主な目的ではない。

Ⅵ 消防警戒区域の設定等

(1) 被害の拡大防止と消防活動スペースの確保のため消防警戒区域を設定し、警戒区域設定用テープ等で明示して、歩行者等の退去や立ち入り規制を行う。また、風向きや、後着隊による除染テントや応急救護所等の設置スペースを考慮する。
(2) 周辺住民への影響がある場合は、車載拡声器等により広報する。この場合は、早期に現場警察官や消防団員に消防警戒区域を明示し、通行人や居住者等の避難や立ち入りの規制等について協力を求める。

Ⅶ ホース延長

ホース（除染テント等に接続できるもの、筒先付き）を進入統制ラインの安全側に配備する。
　※ このホースは、警戒筒先のほか隊員の応急除染及び除染テント等への送水に使用する。

Ⅷ 要救助者の乾的除染

(1) 有害物質が付着し、若しくは危険性のある場所にいた関係者を対象に、別記6により乾的除染を行う（一酸化炭素、二酸化炭素又は酸欠による事故であることが判断できる場合は、除染の必要はない。）。
(2) 乾的除染を実施する隊員は、化学防護服及び空気呼吸器を着装する。
(3) 乾的除染実施後、簡単な容態観察を行い、現場救護所等に誘導する。
(4) 脱衣した衣服等の除染物は、ビニール袋等に収納して密封し、進入統制ラインの危険側に除染物保管場所を設置し、保管する。除染物は持ち出されることがないように十分配意する。

Ⅸ 隊員の応急除染

進入統制ラインの危険側で活動した隊員が安全側に脱出する際には、あらかじめ延長したホースで別記7により応急除染を実施する。

Ⅹ 拡散防止

要救助者がない場合、若しくは救助終了後の毒・劇物危険区域（設定前は、毒・劇物危険域の設定が予想される区域）内の活動は、特殊災害部隊が実施するものとするが、特殊災害部隊の到着前で有害物質が継続して発生し被害が拡大する可能性がある場合は、可能な範囲内で扉の閉鎖や防水シートによる被覆等による拡散防止に努める。

Ⅺ その他

女性隊員は、進入統制ラインの安全側のみで活動する。

別添え　先着隊の初期活動におけるショートピックアップ説明資料
別記1　先着隊の初期活動におけるC災害時の情報収集（例）
別記2　先着隊の初期活動における毒・劇物危険区域内での身体防護措置
別記3　酸欠空気危険性ガス測定器表示内容
別記4　検知管式ガス測定器（ドレーゲル検知管）の使用手順（例）
別記5　測定結果無線報告（例）
別記6　先着隊の初期活動における乾的除染の手順
別記7　隊員の応急除染手順

別添え

先着隊の初期活動におけるショートピックアップ説明資料

1 ショートピックアップについて

　C災害現場の有害物質が存在している場所に要救助者がいる場合には、有害物質による要救助者への影響を避け、若しくは悪化を防止するために要救助者の呼吸保護及び皮膚への付着防止が必要である。このうち呼吸保護の方法としては、①防毒マスク等の呼吸保護具を着装させる方法と、②要救助者を有害物質濃度がより低い（新鮮な空気が多い）環境へ移動させる方法等がある。

　先着ポンプ隊として実施可能な活動は、②の要救助者を移動させる方法であり、特に要救助者が複数の場合や速やかに安全な場所まで救助することが困難な場合などには、適切な身体防護措置を行った隊員により、緊急的に有害物質の濃度が低い場所へ要救助者を一時的に移動（ショートピックアップ）し、その後安全な場所まで救助することにより、悪化防止を図ることが期待できる。

　なお、ショートピックアップは災害発生場所の状況や要救助者の数、状態等から必要と判断される場合に実施する。

2 ショートピックアップに関する具体的な活動例

（例１）　単体中隊が先着、何らかの化学物質により建物入口付近に要救助者が複数いる。

(1) 建物入口付近に高濃度の化学物質の存在が予想され、身体防護措置をした隊員は2名。

(2) 歩行不能者が3名いる場合、1名ずつ進入統制ラインまで搬送するのではなく、建物入口から離れ濃度の低い位置に一時的に3名とも移動する。

(3) その後要救助者3名を進入統制ライン付近の安全な場所まで搬送し、除染等適切な処置を実施して救急隊へ引き継ぐ。

（例２）　何らかのガスが発生し、住宅の浴室内で要救助者が倒れている現場。情報として、現場に入浴剤とトイレ用洗剤の空きボトルがあり、建物周辺に硫黄臭がする。

(1) 一般住宅における硫化水素事案と推定し、身体防護措置をした隊員により室内の状況確認。

(2) 歩行不能者が2名いるが浴室内は狭く隊員2名でしか活動ができないので、一時的に廊下へ要救助者2名を移動し、浴室及び脱衣室の扉を閉鎖し拡散防止を図る。

(3) その後要救助者2名を屋外まで搬送し、除染等適切な処置を実施して救急隊へ引き継ぐ。

別記1

先着隊の初期活動におけるC災害時の情報収集（例）

　初期段階の状況や情報、また、その後の状況の変化は、危険性の評価、初動対応方針の決定並びに指揮隊、特殊災害部隊等到着以降の活動方針の決定等の重要な判断要素となる。

　別紙「C災害情報収集カード（例）」は、初期の活動において「情報収集」を確実に行い、危険性を判断するとともに、以後の活動を安全かつ効率的に行うためのサポートツールであり、表面は情報収集カード、裏面はチェックリストとし活用できる。

C災害情報収集カード（例）活用要領

○　情報収集前にまず、情報収集項目を確認する。

○　情報収集する中で、赤項目にチェックがあれば危険性が大きいものとして活動する。

○　活動が推移する中で、新規情報、情報の変化を書き加え、あわせて裏面のチェックリストを確認する。報告事項等に漏れのないようにする。

○　このカードに基づき消防本部及び後着の指揮本部長に報告する。

別紙表面　C災害用情報収集カード例

C災害情報収集カード（例）

危険度判断　　大　　中　　小

※　赤項目にチェックがあれば危険性が大きいものとして活動する。

情報収集時確認事項	□化学防護服の着装は完全か？
	□聴取する関係者に汚染や受傷はあるか？
	□情報収集場所は適切か？

災害状況	事故等	テロ	不明	
	火災		非火災	
	臭気有		臭気無	
毒・劇物等の漏洩内容	毒・劇物等の漏洩	有	不明	無
	漏洩物の可視	見える	見えない	
要救助者	有（　　　名）		不明	無
	屋外		屋内	
	要救助者と漏洩場所の位置関係			
受傷者	有（　　　名）		不明	無
毒・劇物情報	名称：　　　　　　　　容量：			
	別名（　　　　　　　　　　　　　　　　）			
	運搬輸送時（関係者から聴取不能の場合）	車両標識	色・絵柄・文字・数字の確認	
			携行している書類（イエローカード）等の確保	

第3節　C災害時の消防活動要領

別紙裏面　NBC災害活動チェックリスト例

NBC災害活動チェックリスト（例）

※ 記載順序にこだわることなく、隊員、住民の安全を確保しつつ、要救助者の救出救護及び被害の拡大防止を主眼とした活動を行う。

必要資機材（着装又は積載状況の確認）
- ☐ 化学防護服
- ☐ 除染関係資機材
- ☐ 酸欠空気危険性ガス測定器
- ☐ 冷却ベスト、冷水
- ☐ 検知管式ガス測定器
- ☐ その他必要資機材
（　　　　　　　　　　　　　　）

現着時の措置
- ☐ 風向きを考慮し風上又は風横の安全な側から接近
- ☐ 異常を確認したら、風上側の安全な場所に部署（状況により車両を後退）
- ☐ 異常がない場合は指揮本部や除染場所を考慮し部署
- ☐ １隊は消火栓に部署し、ホースを延長して水をのせる
- ☐ 見たままの状況を消防本部へ報告、必要に応じ応援要請

初動対応
- ☐ 五感を活用しつつ、関係者（早期に確保）、表示、関係資料等から情報を収集
- ☐ 適切な身体防護措置の選択と着装状況の確認（化学防護服着装状況及び気密）
- ☐ 情報収集結果から危険性を判断
- ☐ 進入統制ラインの設定と周知（テープは後でもよい）
- ☐ 酸欠空気危険性ガス測定器等により、可燃性ガスの有無と活動場所の危険性、活動拠点の安全を確認（誘導、救助と並行して）
- ☐ 要救助者の迅速な誘導と救出救護
- ☐ 複数の要救助者に対するショートピックアップを考慮
- ☐ 消防警戒区域の設定
- ☐ 有害物質付着の可能性のある関係者・要救助者の乾的除染
- ☐ 活動隊員脱出時には噴霧注水により応急除染を実施

留意事項
- ☐ 活動スペースを広めにとる
- ☐ 各種情報の消防本部・指揮本部長へ報告と後着隊へ周知
- ☐ 毒・劇物等の品名及び数量等、災害発生状況の明確化

別記2

先着隊の初期活動における毒・劇物危険区域内での身体防護措置

1 毒・劇物危険区域内での身体防護措置例

ポンプ隊等の初期活動における毒・劇物危険区域（設定前は、毒・劇物危険区域の設定が予想される区域）内での身体防護措置は、次を参考とする。

毒・劇物危険区域内での身体防護措置選択例（○は選択できる身体防護措置）

原因物質又は要救助者の状況	空気呼吸器のみで対応可	呼吸器＋化学防護服	
		セパレート型	一体型
① 硫化水素		○注	○注
② 塩素、アンモニア			○注
③ 一酸化炭素、二酸化炭素	○	○	○
①～③以外			○注

注　次の場合には、陽圧式化学防護服を着装して活動する。
- 工場、冷凍倉庫、輸送車両等のボンベ、タンク、配管等から、直接毒・劇物等（液体又は気体）を曝露する可能性のある場合
- 液体の毒・劇物等が、空気呼吸器本体若しくは面体部分に曝露する可能性のある場合
- 不審物から化学物質が漏洩し直接曝露する可能性のある場合

2 硫化水素に係る災害にC災害以外の指令により出動した際の対応

都市ガス臭等の指令により防火服で出動し、酸欠空気危険性ガス測定器等により現着後硫化水素に係る災害と判明した場合で、要救助者が確認されるなど緊急かつ迅速な対応が必要な場合には、他の隊員や後着隊による身体防護体制が整うまでの間、次の条件の下防火服と空気呼吸器により一時的に毒・劇物危険区域（設定前は、毒・劇物危険区域の設定が予想される区域）内で活動できるものとする。ただし、前1、注に該当する場合を除く。

ア　防火服及び空気呼吸器面体を完全着装したうえで、顔面の露出部は防火マスク又は防火帽のフードにより保護し、必要最小限の活動とする。

イ　活動中身体に何らかの異常を感じた場合には、速やかに退出する。

別記3

酸欠空気危険性ガス測定器表示内容（写真はGX-2012型）

① 可燃性ガス濃度

メタンガス（爆発範囲＝5〜15vol%）を基準に校正
※ 機種によってはイソブタン（爆発範囲＝1.8〜8.4vol%）等を基準に校正
※ 爆発下限界（Lower Explosion Limit）に対する%で表示される。

※基準ガス以外の可燃性ガスを測定した場合には換算が必要（表示は30%LELでも実際は30%LELを超えている可能性がある。）

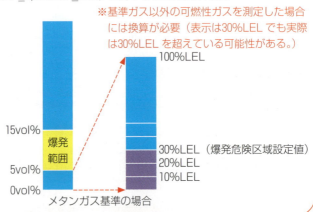

メタンガス基準の場合

② 酸素濃度

21%	通常空気濃度
18%	警報点
16%	頭痛、悪心
12%	めまい、吐き気、筋力低下
10%	顔面蒼白、意識不明、嘔吐
8%	昏睡（8分で死亡）
6%	呼吸停止、けいれん、死亡

1％＝10,000ppm

③ 一酸化炭素濃度

ガス比重＝0.97（空気＝1）
○50ppm（許容濃度＝毒・劇物危険区域設定値＝警報点）
○600〜1,000ppm（1〜1.5時間後に意識を失う）
○4,000ppm以上（短時間吸引でも生命危険）

④ 硫化水素濃度

ガス比重＝1.19（空気＝1）
○5ppm（許容濃度＝毒・劇物危険区域設定値）
○警報点は5ppm
○1,000〜2,000ppm（即死）

別記4

検知管式ガス測定器（ドレーゲル検知管）の使用手順（例）

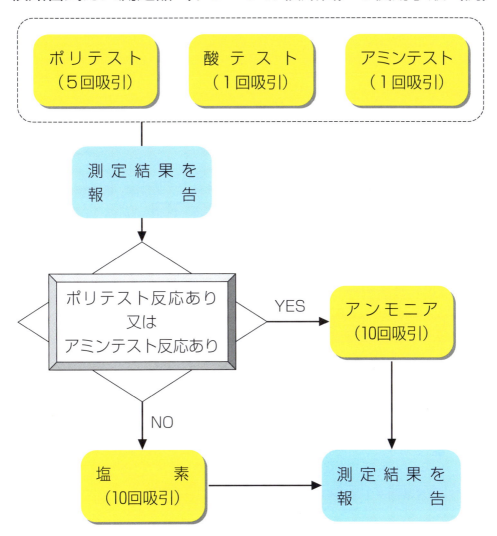

注
- この手順は、初期対応部隊の活動危険を把握する目的で、災害原因物質特定のための絞込み方法について示すものである。配置されている検知管の種類によっては内容が異なる。
  物質の濃度を測定して毒・劇物危険区域の設定等を行う場合は、特殊災害部隊による詳細測定を実施する。
- 災害状況及び現場到着時の臭気等から塩素及びアンモニアの漏洩が疑われる場合には、塩素及びアンモニアの検知をポリテスト、酸テスト及びアミンテストに優先して実施する。
- 必ず酸欠空気危険性ガス測定器による測定も併せて行う。

別記5

測定結果無線報告（例）

1 酸欠空気危険性ガス測定器

酸欠空気危険性ガス測定器は汚染のない場所で電源を入れ、校正が終了すれば、4種類のガス（酸素、可燃性ガス、硫化水素、一酸化炭素）を測定可能である。報告要領は以下のとおり。

(1) 数値に変化がない場合

表示　| 21.0% | 0%LEL | 0.0PPM | 0PPM |
　　　　酸素　　可燃性ガス　硫化水素　一酸化炭素

・ 測定場所 ＋ 測定器名 ＋ 測定結果

例：「敷地入口から10m付近、酸欠空気危険性ガス測定器、数値変化なし。」

　測定結果「反応なし」「異常なし」ではない。
　数値の変化が「ある」か「ない」かを報告する。

(2) 数値に変化がある場合

表示　| 20.7% | 3%LEL | 0.7PPM | 3PPM |
　　　　酸素　　可燃性ガス　硫化水素　一酸化炭素

・ 測定場所 ＋ 測定器名 ＋ 測定結果

例：「建物入口、酸欠空気危険性ガス測定器、酸素20.7%、可燃性ガス3％LEL、硫化水素0.7ppm、一酸化炭素3ppm　を表示。」

2 検知管式ガス測定器（ドレーゲル検知管）

検知管の種類により定性分析（成分を特定）と定量分析（濃度を特定）の2種類があり、報告要領は以下のとおりとし、使用した検知管名を必ず報告する。

(1) 定性分析の検知管（3種：ポリテスト、酸テスト、アミンテスト）

・ 測定場所 ＋ 測定器名 ＋ 検知管名 ＋ 測定結果

例：「敷地入口から10m付近、ドレーゲル検知管、ポリテスト、反応あり。」
　　「建物入口、ドレーゲル検知管、アミンテスト、反応なし。」

　ドレーゲル検知管の場合は「反応あり」「反応なし」を報告する。

(2) 定量分析の検知管（2種：アンモニア、塩素）

・ 測定場所 ＋ 測定器名 ＋ 検知管名 ＋ 測定結果

例：「敷地入口から10m付近、ドレーゲル検知管、アンモニア、25ppm反応あり。」
　　「建物入口、ドレーゲル検知管、塩素、反応なし。」

　定量分析の場合は数値も報告する。

別記6

先着隊の初期活動における乾的除染の手順

「乾的除染」とは、受傷程度の悪化防止や汚染拡大防止を目的として、有害物質が付着した要救助者等の衣服を脱衣することで有害物質を除去する方法であり、初期活動時での手順は以下のとおりとする。

なお、液体の有害物質による汚染が目視で確認できる場合は水的除染の対象であるが、その場合もまず速やかに乾的除染を行うとともに、汚染の程度が小さい場合、また、要救助者の状態から速やかな搬送が必要な場合には、清拭と部分的な洗浄を実施して搬送する。

除染活動全般については、第4節　NBC災害時の除染活動要領（p.75）を参照すること。

- 〇　乾的除染を行う場所は進入統制ラインの危険側とし、対話可能な要救助者、関係者等に対しては、説明をした上で実施する。

- 〇　関係者、要救助者等が自分で衣服の交換ができる場合は本人が行い、実施後は手を洗わせる。消防隊が実施し、若しくは手伝う場合には、化学防護服及び空気呼吸器により身体防護措置を講じた隊員が対応する。

- 〇　乾的除染は、関係者、要救助者等の外側の衣服を脱衣させる。内側の衣服まで汚染している場合は、汚染している衣服を脱衣させる。また、頭部・四肢の露出部等の汚染が疑われる場合等には、必要に応じてタオル等により拭き取り又は部分的な洗浄を行う。

- 〇　状況により毛布等を活用して保温に配慮する。脱衣した衣服はビニール袋に入れてガムテープ等で密封する。

- 〇　乾的除染用簡易テント等の活用、また、脱衣後に要救助者用簡易服等を着装させるなどして、プライバシー保護に配慮する。

別記7

隊員の応急除染手順

応急除染は、ポンプ隊等の初期対応時に進入統制ラインの危険側で活動した隊員を除染する要領で、以下のとおりとする。

- 〇 実施場所は進入統制ラインの危険側とし、乾的除染の場所と明確に区分するとともに、建物内部や指揮本部、応急救護所等への流入がないように水の流れを十分に考慮し、二次汚染に配意するなど、他に影響を及ぼさない位置とする。

- 〇 除染水は初期に延長したホースを活用し、進入統制ラインの安全側から噴霧注水で行う。

- 〇 放水圧力は0.1MPa程度とするが、これによりがたい場合は除染される隊員との距離をとる等する。

- 〇 噴霧注水の角度は、おおむね隊員を覆う角度とする。

- 〇 前面、背面をまんべんなく除染した後、手袋、足の裏、脇の下を除染する。それぞれの箇所を10秒程度行う。

- 〇 測定器等の資機材は、一時的に進入統制ラインの危険側で活動障害とならない場所に置き、活動終了後に特殊災害部隊と連携して布等で拭き取り除染する。

2 特殊災害部隊到着後の活動要領

特殊災害部隊等化学災害専門の資機材を積載した部隊（以下「専門部隊」という。）が現場に到着すると、最高レベルの化学防護服と測定資機材を活用した活動が可能となる。ここでは、専門部隊を活用した消防活動の組立て方を解説する。

1 指揮支援への活用

専門部隊は、NBC災害に関する専門知識を持った人材が登用されている場合が多い。指揮本部長は専門部隊の隊長を指揮本部に常駐させ、種々の指揮判断上のブレーンとして活用する。

専門部隊の隊長は、自己部隊の活動指揮のほかに、災害の全容を早期に把握することを最優先に、方針の決定に必要な具体的活動方策について、積極的に指揮本部長への助言を行い、円滑な指揮本部運営を支援する。

2 災害実態の把握

写真1-8　危険区域内での救助活動

指揮本部長は、専門部隊を活用し、災害発生場所の実態を把握するために、以下の情報を報告させる。
(1) 災害発生場所内部の状況
(2) 要救助者の有無
(3) 原因物質の情報

3 ゾーニングと活動体制の確立

指揮本部長は、専門部隊の測定器活動を活用し、測定結果に基づく毒・劇物危

写真1-9　要救助者の引継ぎ（除染区域内）

険区域、除染区域等、ゾーニングを行うとともに、各ゾーンごとの活動隊の指定、進入口、脱出口の指定、救急搬送経路の指定を行い、要救助者の救助活動体制を確立する。

各ゾーンには、局面指揮者を配置し、部隊の活動管理を行わせる。

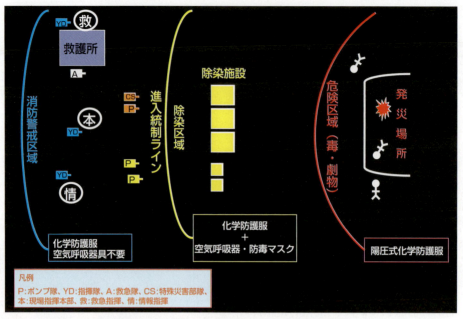

図1-8　C災害時の消防活動基本隊形

　毒・劇物危険区域：有害物質のガス濃度が、許容濃度を超える区域。実際には安全を見込んで、許容濃度を超えるエリアよりも外側に設置し、災害が発生した建物全体を毒・劇物危険区域とすることが多い。
　除染区域：毒・劇物危険区域の外側に、有害物質に汚染され救助した被災者や受傷者の一次トリアージ、除染等を行うためのエリア。この区域の安全側が指揮本部、現場救護所等の消防活動拠点であり、除染区域より危険側に進入する場合は、化学防護服と呼吸保護具を着装させる。消防警戒区域内に脱出する場合は、延長したホースラインによる放水や除染設備により除染をしなければならない。
　消防警戒区域：一般市民等の立入を規制し、市民の安全を図ると同時に、消防隊の活動エリアを確保するための統制ライン。

4　除染体制の確立

　指揮本部長は、除染区域に除染設備を設置させ、受傷者と危険区域・除染区域内で活動する隊員の除染体制を確立する。

5　指揮分担

　指揮本部長は、現場救護所の運営、専門部隊を核とした除染区域内活動、危険区域内活動の指揮を、後着した応援指揮隊長に分担をさせ、災害現場管理に専念できる体制を確立する。

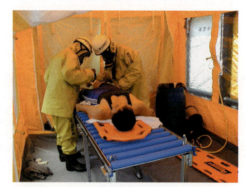

写真1-10　C災害における水的除染

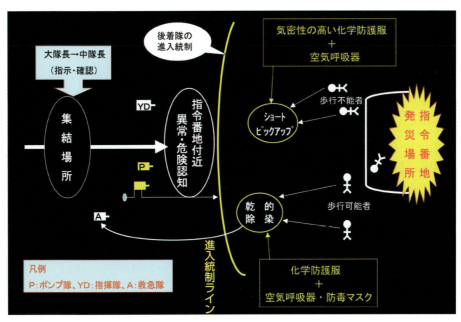

図1-9　NBC専門部隊以外の先着隊による初期対応

「進入統制ライン」：現場指揮者が五感と測定器によって「具体的な危険」を判断した場所に設定する。
「ショートピックアップ」：要救助者を発見した場合に、曝露及び汚染危険のある場所から一時的に危険の低い場所へ移動し、曝露及び汚染危険の軽減を図ること。

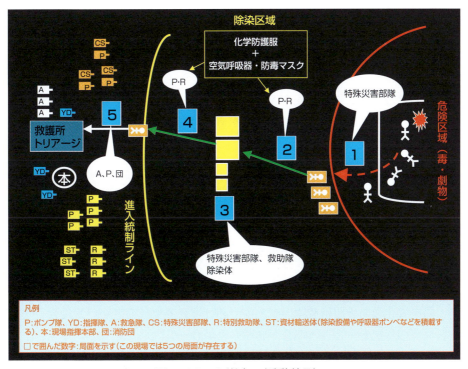

図1-10　C災害の活動体形

6　傷病者に対する神経剤解毒剤自動注射器の使用

傷病者に対する神経剤解毒剤自動注射器の使用については、「ケース1 特殊災害部隊が先着した場合」の9　傷病者に対する神経剤解毒剤自動注射器の使用判断・取り扱い要領（p.48-50）を参考に実施する。

7　汚染監視モニターの設置

指揮本部や応急救護所等に各種測定器を固定設置し、有害物質が除染区域外の活動拠点に及んでいないか継続的に監視する。

第5　消防活動の終了

部隊の引揚げや消防活動の終了判断は、次に掲げる活動全てが完了したことを指揮本部長が確認した時点とする。
(1)　全ての要救助者の救出及び医療機関への搬送が完了したとき。
(2)　毒・劇物等及び神経剤等による被害の拡大防止措置が完了したとき。
(3)　活動隊員全員の除染が完了したとき。
(4)　現場に残された原因物質等の処理について、事業者、関係者、荷主及び警察等との協議が完了したとき。

第6　安全管理

C災害における消防活動時の安全管理は、防火服とは違った性質の化学防護服を着装して活動するために生ずる数々の留意事項がある。

1　消防隊員の身体防護原則

(1)　進入統制ライン及び除染区域内に対する防護装備は、化学防護服又は陽圧式化学防護服を着装する。
(2)　毒・劇物危険区域内に対する防護装備は、陽圧式化学防護服を着装する。
　　　ただし、以下の場合にあっては、化学防護服及び空気呼吸器で活動できるものとする。
　ア　陽圧式化学防護服積載隊の到着前で逃げ遅れの要救助者がいる場合
　イ　災害の状況から指揮本部長が判断した場合
(3)　各区域内には、確実な身体防護措置を講じていない者の進入を禁止する。

2 安全管理の原則

⑴ 指揮者は、毒性ガスの人命危険、火災危険及び爆発危険等について確実に把握するとともに、これらの情報を周知徹底する。
⑵ 指揮者は、毒・劇物及び爆発危険区域内で消防活動を実施して退出した隊員に身体状況を報告させるなどして、隊員の身体の変調について十分掌握する。
⑶ 毒・劇物及び爆発危険区域内での活動中、防護服に異状等が認められた場合は、速やかに毒・劇物及び爆発危険区域外に退出し、身体上の異状の有無を確認し、指揮者に報告する。
⑷ 活動中に息苦しさ、目の痛み等の異常を感じた場合には、直ちに次の措置をとる。
　ア　呼吸保護具を携行していない場合
　　　呼吸を浅くし、ハンカチ、上着等で口及び鼻をふさぎ、風上等の危険性の少ない方向へ避難する。
　イ　空気呼吸器の面体を着装する前に異常を感じた場合
　　　手動補給弁を開放しながら面体を緩めに着装し、面体内のガスを除去した後、面体を確実に着装する。
　ウ　空気呼吸器の面体を着装した状態で臭気等の異状を感じた場合
　　　手動補給弁の開放操作を行い、速やかに危険性の少ない場所へ避難する。
⑸ 防毒マスクは、原則として次の場合にのみ使用する。
　ア　活動が長期又は広範囲にわたり、かつ、空気呼吸器等の資機材が不足する場合
　イ　除染区域で活動する場合

> 前ア、イの場合であっても次の場合には使用しない。
> ・毒性ガスの種類が不明の場合、又は吸収缶が毒性ガスに対して有効でない場合
> ・火災の場合
> ・酸素濃度が18％未満の災害現場で活動する場合
> ・毒性ガス濃度が0.5％を超える災害現場で活動する場合

写真1-11　陽圧式化学防護服

写真1-12　化学防護服＋空気呼吸器

写真1-13　化学防護服＋防毒マスク

(6)　消防警戒区域内では、努めて呼吸保護具及び簡易型化学防護服等を着装するなどの身体防護措置を行い活動する。

(7)　指揮者は、危険区域及び除染区域で活動した隊員について、経過観察を行うものとする。

3　除染区域・危険区域で活動する隊員の時間管理（空気呼吸器のボンベ残圧管理）

　化学防護服や陽圧式化学防護服を必要とする区域で活動する場合は、隊員自身が常に空気呼吸器の残圧を確認しながら行動する。また、指揮者も担当者を指定して進入隊員の時間管理を実施する。

　通常の消防活動と異なる点は、空気呼吸器の残圧が少なくなり警報が発してから脱出を図ったのでは遅いことである。脱出する隊員は、脱出を開始してから除染をしなければ区域の外に出られないからである。脱出時の残圧は、通常災害時よりも多めに考えなければ、除染している間に空気がなくなってしまう。

4　化学防護服の損傷防止

　化学防護服や陽圧式化学防護服は、素材の性質により防火服に比べて機械的強度が小さいため、転倒や、突起物との接触、折膝姿勢などにより損傷する危険がある。有害物質の環境下で化学防護服を損傷することは、即受傷事故につながる。特に、不用意に膝をつくことにより、目に見えない無数の穴が開き、毒・劇物による受傷危険が生じるため、注意が必要である。

また、化学防護服のアイピースは視野が狭いので、段差通過時や階段歩行時、受傷者搬送時等において、つまずきや転倒が起きやすい。化学防護服を着装した隊員は、「あせらない」「周囲をよく見る」を守って、化学防護服の損傷防止に心掛ける。

5　熱中症の防止

　化学防護服を着装すると外気を遮断して密閉状態となるので、発汗や体温は全て防護服内部に蓄積されて放散しにくい。陽圧式化学防護服は常時空気を外に押し出す構造であるため、比較的水蒸気や熱を放出するが、化学防護服は体に密着する上に、汗も熱も逃げないので、高温多湿下での活動時は通常の消防活動に比べて熱中症危険が高くなる。
　活動時間の目安は30分間である。ボンベの圧力・容量にもよるが、活動時間をおおむね30分以内を目安に設定し、1回の活動から再進入の間に必ず水分補給と体の冷却のための休憩時間を設ける。そのためには、除染区域内・危険区域内の活動隊は、十分な交替要員を確保する必要がある。

6　コミュニケーション手段の確保

　化学防護服を着装すると、外部の音が遮断されるので、一緒に行動する同僚の隊員の話し声はほとんど聞き取れなくなる。特に、危険区域内で活動する隊員は、隊長からの指示や隊員同士の会話を円滑に行うために、携帯無線の活動波とは別の波を使って活動する必要が出てくる。
　進入位置が地下空間や、指揮本部から遠く離れた場所である場合は、携帯無線波が届かなくなる。進入隊員と隊長、進入隊員と指揮本部との交信ができないと、隊員に事故が発生した場合に連絡手段がなくなってしまう。携帯無線による交信が不能になった場合は、中継隊員を配置しなければならない。

7　陽圧式化学防護服着装隊員の事故対応

　陽圧式化学防護服を着装して活動中の隊員が事故に遭遇して自力で脱出できなくなった場合、同じ陽圧式化学防護服の隊員によって救助しなければならない。陽圧式化学防護服を着装した隊員を搬送することは極めて困難である。危険区域を脱出するまでは陽圧式化学防護服を脱げないため、除染所まで搬送する手段を講じておかなければならない。

第7　消防活動中にC災害と判明した場合の対応

　「第1　C災害消防活動の基礎知識」の項でも示したように、119番通報時の段階では通常の火災や救急要請等の情報しか得られず、出動部隊が現場に到着して初めて有害物質による災害を覚知する場合がある。東京地下鉄サリン事件の出動隊がそうであったように、活動隊員が有害物質に曝露して受傷することを防ぐためには、指揮者が「おかしい」と感じた時点で躊躇することなくC災害対応にモードを切り替える必要がある。
　災害対応モードの切替えスイッチをONにする動機となる事象を、過去の事例から抽出したのでまとめておく。

表1-5　C災害対応モードに切り替えるポイント

初動時部隊運用	通報内容	発生場所	原因
救急	化学実験室で有害物質に曝露し受傷した。	学校、大学、製薬会社研究所	化学物質
PA連携	料理店の厨房で従業員が意識障害を起こした。	居酒屋、パン製造作業場、洋菓子店	COガス
PA連携	店内で複数の客が悪心や意識障害を起こした。	居酒屋、スナック、美容室	COガス、フロンガス
救急・救助	作業員が意識障害で倒れた。	ビル汚水槽、改装工事現場	COガス、硫化水素ガス
火災	農薬倉庫で火災	農家	クロルピクリン
火災	工場火災	めっき工場	シアン化カリウム、濃硝酸、濃硫酸、フッ化水素酸等

第4節　NBC災害時の除染活動要領

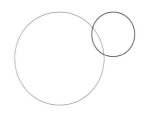

　除染活動要領については、各災害活動要領の中でも重要な部分について若干触れているが、ここではNBC災害全般の除染要領の詳細をまとめ、参考資料とする。

　「除染」とは、その名前が示すとおり、被災者の身体に付着した有害物質を取り除くことである。その方法の基本は、「着ている物を脱衣させる」「拭き取る」「温水や除染剤で洗う」の三つである。この三つを行うには、細かい注意事項があり、安全かつ効果的に除染を行うには、資機材をそろえ、除染技術の訓練を重ねて除染の専門家を育成する必要がある。

　また、N災害現場において内部汚染を受けた（可能性のある）被災者の体内から放射性物質を取り除くことは、緊急被ばく医療専門の医師の手に委ねなければならないので、本活動要領からは除いている。

　除染は、有害物質によって傷ついた被災者の救命・悪化防止に止まらず、被災者を救護する救急隊員や医療従事者の二次汚染による受傷を防ぐという重大な意味を持っている。

　ここに示す活動要領は、主にNBCテロ災害時の除染活動要領についてNBCそれぞれの専門家のアドバイスを受けながら作成したものであるが、「状況によっては受傷者の除染に時間をかけるよりも、早く医療機関に搬送して医師の管理下に置くべきである」などの意見もあり、今後の検討を必要とする面を持っている技術である。

1　除染の対象事象

　サリン等の化学剤、炭疽菌等の生物剤及び放射性物質の汚染等により、被災者等の除染を要する場合とする。なお、テロ災害以外のNBC災害時の除染活動についても、本活動要領を準用する。

2　除染活動の基本

　表1－6（p.78参照）に示す活動を基本とする。

3 除染の実施体制

(1) 危険区域等の設定

各災害活動要領に掲げるほか、NBCテロ災害（疑いを含む。）の場合には、危険区域等の設定を行う。

(2) 除染資機材の応援要請等

ア 指揮本部長は、被災者の除染が必要と判断した場合は、早期に除染資機材を保有する部隊を応援要請する。

イ 指令室は、除染資機材の応援要請があった場合及び指令室が被災者の除染が必要と判断した場合は、除染資機材を保有する部隊を特命指令する。

ウ 指令された部隊は、除染資機材を災害現場に搬送し設定する。

(3) 除染を実施する隊の指定

指揮本部長は、被災者の除染が必要と判断した場合、特殊災害部隊等に危険区域等への進入退出統制、一次トリアージ（除染前に実施するトリアージ。以下同じ。）、汚染検査、除染、除染検査等の除染活動の中核的任務を、また、ポンプ隊、特別救助隊等には脱衣テントにおける脱衣の説明、脱衣の補助、被除染者（自力歩行不能者）の搬送、汚染物の回収等のほか、特殊災害部隊等が実施する除染の補助等の支援任務を具体的に下命し、効率的な除染活動を行う。

4 具体的実施要領

(1) 除染方法の選択

表1-7の被災者の除染方法（p.81-82参照）及び図1-12、図1-13の除染フロー図（例）を参考に実施する（p.79-80参照）。

(2) 具体的な除染要領

被災者、隊員及び資機材の具体的除染については表1-7（p.81-83参照）により実施する。

なお、本要領以外の災害起因物質に係る事案については、これに準じて実施する。

(3) 衣服の切断による脱衣要領

重症者（自力歩行不能者）等に対する衣服の切断による脱衣は、図1-14（p.84-85参照）により実施する。

(4) 除染要領（動画）

次の動画を参考に実施する。

衣服切断（乾的除染）

清拭除染（拭き取り除染）

専門除染（水的除染）

化学災害又は生物災害時における消防機関が行う活動マニュアル【本編】p76、77、80

5　除染の効果

　PRISM（Primary Response Incident Scene Management）[※1]では、除染の各段階において、90％の除染が可能と考えられており、段階を経ていくことで、限りなく100％に近い除染が可能とされている。季節による服装に左右されるものの、特に「脱衣及び即時・緊急除染」までを実施することで、汚染物質の99％が除去されるというのが、除染効果のイメージである。

※1　英国のハートフォードシャー大学のロバート・チルコット教授等により、様々な除染の研究報告やガイドラインを詳細に分析し、従来からの知見のエッセンスをとりまとめた除染のガイドラインである。当ガイドラインは、数百名規模の多数の曝露者を前提としており、時間をかけることなく、効率的かつ効果的な除染を実施する方法について示したものである。

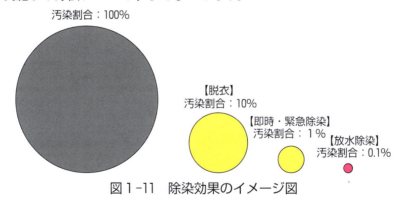

図1-11　除染効果のイメージ図

表1-6　NBCテロ災害時における除染に係る活動

項　目		内　　容
除染活動	進入退出統制	1　危険区域（放射線、感染及び毒・劇物危険区域をいう。以下同じ。）進入退出統制ポイント 　　危険区域の境界に接する除染区域に設置し、統制者を配置する。 2　除染区域進入退出統制ポイント（被災者と隊員の進入退出路は別々に設定する。） 　　除染区域の境界外側の消防警戒区域に設置し、統制員を配置する。
	トリアージ	1　一次トリアージポイント 　　危険区域進入退出統制ポイントの除染区域側に設置し、担当責任者を配置する。 　　歩行不能者と歩行可能者とに区分、応急処置（気道確保と大出血の止血のみ）を実施する。 2　二次トリアージ 　　除染区域進入退出統制ポイント（搬送前に実施するトリアージをいう。以下同じ。）ポイント 　　除染区域進入退出統制ポイント風上側の消防警戒区域に設置する。 　　多数傷病者発生時の救助救急活動基準による。
	汚染検査	一次トリアージポイントでトリアージ後行う。
		N災害　放射線測定器による表面汚染の有無の検査を行う。
		B災害　目視により生物剤の付着の有無の確認を行う。
		C災害　目視により化学剤汚染の有無の確認を行う。
	除染（被災者）	汚染検査終了後、除染テント等へ進入前に拭き取る。また、プライバシー保護のため、男女は別に除染する。
		N災害　汚染検査によりバックグラウンドレベル（平常時）以上の場合には、まず脱衣する。サーベイ結果により、さらに拭き取り又はシャワーによる除染を行う。皮膚に付着している汚染物質は、除染テント等への進入前に拭き取る。
		B災害　生物剤が存在された事案などで目視確認困難な曝露を受け、又はその疑いが強い者に対しては脱衣による除染を行い、霧状のエアロゾルの散布等により曝露し、生物剤が明らかに付着していると認められる者は脱衣及びシャワーによる除染を行う。
		C災害　気体（ガス）曝露などを受け、又はその疑いが強い者に対しては脱衣による除染を行い、化学剤の付着など目視で汚染が認められる者は脱衣及びシャワーによる除染を行う。
	除染検査	N災害　放射線測定器による表面汚染の有無の検査を行う。
		B災害　目視により生物剤の付着の有無の確認を行う。
		C災害　目視により化学剤による汚染の有無の確認を行う。
	汚染水の処理	放射性物質による汚染水　簡易水槽等に回収し、災害対策本部が原則として原子力事業者等に引き渡し、処理を依頼する。 化学剤、生物剤による汚染水　簡易水槽等に回収し、除染剤で無毒化・殺菌した後、災害対策本部等に処理を依頼する。

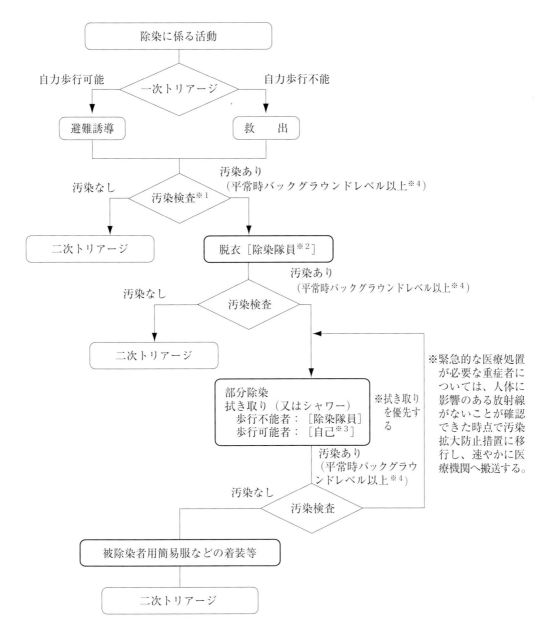

※1 自力歩行不能者は、緊急的な汚染検査(緊急検査)を実施する。
※2 歩行可能者は、切断が必要な衣類は除染隊員が実施するが、可能な限り自己で実施する。
※3 拭き取りは除染隊員が主に実施するが、シャワーは自己で実施する。
※4 放射線によりバックグラウンドレベルそのものが高くなっている可能性があるので、影響を受けない場所又は状態で測定する。
※ [ ]は、主に除染作業を実施する者を示す。

図1-12 N災害に係る被災者の除染フロー(例)

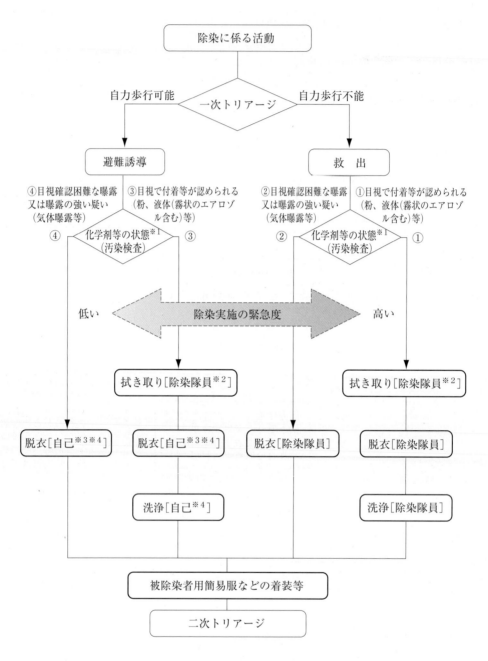

※1 併せて被災者から曝露時の状況（異臭、霧状物質の確認等）を聴取することも重要である。
※2 拭き取りは、皮膚に汚染物質の付着がある場合に、除染前に実施する。
※3 切断が必要な衣類等は除染隊員が実施する。
※4 B災害の場合は緊急性が高くないことから、生物剤が簡易検知された後とする。
※　[　]は、主に除染作業を実施する者を示す。

図1-13　B、C災害に係る被災者の除染フロー（例）

表1-7　NBCテロ災害時における基本的除染要領

1　被災者に対する除染

項目	N災害	B災害	C災害
災害想定	意図的な放射性物質の放出（ダーティ・ボム、核燃料物質輸送時の攻撃等）	炭疽菌（白い粉）の散布	化学剤の散布
除染対象	・放射性物質の付着により汚染を受けた者	・感染危険区域からの避難者で、炭疽菌（白い粉）の曝露があった者又はその可能性の高い者	・毒・劇物危険区域から救出した受傷者及び避難誘導した者で、神経剤の曝露があった者若しくはその可能性の高い者
汚染検査	・線量率計で測定し、汚染レベルが明らかにバックグラウンドレベル（平常時）以上の場合、汚染ありと判断する。	・目視による粉の付着の有無の確認を行う。	・目視による化学剤汚染の有無の確認を行う。
除染方法	次の手順で除染を行う。なお、歩行不能者（担架搬送者等）には除染員が実施する。 ① 除染テント等へ入る前に靴を脱ぐ。 ② 歩行可能者はN-95等の密閉式マスクをつける。 ③ 脱衣する。放射性物質が皮膚等に付着しないよう、慎重に脱衣する。頭から脱ぐ衣類等は除染隊員が切り取る。 ④ なお、歩行不能者の場合、救出担架の上に予めビニールシートを敷き、切った衣類をまとめ、被災者を除染用担架に移す。線量率計によるサーベイを実施する。サーベイによって汚染が認められない場合は、全身をシャワー等で覆うか新しい衣類と靴に替え、除染を終了する。汚染が認められる場合は次に進む。 ⑤ 拭き取り等を実施する。 a 目視で汚染が認められる場合、粉体はウェットティッシュで拭き取り、液体は乾いた布やティッシュ等で吸収させて汚染を取り除く。 b サーベイメータにより部位を特定できる	■散布等により炭疽菌（白い粉）が付着していると認められる場合 次の手順で除染を行う。 ① 除染テント等へ入る前に靴を脱ぐ。 ② N-95等の密閉式マスクをつける。 ③ 炭疽菌が飛散又は皮膚に付着しないよう、慎重に脱衣する。付着が認められる衣類や頭から脱ぐ衣類等は除染隊員が切り取る。 ④ 手を石鹸水で洗い、メガネ等の装身具を外す。 ⑤ マスクを外し、眼は滅菌生理食塩水で洗うとともに、うがい、できれば鼻腔洗浄を行う。 ⑥ シャワー（35～37℃）で3分程度、スポンジ等を使用し全身を洗い流す。ただし、シャワーキャップで頭部を覆った場合には洗髪しない、創傷部がある場合は滅菌生理食塩水で洗う。 ⑦ ⑥で石鹸使用できる場合は、水で洗い流し、石鹸で洗った後にすすぐ。 ⑧ 被除染者用簡易服などの衣類、靴等に着替える。 目視確認困難な曝露された場合などで、目視確認が浮遊された、又はその疑い	■目視で化学剤（液体）の付着が認められる場合 次の手順で除染を行う。 なお、歩行不能者（担架搬送者等）には、除染員が実施する。 ① 除染テント等へ入る前に靴を脱ぐ。 ② 目視で皮膚に神経剤の付着が認められる場合、フラー土等の吸収剤、布、ウェットティッシュ等で拭き取り、汚染を取り除く。 ③ 化学剤が皮膚に触れないよう、慎重に脱衣する。神経剤が付着した衣服や頭から脱ぐ衣類は除染隊員が切り取る。 なお、歩行不能者の場合は、救出担架の上に予めビニールシートを敷き、切り取った衣服をまとめ、被災者を除染用担架に移す。 ④ 歩行可能者は手を石鹸で洗い、メガネ等の装身具を外す。 ⑤ 歩行可能者は、眼を滅菌生理食塩水で洗うとともに、うがい、できれば鼻腔洗浄を行う。 ⑥ シャワー（35～37℃）で3分程度、スポンジを使用し全身を洗い流す。創傷部がある場合は、最初に滅菌生理食塩水で洗う。 ⑦ ⑥石鹸使用できる場合は、水で洗い流し、

第4節　NBC災害時の除染活動要領

	場合、汚染部以外を覆った上で、創傷部を滅菌生理食塩水等で最初に洗い、健常部は、拭き取り又は石鹸で洗った後に水で洗い流す。 ⑥ 汚染範囲が広範な場合及び拭き取り等で除染を落ちない場合に限り、次の手順で除染を行う。 a 手を石鹸で洗い、メガネ等の装身具を外す。 b 眼は滅菌生理食塩水で洗うとともに、歩行可能者はうがい、鼻腔洗浄を行う。 c シャワー（35～37℃）で3分程度、スポンジ等を使用して全身を洗い流す。 d で石鹸が使用できる場合は、水で洗い流し、石鹸で洗った後にすぐ。 ⑦ 被除染者用簡易服などの新しい衣類、靴に替え、又は歩行不能者は毛布等でくるむ。	が強い場合 次の手順で除染を行う。 ① 除染者用簡易服を着用する前に靴を脱ぐ。 ② N-95等の密閉式マスクをつける。 ③ 炭疽菌が飛散しないよう、慎重に脱衣する。頭から脱ぐ衣類は除染隊員が切り取る。 ④ シャワーキャップで頭を覆う。できれば、メガネ等の装身具を外した後、手を石鹸で洗う。 ⑤ マスクを外して洗顔し、眼は滅菌生理食塩水で洗うとともに、うがい、できれば鼻腔洗浄を行う。 ⑥ 被除染者用簡易服などの新しい衣類、靴に替える。	石鹸で洗った後にすぐ。 ⑧ 被除染者用簡易服などの新しい衣服、靴に替え、又は歩行不能者は毛布等でくるむ。 ■気体（ガス）による曝露等の場合 次の手順で除染を行う。 なお、歩行不能者（担架搬送者）には、除染隊員が実施する。 ① 除染テント等へ入る前に靴を脱ぐ。 ② 化学剤が皮膚に触れないよう、慎重に脱衣する。頭から脱ぐ衣類は除染隊員が切り取る。なお、歩行不能者の場合は、救出担架の上に予めビニールシートを敷き、切り取った衣服をまとめ、被除染者用担架等に移す。 ③ 除染テント等へ入る前に靴を脱ぐ後、手を石鹸で洗う。 ④ 歩行可能者は洗顔し、眼は滅菌生理食塩水で洗うとともに、うがい、できれば鼻腔洗浄を行う。 ⑤ 歩行可能者はうがいとともに、手を石鹸で洗う。 ⑥ 被除染者用簡易服などの新しい衣服、靴に替える。
除染検査	・線量率計で測定し、汚染が除去されない場合は再度除染を行う。 ・除染終了後は、除染終了を示すタグを付ける。	・目視により確認する。 ・除染終了後は、除染終了を示すタグを付ける。	・目視により確認する。 ・必要により化学剤判検知紙で確認する。 ・除染終了後は、除染終了を示すタグを付ける。
汚染物の処理	・ビニール袋に密封（名前等を記入しておく。）し、一時保管場所に置き、警察に管理を依頼する。その後、自治体に管理を依頼する。業者等が原則として原子力事業者等に処理を依頼する。	・オートクレーブバッグを使用して密封（名前等を記入しておく。）し、一時保管場所に置き、警察に管理を依頼する。廃棄する場合は、自治体の健康担当部署、環境担当部署が必要事項について調整する。	・ビニール袋に密封（名前等を記入しておく。）し、一時保管場所に置き、警察に管理を依頼する。廃棄する場合は、自治体の健康担当部署、環境担当部署が必要事項について調整する。
汚染水の処理	・汚染水の流出防止措置 ・簡易水槽にためておき、その後、災害対策本部が原則として原子力事業者等に処理を依頼する。	・汚染水の流出防止措置 ・簡易水槽にためてさらし粉液、次亜塩素酸ナトリウム0.5%液等で2時間殺菌する。災害対策本部に処理を依頼する。必要により専門家の意見を聞き判断する。	・汚染水の流出防止措置 ・簡易水槽にためてさらし粉液、次亜塩素酸ナトリウム0.5%液等で無害化する。必要により災害対策本部に処理を依頼する。必要により専門家の意見を聞き判断する。

（※）下点線を付した事項は、資機材等の準備状況に応じて実施し、又は省略する。

2 隊員に対する除染

項　目	N災害	B災害	C災害
除染対象	・放射性物質の付着により汚染を受けた隊員	・感染危険区域において陽圧式化学防護服等を着装して活動した隊員	・毒・劇物危険区域において陽圧式化学防護服等を着装して活動した隊員
汚染検査	・線量率計で測定し、汚染レベルが明らかにバックグラウンドレベル（平常時）以上の場合、汚染ありと判断する。	―	―
除染方法	・放射能防護服や化学防護服の上から中性洗剤等の除染剤を塗布して、ハンドブラシ等でこすり、除染シャワーで洗い流す。 ・使い捨て型の放射能防護服や簡易型化学防護服の場合は、除染せず廃棄する。	・化学防護服の上から除染シャワーで洗浄する。 ・中和剤散布器（除染剤：5％次亜塩素酸ナトリウム等）による殺菌後、除染シャワーで洗浄する。 ・化学防護服の靴の裏は注意して洗浄する。 ・化学防護服を離脱後、うがい、洗眼、鼻腔洗浄その他汗のたまりやすい部分の洗浄を行う。	・化学防護服の上から除染シャワーで洗浄する。 ・中和剤散布器（除染剤：5％次亜塩素酸ナトリウム等）による無毒化後、除染シャワーで洗浄（1の部位に対し10秒以上）する。 ・化学防護服の靴の裏は注意して洗浄する。 ・化学防護服を離脱後、うがい、洗眼、鼻腔洗浄その他汗のたまりやすい部分の洗浄を行う。
除染検査	・線量率計により測定する。	・目視により確認する。	・目視により確認する。 ・必要により化学剤検知紙等で確認する。
汚染水の処理	・「1 被災者に対する除染」の項と同様		

3 資機材に対する除染

項　目	N災害	B災害	C災害
除染対象	・放射性物質の付着により汚染を受けた資機材	・感染危険区域で使用した資機材	・毒・劇物危険区域で使用した資機材
汚染検査	・線量率計で測定し、汚染レベルが明らかにバックグラウンドレベル（平常時）以上の場合、汚染ありと判断する。	―	―
除染方法	・中性洗剤等の除染剤を塗布して布で拭き取る。拭き取りのできないものはハンドブラシ等でこすり、除染シャワーで洗い流す。	・中和剤散布器（除染剤：5％次亜塩素酸ナトリウム等）による殺菌後、除染シャワーで洗浄する。ただし、再使用する資機材で除染剤により腐食、故障等のおそれがある資機材は使用しない。 ・水滴等により故障の発生するおそれのある資機材は拭き取りを行う。	・中和剤散布器（除染剤：5％次亜塩素酸ナトリウム等）による無毒化後、除染シャワーで洗浄（1の部位に対し10秒以上）する。ただし、再使用する資機材で除染剤により腐食、故障等のおそれがある場合は使用しない。 ・水滴等により故障の発生するおそれのある資機材は拭き取りを行う。
除染検査	・線量率計により測定する。	・目視により確認する。	・目視により確認する。
汚染水の処理	・「1 被災者に対する除染」の項と同様		
その他	・廃棄する場合は、災害対策本部が原則として原子力事業者等に処理を依頼する。	・除染できない資機材は、ビニール袋等に入れ密封し、廃棄する場合は、災害対策本部に処理を依頼する。	・除染できない資機材は、ビニール袋等に入れ密封し、廃棄する場合は、災害対策本部に処理を依頼する。

（※）下点線を付した事項は、資機材等の準備状況に応じて実施し、又は省略する。

図 1-14
衣服の切断による脱衣要領例

原則として、衣服に液体の化学剤等が付着している被災者、自力歩行不能者、頭から脱ぐ衣服を着装している被災者に対し、二次汚染を考慮して衣服の切断を行う。

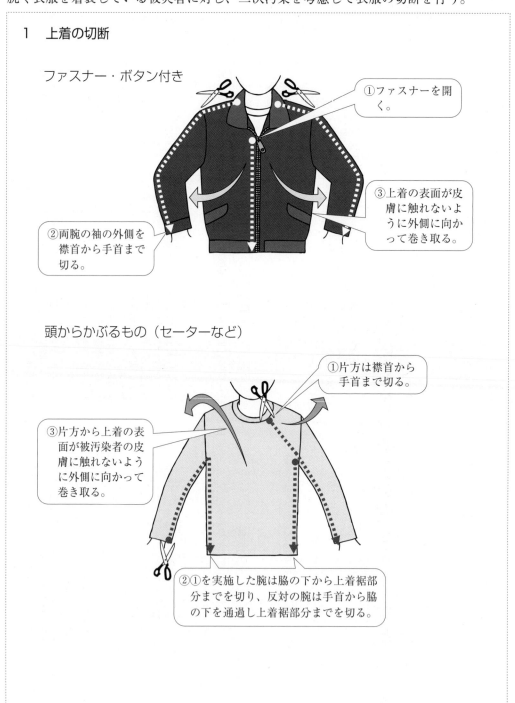

2 ズボンの切断

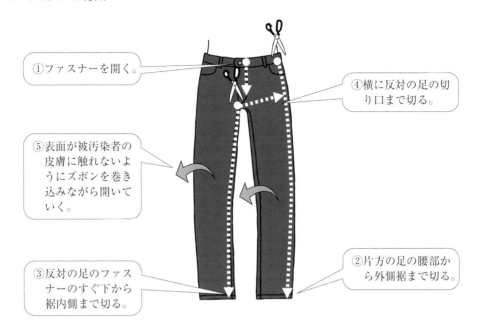

3 下着の切断

　　皮膚を傷つけないように、慎重に切る。

《留意事項》
　ア　意識のある被災者に対しては、切断する旨十分説明の上、実施する。
　イ　衣服の切断の際には、男女別や周囲から見えないような措置など、プライバシー保護に留意する。
　ウ　上着とズボンの切断作業はできるだけ2名以上で実施し、1名が上着、もう1名がズボンと同時に作業する。
　エ　先端の丸いはさみを使用し、はさみは複数用意しておく。
　オ　厚手の衣服の切断が考えられるので、はさみの選定には留意する。

6　除染資機材の例

表1-8（p.87参照）のとおり。

7　留意事項

(1) 除染方法の選択は速やかに行う。
(2) 脱衣、洗浄、衣服の切断等を実施する際には、意識のある被災者に対しては十分に説明を行う。
(3) 被災者の洗浄は原則として温水を用い、脱衣後に実施する。
(4) 脱衣のみによる除染は、原則として外側の衣服を脱ぐことにより行う（必ずしも全裸とする必要はない。）。
(5) 生物剤（疑いを含む。）に係る災害の場合、生物剤検知器等による簡易検知結果により生物剤の疑いが強いと判断した後に除染を開始する。それまでの間は、汚染物等の拡散防止に配意する。
(6) 表1-7の隊員に対する除染（p.83）において、5％次亜塩素酸ナトリウム等を使用しての洗浄は、活動の終了時に行うものとし、ボンベ交換等のため一時的に危険区域から退出する場合は、従来どおり水のみによる洗浄を行う。
(7) 除染テント設定前に除染が必要な場合には、上着を脱がせる、防毒マスク（要救助者用）を活用するなど、応急的な措置に配意する。
(8) 除染シャワー設定前に隊員の除染が必要となりホース等で洗浄する場合は、簡易水槽等を設置し汚染水を回収する。ただし、緊急時で回収できない場合は、汚染水を大量の水で希釈することを考慮する。
(9) 化学防護服を着装していない隊員が汚染物質等に曝露した場合の除染は、被災者に対する除染に準じて行う。

表1-8

除 染 資 機 材 の 例

資機材名	概要 (上段：形状・寸法等、下段：用途)
1 除染テント （大規模災害用）	構造：軽量二重幕構造、空気膨張式、シャワー8個 寸法：10m×3.5m×3m、重量：約80kg（本体のみ） 給湯能力：各シャワー（8個）に4～5L／分で給湯可能 付属品：組立て式簡易水槽（容量2,500L） 　　　　給湯器、送風機、汚染水汲み上げポンプ、発動発電機
	除染テント内に除染台を設置し、除染用担架に乗せた歩行不能者を除染することが可能
2 除染テント （要救助者用）	構造：附室付、重量：約110kg 寸法：300cm×450cm×高さ260cm 給湯能力：各シャワー（2個）に20L／分で給湯可能
	被災者の除染用で脱衣のみの使用も可能 除染テント内に除染台を設置し、除染用担架に乗せた歩行不能者を除染することが可能
3 除染台 （要救助者用）	構造：プラスチック製ローラー式 寸法：200cm×64cm、高さ54cm～80cmに調節可 重量：約40kg
	歩行不能者（担架搬送者用）の架台 除染テント内に設置
4 除染用担架 （要救助者用）	寸法：185cm×40cm×6cm、重量：約8kg
	歩行不能者の搬送用（撥水性、水切りが容易）
5 防毒マスク	適用ガス：化学剤、ハロゲンガス、酸性ガス、有機ガス、 　　　　　　青酸ガス、亜硫酸ガス、硫化水素ガス等、吸収缶2個付属
	除染隊員の呼吸保護用
6 被除染者用簡易服	材質：ポリエチレン製不織布 構成：簡易服（ポンチョ型）、簡易靴、脱衣収納袋、貴重品袋
	被災者の被覆用
7 防毒マスク （要救助者用）	形状：頭部を覆う透明フード付き、吸収缶は活性炭入
	被災者の呼吸保護用
8 除染粉	形状：細かいパウダー（フラー土又はフーラーズアース） 容量：150g
	被災者に付着した液体の吸着除染用
9 次亜塩素酸ナトリウム	形状：次亜塩素酸ナトリウム5％溶液 容量：1,800mL
	化学剤、生物剤による汚染水の無毒・殺菌用 防護服を着装した隊員及び資機材の除染用
10 さらし粉	容量：500g
	化学剤、生物剤による汚染水の無毒化・殺菌用 防護服を着装した隊員及び資機材の除染用
11 滅菌生理食塩水	容量：1,000mL
	眼の洗浄・うがい・鼻腔洗浄用 創傷部の洗浄用
12 その他	毛布、はさみ、はさみ用トレー、汚染物回収容器、オートクレーブバック（生物剤による汚染物収納用）、ビニール袋、ウエットティッシュ、エタノール、滅菌精製水、液体石鹸、バケツ、スポンジ、タオル、整理箱

第5節　NBC災害時の現地関係機関との連携要領

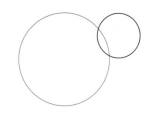

1　救助・救急搬送、救急医療体制連携モデル

　「NBCテロその他大量殺傷型テロ対処現地関係機関連携モデル（NBCテロ対策会議幹事会　令和3年3月5日改訂2版）」は、NBCテロに対する救助・救急搬送、救急医療をはじめとするそれぞれの場面において各関係機関がどのように対処するのか、相互の情報の伝達及び共有はどのように図るのか、役割分担・活動の連携等について、どのような枠組み・手続により協議・調整するのか、各地域における関係機関の連絡先はどこか等について、標準的な対応のあり方を取りまとめている。

　ここでは、この連携モデルのうち、「救助・救急搬送、救急医療体制連携モデル」（図1-15）について、解説を加えることとする。

図1-15

救助・救急搬送、救急医療体制連携モデル

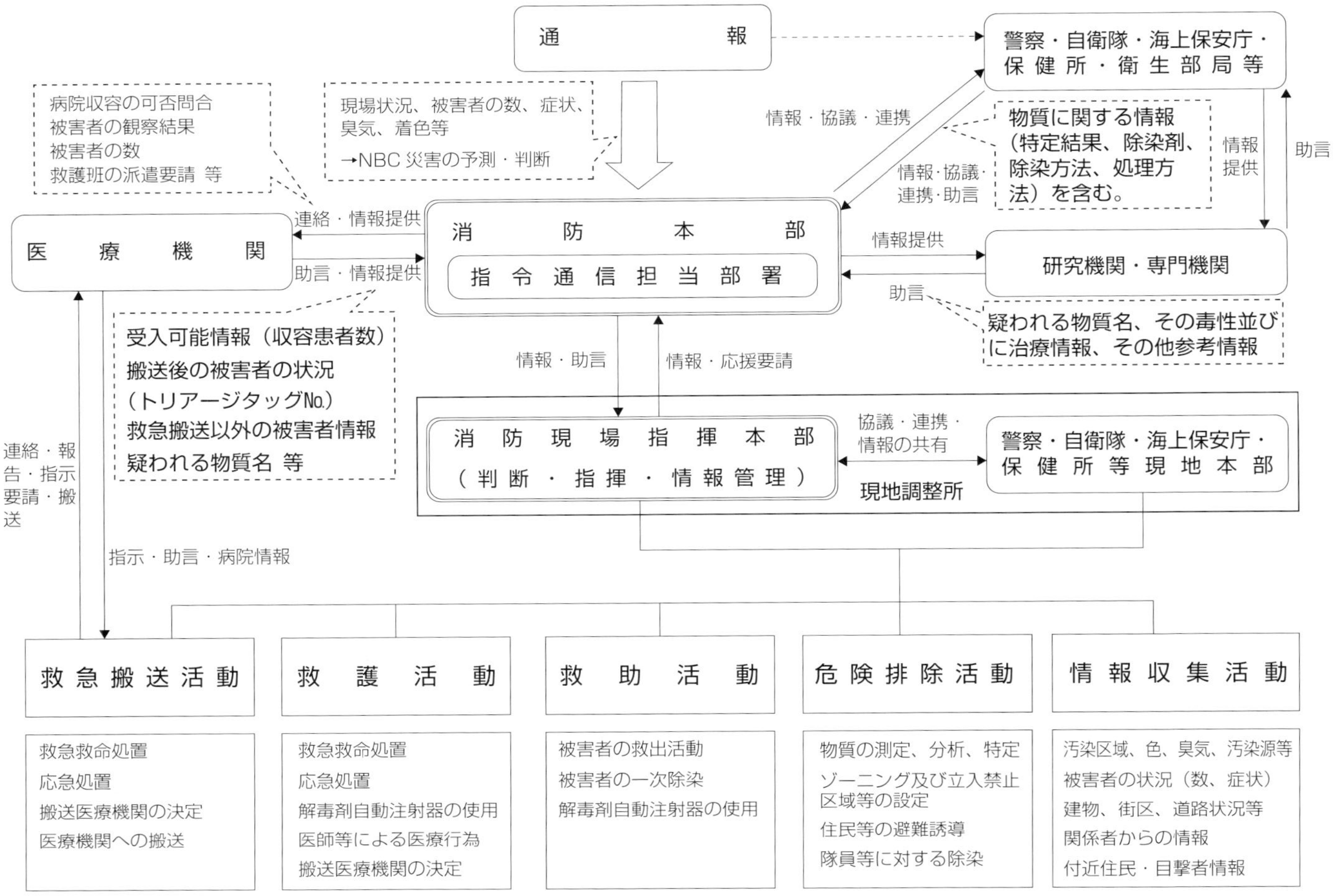

実践ポイント

ア　連携の第一歩は、用語の相互理解

　何らかの液体がまかれた災害現場において、先に活動していた警察官（化学防護服なし）に対して「進入統制ラインを設定するので、この場所から出てください。」と伝えるだけでは理解されない。「進入統制ライン」の意味を伝える必要がある。「進入統制ライン」は消防機関で使用される用語であり、設定の目的を丁寧に警察官に伝える必要がある。

　例えば、「あなた（警察官）は体調に異常はありませんか。液体の危険性を確認しますので、この場所は化学防護服を着装した消防隊以外は退避をお願いします。まかれた液体を踏みつけることによる拡散防止のためにも、進入統制ラインを設定し、危険な場所と安全な場所を区分けします。」と説明する必要がある。進入統制ライン以外にも、多くの専門用語があるが、災害現場では時間をかけて用語の説明をする余裕は少ないため、関係機関との連携訓練を通して用語の相互理解を事前に深めることは大変重要である。

> 用語の使用は分かりやすく！　例えば…
> 　「進入統制ラインの『内側』、『外側』」は、混乱を招くので、「危険側」、「安全側」と伝える。

イ　危険区域内での関係機関との意思疎通

　関係機関連携訓練を実施すると、危険区域内で化学防護服を着た関係機関職員同士が意思疎通することは困難であることが分かる。連携訓練を通じて、最低限必要な意思疎通の方法を事前に決めておくことで、連携が円滑になる。

写真1-14　ハンドサインにより化学剤検知器の測定結果を共有

ウ　関係機関の活動の相互理解

　日頃の訓練において、要救助者1名を除染して救急隊に引き継ぐのに何名の消防隊員が関わり、どのくらい時間がかかるか把握した上で、要救助者が何十名、何百名となった場合、関係機関とどのように連携するのか具体的なイメージを持つことは大変重要である。関係機関の人員、装備、活動内容について理解することは、連

携の第一歩である。
　エ　警察機関との連携
　　NBCテロ発生時には、人命救助、化学物質の拡大防止や中和（危険排除）、警察活動が同時並行で進展する。人命救助や被害の拡大防止は最優先だが、警察活動において、証拠保全は重要であることから、消防活動によって災害現場に必要以上に手を加えない配慮が必要であり、警察官との現地調整において、危険排除活動の方針を協議することを考慮する。
　　要救助者の救出完了後においても、搬送先医療機関へ原因物質に関する情報を提供することや原因物質の除染方法を検討するため、危険区域内で検知活動を継続することがある。このとき、警察活動と競合する場合は、検知活動を継続する理由を警察官に伝えて協議し、警察官から物質に関する情報の提供を受けることも考慮する。
　オ　測定器の弱点
　　何かしらの液体がまかれた災害現場で採取した液体を可搬型赤外線分析装置で測定した結果、次のような表示となった。

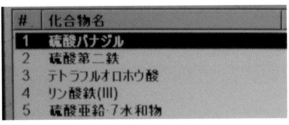

写真1-15

　　ここで注意しなければいけないことは、測定器の機種によっては、物質名が必ず表示されるため、表示された物質名であっても信ぴょう性が低い場合がある。このため、測定原理や取り扱い説明書の理解は大変重要である。そして、表示された物質名を裏付けるため、他機関の測定結果と比較することや、化学現象や要救助者の症状から物質名を推定することも考慮する。本事例（写真1-15）では、警察による詳細な分析により、原因物質は硫酸であったことが判明した。
　　また、混合物や純度が低かった場合、正しく分析できない場合もある。例えば、まかれた液体を床から採取する際に、床にもともと残っていた洗浄剤の成分を含んでしまい、測定の結果、洗浄剤の成分が表示される場合もある。消防による簡易検知後に、関係機関と連携し、最終的な物質名の確認を相互に行うことは重要である。
　カ　消防の指揮本部は現地調整所の先駆けとなる
　　写真1-16は、混雑する公共交通機関で行為者が液体をまき、放火したNBC意図的災害現場における消防の指揮本部の状況である。消防署長を中心に、消防隊、消防団、市役所が情報共有と活動の方針を検討している状況である。多数の傷者、そして多くの衆人環視があったことから、消防団は傷者の搬送経路の確保や搬送支援とプライバシーの保護、市役所は公共交通機関が停止したことによる帰宅困難者対

策を主眼に活動した。
　また、局面を担当した指揮所では、消防隊、警察機関、医療機関が連携し、警察機関は捜査及び救急車の寄り付き場所確保のための交通整理、医療機関は現場救護所での傷者に対する医療活動を実施し、関係機関が連携して活動した。

写真1-16

第2章

NBC災害事例

第1節 化学物質による中毒・化学熱傷等

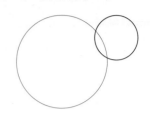

第1 塩素

事例 1 プール施設での薬品混合による塩素ガス発生事故

1 災害概要

次亜塩素酸ナトリウム（滅菌剤）を注入する際に、誤ってポリ塩化アルミニウム（凝集剤）の注入口に注入したため、化学反応を起こし、発生した塩素ガスにより、9名が受傷した。

覚　　　　　知	平成14年9月　16時36分（119）
発　生　場　所	耐火造3／2　プール地下1階タンク室
119番通報内容	ポリ塩化アルミニウムのタンクに次亜塩素酸ナトリウムを間違えて注入
受　傷　者	9名
出　　動　　隊	救急隊9隊、指揮隊1隊、特殊災害部隊9隊、救助隊23隊、消防隊等33隊、照明隊2隊、ボンベ搬送隊3隊、航空隊2隊 計82隊（活動交替隊を含む。）
使 用 測 定 器	北川式ガス検知器

2 活動概要

(1) 消防隊の活動状況

ア　最先着の消防隊は、関係者から「地下1階の薬剤タンク室から臭いがする。」、「自衛消防隊員が館内の放送設備を活用して、施設利用者及び職員約200名に対し、避難誘導を実施している。」との情報を聴取し、指揮本部あて報告した。

イ　指揮隊は、指揮本部を北側駐車場に設置し、プール敷地全域に警戒区域の設定を消防隊に指示した。また、建物正面への仮救護所設置を救急隊に指示し、トリアージ隊を指定した。

ウ　救助隊及び消防隊は、空気呼吸器を着装し、メインプール内、プール施設周囲の受傷者確認及び館内放送により避難を開始していた施設利用者約200名を現場北側テニスコートへ避難誘導した。

エ　消防隊及び予防課広報車による広報隊並びに航空隊は、半径500mの周辺地域に

　　　　対し、広報活動を実施した。
　　オ　特殊災害部隊及び救助隊は、陽圧式化学防護服を着装し、検知活動及び中和活
　　　　動を実施した。
　　カ　消防隊は、北側駐車場に除染所2箇所を設置し、除染活動を実施した。
　(2)　災害活動
　　ア　第一次活動
　　　①　北川式ガス検知器による検知（タンク室内塩素濃度：高濃度のため測定不能
　　　　タンク室周辺塩素濃度：20ppm　プール周辺塩素濃度：0 ppm）
　　　②　タンク室入口に土のう積みを実施
　　　③　タンク内への水酸化ナトリウム（苛性ソーダ）の投入による中和活動
　　　④　タンク室内への水酸化カルシウム（消石灰）の散布による中和活動
　　イ　第二次活動
　　　①　北川式ガス検知器による検知（タンク室内：30ppm　タンク室入口：10ppm）
　　　②　タンク内への水酸化ナトリウムの投入による中和活動
　　　③　タンク室内への水酸化ナトリウム水溶液（5％）の散布による中和活動
　　ウ　第三次活動
　　　①　北川式ガス検知器による検知（タンク室内：30ppm　タンク室入口：10ppm）
　　　②　バキュームカー2台によるタンク内の水溶液の吸引活動
　　　③　タンク室内への水酸化ナトリウム水溶液（5％）の散布による中和活動
　　エ　第四次活動
　　　①　北川式ガス検知器による検知（タンク室内：5 ppm）
　　　②　タンク内への水酸化ナトリウムの投入による中和活動
　　　③　タンク室内への水酸化ナトリウム水溶液（5％）の散布による中和活動
　　オ　第五次活動
　　　①　北川式ガス検知器による検知（タンク内下部：1 ppm　上部：2 ppm）
　　　②　タンク内へのチオ硫酸ナトリウム水溶液の投入による中和活動
　　　③　タンクの密閉作業
　　　④　タンク室内へのチオ硫酸ナトリウム水溶液の散布による中和活動
　　タンク内の塩素濃度が下がったことから、タンク室を閉鎖し、関係者の責任にお
　いて最終処理を実施するよう指示し、活動を終了した。

3　所見

(1)　活動が長時間に及ぶ場合は、活動交替を行う必要があるが、出動部隊が多い場合
　には、スムーズな活動を行えるよう、出動部隊間及び指揮本部との連携を密にする
　必要がある。
(2)　化学反応によりガスが発生した場合、発生したガスに対する活動とガスの発生源
　に対する活動を実施する必要がある。また、発生ガスの特性、受傷者状況、発生場
　所の地勢状況、気象状況、被害の拡大有無、消防力を相対的に判断し、どちらかの

活動を優先しなければならない場合も考えられる。
(3) 今回の塩素ガスは次亜塩素酸ナトリウム水溶液とポリ塩化アルミニウムにより発生したものであり、この物質の化学反応の終息及び除去し、ガスの発生を絶つ活動を実施する必要がある。
(4) 中和活動は、熱（中和反応熱）を伴う化学反応であることから、熱を効果的に放熱できるよう、容器に小分けして中和活動を実施することが重要であり、小分けにすれば、小さな化学反応で中和処理することが可能となり、より安全性に配意した活動となる。また、反応熱が50℃を超えると塩素ガスの発生を助長してしまうので、温度を40℃以下に保つことを活動の目安とし、発生源の温度、pH濃度を監視できる体制下で中和活動を実施する必要がある。
(5) 次亜塩素酸ナトリウム水溶液とポリ塩化アルミニウムの混合物に対する化学反応の中和剤に水酸化ナトリウムや水酸化カルシウムの粉末を用いる場合、性状から中和反応熱が高く、塩素ガスの発生を助長するおそれがある。また、固体を投入するため、熱による局所的な液体の対流が発生し、均一な中和が困難となるおそれがある。
(6) 次亜塩素酸ナトリウム水溶液とポリ塩化アルミニウムの混合物に対する化学反応の中和剤に液体（水酸化ナトリウム水溶液、チオ硫酸ナトリウム水溶液）を用いた場合、中和反応も穏やかであり、熱の発生により容器内の対流が発生し、均一な中和が可能である。

　　性状からチオ硫酸ナトリウム水溶液は、中和反応熱の発生が低く次亜塩素酸ナトリウム水溶液とポリ塩化アルミニウムの混合物に対する中和剤として適している。

4　解説

(1) ポリ塩化アルミニウムは、水中の細かいゴミなどの浮遊物を凝集させて取り除く働きがあり、「凝集剤」のほか「清澄剤」や「浄水剤」などと表示されることもある。

　　また、凝集剤として硫酸アルミニウムを用いている施設もあり、同様に、次亜塩素酸ナトリウムと混合して塩素ガスが発生した事例もある。
(2) 同種の災害は、プール施設に限らず、公衆浴場等でも発生している。
(3) 多数の利用者がいる場合は、測定器により避難経路の安全を確認した後、速やかに避難誘導する必要がある。
(4) 塩素ガスのようなハロゲンガスを吸い込んだ受傷者を救護した場合は、救護時のバイタルサインが正常でも、中毒症状が遅れて出現することがあるので、バイタルサインとパルスオキシメーターの監視を行いながら搬送する。低濃度の塩素ガスを吸い込んだ場合、上気道への刺激が弱いためにガスが肺胞まで侵入し、遅れて肺水腫を起こすからである。
(5) 塩素ガスなどの有毒ガスに曝露した受傷者を搬送する場合は、救急車内に収容する前に、必ず上下の衣服を脱衣させ、脱がせた衣服をビニール袋に入れて密封する。

これは乾的除染といい、救急隊員を二次曝露から守るための措置である。
(6) 被害拡大防止のため、施設内の空調や換気設備等の停止に配意する。
(7) 薬剤の量が多い場合や消毒剤のタンクに凝集剤を投入した場合など、塩素ガスの発生が長時間続くため、中和等の活動が必要となることがある。施設には、塩素除去剤であるチオ硫酸ナトリウムや中和剤である水酸化カルシウム（消石灰）、炭酸ナトリウム（ソーダ灰）及び炭酸水素ナトリウム（重曹）等を自主的に常備していることがあるため、処理について関係者と協議する。
(8) 屋外や排水溝がある場所など、放水が可能な状況であれば、噴霧注水によりガスを吸収させ拡散防止を図ることができる。ただし、残水は腐食性の強酸性水溶液（塩酸）となるため、十分な量の水により希釈し排水するなど二次的な処理も考慮する。
(9) 活動終了後、資機材及び隊員の装備の洗浄は入念に行う。
(10) ドレーゲル検知管の塩素検知管（白色）は、濃度の高い環境で測定した場合、呈色（薄茶色）した後に塩素の漂白作用によって白色に戻るため、よく確認しながら測定する必要がある。

写真2-1　化学反応を起こしたタンクの状況

写真2-2　タンク内水溶液の吸引活動

5　物質情報

塩　素　ガ　ス	別名：塩素	化学式：Cl_2
性 状 な ど	黄緑色、刺激臭、有毒、腐食性	
火災・爆発危　　　　険	不燃性 爆発範囲―発火点―蒸気比重2.46（空気＝1）	
人 体 危 険	許容濃度0.5ppm　激しく喉や鼻を刺激し、吸入すると肺水腫を起こす。	
反 応 危 険	水と反応して、次亜塩素酸（HClO）を発生する。	
装 備 等	化学防護服、呼吸保護具	

その他	樹脂等の原料、医薬品等の製造、殺菌消毒（水道）、漂白 ガスの希釈及び拡散防止には噴霧注水が有効 最小致死濃度：430ppm（30分間）、1000ppmで即死
測定器等	酸欠空気危険性ガス測定器：測定不可 ドレーゲル検知管：酸テスト、塩素
CAS番号	7782－50－5

6 活動のポイント

＜身体防護＞

　陽圧式化学防護服又は化学防護服と空気呼吸器の完全着装

＜測定＞

　蒸気比重を考慮し、低所を中心とした測定の実施

＜処理＞

　ガス→開口部の開放による自然換気又は送風機による強制換気（排気側の警戒を実施）

　　噴霧注水によるガス希釈及び拡散防止（ただし、排水に注意）

　混合液→大量の水道水による希釈、中和剤等の投入による処理（pH管理を実施）

写真2-4　容器の一例
　左：凝集剤
　右：消毒剤

写真2-3　タンクの一例
　手前：消毒剤用タンク
　奥　：凝集剤用タンク

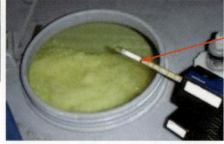

呈色した塩素検知管

写真2-5　塩素発生中の凝集剤用タンク

事例 2　高圧ガス施設で発生した塩素漏洩事故

1　災害概要

　液化塩素製造設備において、タンクローリーに塩素ガスを入出荷作業中、何らかの原因でコンプレッサーに付帯している塩素ガス除外設備（水封ポット）のブロー配管から塩素ガスが約10L漏洩した。

覚　　　　　　　知	平成17年8月　14時57分（119）
発　生　場　所	高圧ガス施設　製造所
119番通報内容	塩素ガス漏洩。けが人なし
受　傷　者	なし
出　動　隊	ポンプ隊2隊、特殊災害部隊1隊、救助隊2隊、その他1隊 計6隊
使用測定器	ドレーゲル検知管

2　活動概要

(1)　119番通報内容により塩素ガスの漏洩であることから、出動途上、支援情報として風位を確認するとともに、発災事業所付近では、消防車両の窓を開放し付近の臭気を確認しながら事業所正門付近に現着した。

(2)　現場到着時、発災場所が正門近くの場所であることと強い塩素ガス臭気を感じたことから、現場最高指揮者は救助隊員に空気呼吸器の着装とドレーゲル検知管によ

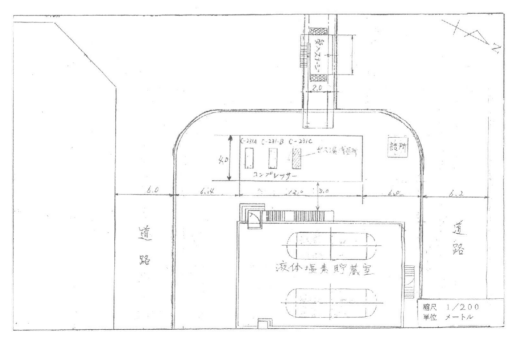

図2-1　現場配置図

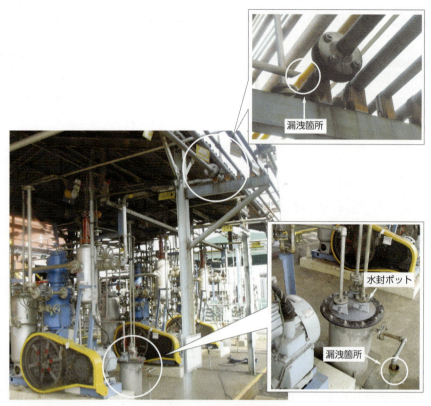

写真2-6　漏洩箇所

　　る測定を下命するとともに、事業所関係者からの情報収集により漏洩箇所を特定した。この場所を中心に消防隊により警戒区域を設定し、ロープにより区域を明示した。また、安全確保を図りながら、検知活動を行うと2ppmの塩素ガスが漏洩箇所直近で検出された。
(3)　関係者とともに漏洩箇所である液化塩素製造設備に付帯する塩素ガス除外設備のブロー配管を確認すると漏洩が続いていたが、関係者が配管のフランジ間にしきり板を入れ応急処置したところ、漏洩が止まった。
(4)　その後、検知活動を漏洩箇所を中心に同心円上に数箇所で継続すると徐々に検知値は低下した。
(5)　塩素ガス等が検知されなくなったことを確認し、警戒区域を解除し活動を終了した。

3　所見

　現場において、事業所関係者とともに協力して早期に漏洩箇所を確認するとともに、検知活動を併行し漏洩箇所拡散区域を把握しながら警戒区域を明示して立入りを制限することにより安全対策を図った。応急措置により漏洩を止めたものであるが、ガス漏洩事案に対しては組織的に安全を確保しながら、初期段階における処置がいかに重要であるかを確認した事案といえる。

事例 3 プリント回路製造業の作業所内で発生した薬品混合による塩素ガス中毒事故

1 災害概要

アルバイトの男性が内層酸化処理ライン（縦2.9m、横22.7m、深さ1.2m）内の、水、亜塩素酸ナトリウム、水酸化ナトリウム及びリン酸ナトリウムの溶液が入った酸化処理槽（縦1.58m、横0.61m、深さ1.2m）に誤って63％硫酸（6L）を混入させたため化学反応を起こし、発生した塩素ガスを吸入して受傷した。

覚　　　　知	平成18年7月　10時56分（119）
発　生　場　所	耐火造4／0　プリント回路製造業工場2階
119番通報内容	男性、塩素系ガスを吸引し、呼吸苦、現在は別部屋にいる。
受　傷　者	6名
出　動　隊	ポンプ隊2隊、救急隊3隊、救助隊1隊、その他2隊　計8隊
使用測定器	北川式ガス検知器

2 活動概要

(1) 救急指令による出動と同時に、支援情報により「男性1名、塩素ガス吸引し呼吸困難、別室にいる。」ことを確認したため、救急隊長の判断により救助隊と消防隊の応援を要請し現場に向かった。男性2名の誘導により当該事業所の敷地内に現着すると、玄関前のベンチに同僚に付き添われて仰臥位の男性受傷者1名を視認した。

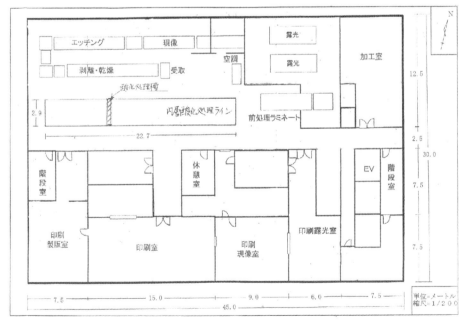

図2-2-1　2階平面図

第1節　化学物質による中毒・化学熱傷等

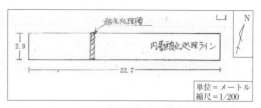

図2−2−2　内層酸化処理ライン拡大図

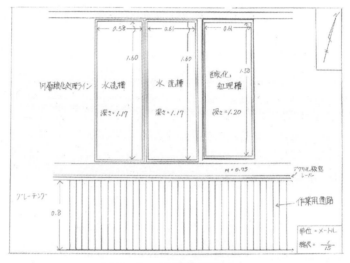

図2-3　発生箇所拡大図

(2) 救急車内に収容し、バイタルサインの観察及び酸素投与の応急処置中、関係者からさらに受傷者1名が発生している情報を得たため、後着した救助隊と消防隊に状況の確認と応急処置を依頼したところ、さらに4名が気分の悪化を訴えていることを確認したため、救急隊3隊と消防隊等の増強を要請した。

(3) 救助隊は、空気呼吸器を着装しガス検知器を携行、塩素ガスが発生している作業所周辺にロープによる警戒区域を設定した。また、区域内の従業員を屋外に避難させるとともに、作業所の窓を開放し、設置されている送排風機を作動させ濃度の希釈を行った。さらに、風下を中心に注意喚起の広報宣伝を実施しながら、ガス濃度の測定を継続した。その間、6名の受傷者は、応急処置を施しながら医療機関に搬送した。

3　所見

　本件は、塩素ガス中毒による受傷者が発生しているとの119番救急要請により消防機関が覚知したものであるが、救急出動時の確かな支援情報と救急隊長の適切な状況判断により、救助隊と消防隊を即時に出動要請し初動体制を整えつつ、現着後も関係者からの情報収集により受傷者が増えたことから、必要な救急隊と併せ消防隊の増強を要請し、刻々と変化する状況を消防隊等に適切に引き継ぎながら現場対応と広報活動により発災事業所と周辺を含めた安全管理を確保しながら活動を行ったもので、先着救急隊の重要性を確認した事案といえる。

第2 アンモニア

事例 4 アンモニア貯蔵庫内において配管作業中の作業員が漏洩物質で受傷した事故

1 災害概要

乳業工場内のアンモニア貯蔵庫において、冷凍機と蒸発式凝縮器更新のため従来使用している配管の分岐工事中、圧力ゲージを取り付けるために配管に穴を開けたところ、アンモニアが勢いよく噴出し、作業員2名が受傷した。

覚 知	平成12年11月　14時47分（119）
発 生 場 所	乳業工場アンモニア貯蔵庫
119番通報内容	アンモニアが噴出し、受傷者2名、うち1名は独歩可能
受 傷 者	2名
出 動 隊	消防隊1隊、救急隊2隊　計3隊
使 用 測 定 器	可燃性ガス検知器はメンテナンス中のため測定等は実施せず。

2 活動概要

(1) 救急隊の活動状況

ア　通報内容の状況から空気呼吸器を搭載して出動した。

イ　現場到着時、既に受傷者は屋外に救出され、作業員Aは同僚に抱えられ独歩で救急車に収容した。もう1名の作業員Bは救急隊長と機関員にてメインストレッチャーで収容し、先着救急隊は2名の受傷者を現場から搬送した。

　　また、搬送途上で別の救急隊（救命士隊）へ作業員Bを引き継ぎ、各車1名にて病院へ収容した。

(2) 受傷者の受傷程度

ア　作業員A　軽症　顔面部、大腿及び咽喉部の化学熱傷（接触時　意識清明、顔面・眼・喉・大腿部の痛みを訴える。）

イ　作業員B　重症　顔面、咽喉部及び気道の化学熱傷、アンモニア中毒（接触時意識JCS200程度、後に清明、頻脈、眼・喉の痛みを訴える。）

(3) 消防隊の活動

ア　化学防護服2着を搭載して出動した。

イ　現場到着時の状況は無風状態で、屋外においてはアンモニアの臭気は感じず、工場担当者からの事情聴取ではバルブの2箇所を閉鎖し、アンモニアの漏洩は止まったが配管内の残ガスが臭っており、送風機でアンモニア貯蔵庫内の残ガス排出と、水道水によるガスの希釈を実施している旨の報告を受ける。

ウ　現場状況調査及び関係者からの事情聴取をするとともに、アンモニア貯蔵庫内部の状況等について詳細に確認する。

なお、確認結果は貯蔵庫内のアンモニア臭は感じられないが、上方部についてはアンモニア臭が感じられた。

3 所見

(1) 漏洩物質がアンモニアと特定されていたことから、医師等に応急処置方法の確認等対応が可能で、搬送先医療機関の関係者（医師等）を巻き添えすることがなかったが、漏洩物質が不明の場合には、救急隊員も含め、医師等にも二次災害による受傷の可能性もあり、今後何らかの対応策が必要である。

(2) 漏洩場所と市街地までの距離が約600mと至近距離にあり、大量漏洩、風向、風速によっては被害が拡大した可能性がある。
　今回、現場は無風状態であったため、市街地へのアンモニア流入はなかった。

(3) 毒・劇物の付着した消防用資機材の洗浄及び中和後の汚水処理方法について、今後検討を要する。

4 解説

(1) 冷凍倉庫からアンモニアガスが漏洩した場合は、気化したガスの拡散が広範囲に及ぶため、消防警戒区域を広範囲に設定するとともに、通行人や付近の住民等への広報を実施する。

(2) 過去に発生した冷凍倉庫のアンモニアガス漏洩事故において、隊員がアンモニアガスにより首筋、股部などを受傷した事例があるため、化学防護服及び空気呼吸器の完全着装を徹底する。

(3) アンモニアガスは水に溶解しやすいため、噴霧注水による拡散防止が有効である。
　ただし、アンモニアガスが溶解した残水はアルカリ性のアンモニア水となるため、残水の処理に配意する。

(4) 配管に設置された遮断バルブの閉鎖等、漏洩停止措置については、関係者と協議の上、最も効果的な方法で実施する。
　なお、配管バルブの閉鎖については、閉鎖する順序により危険が及ぶおそれがあるため、関係者と協議の上、適切に実施する。

(5) 毒・劇物危険区域等に消防活動支援のため関係者を進入させる場合は、消防隊員と同等以上の安全管理に配意する。

(6) 換気を行う際は、ガスの拡散による周辺への影響を考慮し、排気側を中心に測定を実施する。

5 物質情報

アンモニア		化学式：NH₃
性状など	無色、息詰まるような刺激臭、液化アンモニアは速やかに気化する。	
火災・爆発危険	空気と混合して爆発性混合ガスとなる。また、ハロゲン、強酸類と接触すると反応して爆発のおそれがある。 爆発範囲15～28%、発火点651℃、蒸気比重0.6（空気＝1）	
人体危険	許容濃度25ppm　皮膚、粘膜に対する刺激及び腐食性が強い。長時間吸入すると肺水腫を起こす。	
反応危険	水に溶解してアンモニア水となる。	
装備等	化学防護服、呼吸保護具	
その他	冷凍冷媒、窒素質肥料、医薬品の原料 ガスの希釈及び拡散防止には噴霧注水が有効 致死濃度：5,000～10,000ppm	
測定器等	酸欠空気危険性ガス測定器：測定不可 ドレーゲル検知管：アミンテスト、アンモニア 携帯型複数ガス検知器	
CAS番号	7664－41－7	

6 活動のポイント

＜身体防護＞

　陽圧式化学防護服又は化学防護服と空気呼吸器の完全着装

＜測定＞

　複数種の測定器による継続的な測定

　発災建物周辺のガスの拡散状況の把握

＜処理＞

　噴霧注水によるガス拡散防止

　応急工具による漏洩箇所の処置又はバルブの閉鎖による漏洩の停止

写真2-7　解体中の冷凍倉庫

写真2-8　噴霧注水によるガス拡散防止

事例 5　ワインクーラーの冷媒が漏れて室内に充満した事故

1　災害概要

住宅の居間で使われていたワインクーラーの冷媒ガス（アンモニア）が漏れて室内に充満した事故である。事故当時、住宅内には女性1名と飼い犬が1匹いたが、女性が眼の痛みを訴えたほか受傷者はなかった。

覚　　　　　知	平成17年8月　12時05分（110）
発　生　場　所	3階建て専用住宅
119番通報内容	住宅の部屋の内部で硫酸の臭気がする。
受　傷　者	なし
出　動　隊	ポンプ隊1隊、救急隊1隊、指揮隊1隊、3本部機動部隊　計4隊
使 用 測 定 器	ドレーゲル検知管

2　活動概要

(1)　現場は住宅街のブロック内にある3階建ての専用住宅である。

(2)　最先着隊の3本部機動部隊が住宅の玄関前に至った時、玄関前には通報者の女性と、警察官1名が立っていた。

3本部機動部隊員が女性から事情を聴くと、「住宅の部屋の内部で硫酸の臭気がする。」という内容であった。隊員が玄関内部の様子をのぞいた瞬間、強いアンモニア臭を感じたため、女性に「ワインクーラーを使っているか。」と質問したところ、2台のワイン専用冷蔵庫を使っているという情報を得た。

※3本部機動部隊は過去に家庭用ワインクーラーによる同種事故を経験していた。

(3)　女性の案内で3本部機動部隊員が室内に入り、居間に2台置かれていたワインクーラーに近づくと、その付近から強いアンモニアの臭気がすることを確認したため、玄関にいたポンプ中隊長に「臭気の原因はアンモニアで、発生源はワインクーラーの模様」を伝達した。

写真2-9　漏洩箇所の検索

(4) 3本部機動部隊がドレーゲル検知管で居間のアンモニア濃度を測定した結果、5ppm（許容濃度は25ppm）であったため、「危険区域の設定・化学防護服・空気呼吸器の必要なし。」を下命し、ポンプ中隊と合同で発生源のワインクーラーを庭に搬出して、危険を排除した。
(5) 庭に出したワインクーラーは、冷媒配管部分に石鹸水を塗って漏洩部分を確認したところ、1台は異常がないことが分かったが、残りの1台から漏洩箇所が発見されたため、粘土で漏洩箇所を塞いで濡れタオルなどを巻き付けて漏洩を止めた。

3 所見

(1) 原因のワインクーラーはスウェーデン製の、冷媒にアンモニアを使ったワイン専用の冷蔵庫であり、過去にも、この事故の後にも同メーカーの製品によるアンモニアガス漏洩の危険排除活動を行っている。
(2) アンモニアガスは臭いを嗅ぐと、すぐそれと分かる独特の臭気を持っている。眼に触れたり吸い込んだりすると、粘膜の水分に溶けてアンモニア水（水酸化アンモニウム）を作って、粘膜に炎症を起こす。アンモニアガスの場合は上気道症状の方が重いが、高濃度のアンモニア水が皮膚に触れた場合も化学熱傷を起こし、浸透力が強いので角膜や虹彩に損傷を与える。
　このため、高濃度のアンモニアガスが滞留した空間で活動する場合は、陽圧式化学防護服と空気呼吸器が必要となる。この事故時は、事故現場の状況（一般家庭）と、臭気の強さから極めて低濃度と判断して、レベルBの化学防護服を使用したが、それでも帰署後、首の周囲にヒリヒリ感を感じた。

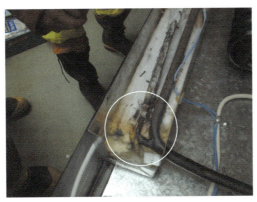

写真2-10　配管断裂箇所

4 解説

(1) 家庭内でのアンモニアの臭気の事案については、ワインセラーや小型冷蔵庫からの冷媒ガスの漏洩が原因の場合が多い。関係者情報が不明確な場合や、家庭臭と混じってアンモニア臭を感じにくい場合もあることから、ワインセラー等の設置について関係者からの情報収集を適切に行う。

(2) アンモニアガスにより、首筋、股部など湿気を帯びた部位が薬傷を起こす危険性があるため、家庭内で起きた事故であっても化学防護服を着装し対応する。
(3) 漏洩箇所の圧迫等による漏洩停止が困難な場合は、水に溶けやすい特徴を生かし、濡れタオル等により漏洩箇所を圧迫することでガスの漏洩を抑制できる場合がある。
(4) 漏洩停止処置が困難なためワインセラー等を搬出する際は、ガスの拡散、希釈が安全に実施できる場所へ搬出する。
　なお、搬出時にガスの拡散により搬出経路が汚染されるおそれがある場合は、一時的にワインセラー等をビニール袋で覆って搬出するなど汚染防止措置を図る。
(5) ワインセラー等を移動するために電源を切る場合や、ワイン等を取り出す場合は、関係者の承諾を得る。
(6) 室内の換気を実施する場合は、周辺への影響を考慮し、住宅等に隣接していないなど安全な開口部を排気口とするとともに、排気口周辺の測定を実施する。
(7) アンモニアガスは居室内の壁紙等に吸着されやすく、換気後にも臭気が残る場合があるため、活動終了時に関係者にその旨を説明し理解を得る。
(8) 酸欠空気危険性ガス測定器にアンモニアガスを吸引した場合、一酸化炭素センサーが誤検知し、数値が上昇する場合があるので注意する。

5　物質情報

アンモニア		化学式：NH_3
性状など	無色、息詰まるような刺激臭、液化アンモニアは速やかに気化する。	
火災・爆発危険	空気と混合して爆発性混合ガスとなる。また、ハロゲン、強酸類と接触すると反応して爆発のおそれがある。 爆発範囲15〜28%、発火点651℃、蒸気比重0.6（空気＝1）	
人体危険	許容濃度25ppm　皮膚、粘膜に対する刺激及び腐食性が強い。長時間吸入すると肺水腫を起こす。	
反応危険	水に溶解してアンモニア水となる。	
装備等	化学防護服、呼吸保護具	
その他	冷凍冷媒、窒素質肥料、医薬品の原料 ガスの希釈及び拡散防止には噴霧注水が有効 致死濃度：5,000〜10,000ppm	
測定器等	酸欠空気危険性ガス測定器：測定不可 ドレーゲル検知管：アミンテスト、アンモニア 携帯型複数ガス検知器	
CAS番号	7664-41-7	

6 活動のポイント
　＜身体防護＞
　　陽圧式化学防護服又は化学防護服と空気呼吸器の完全着装
　＜測定＞
　　居室等閉鎖区間では蒸気比重を考慮し、高所を中心とした測定の実施
　＜処理＞
　　ガス→開口部の開放による自然換気又は送風機による強制換気（排気側の警戒を実施）
　　ワインセラー等→噴出箇所の漏洩停止処置、屋外の安全を確保できる場所への搬出

事例 6　水酸化アンモニウム漏洩事故

1　災害概要

作業員がアンモニア製造施設で製造した水酸化アンモニウムを屋外タンクに移送した際、タンク外周部に亀裂が生じ、25％水酸化アンモニウム100Ｌが工場敷地内に漏洩した。

覚　　　　知	平成12年５月　11時21分（119）
発 生 場 所	工場内　円筒形鉄製屋外タンク（高さ５ｍ、直径2.8ｍ）
119番通報内容	アンモニアタンクが破損し、水酸化アンモニウム流出
受 傷 者	なし
出 動 隊	救急隊１隊、指揮隊１隊、特殊災害部隊３隊、救助隊８隊、消防隊等18隊、ボンベ搬送隊１隊、航空隊２隊　計34隊
使 用 測 定 器	北川式ガス検知器

2　活動概要

(1)　出動途上、指揮隊は各出動隊に対し、爆発危険がある旨の情報提供及び化学防護服着装の活動命令を行った。

(2)　先着した消防隊長は、関係者から「25トンタンクから25％水酸化アンモニウムが吹き出した。」「タンク内の水溶液は従業員により全て抜き取った。」との情報を得るとともに、タンクからの漏洩が止まっていること及び受傷者がいないことを確認した。

(3)　指揮隊は工場施設内の風上側に指揮本部を設置し、隊員の安全確保を最優先とした活動を下命した。

(4)　当初、風下20ｍに警戒区域を設定したが、現場最高指揮者は、風向きが変わったことから、警戒区域を周囲半径50ｍに拡大し、広報活動を実施した。

(5)　特殊災害部隊は陽圧式化学防護服を着装し、タンク周辺と倉庫内の検知活動及び漏洩防止措置活動

写真2-11　活動状況

を実施した。
(6) 救助隊は化学防護服を着装し、吸着マット、乾燥砂及び工場側が用意した紙おむつにより、排除作業に当たった。
(7) 特殊災害部隊の検知結果により危険がないことを確認し、付近住民に広報を行い、活動を終了した。
　※　検知結果
　　（当初）
　　タンク下900ppm、倉庫内800ppm、倉庫正面40ppm
　　（1時間後）
　　倉庫内250ppm、倉庫正面30ppm
　　（3時間後）
　　倉庫内20ppm、倉庫外検出されず

3　所見

警戒区域について、活動途中で風向きにより警戒区域の再設定を行っている。風は常に変わるものであり、隊員の安全確保にも関わることから、常に風向の確認を行うとともに、安全な地域を確認し、警戒区域を設定する必要がある。

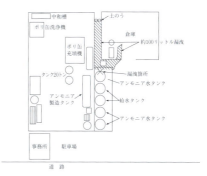

図2-4　現場配置図

写真2-12　現場状況

第3 硫化水素

事例 7 硫化水素滞留現場における救助活動

1　災害概要

　耐火造地上10階地下1階建複合用途ビル地下1階トイレのピット（深さ1.65m、縦4.95m、横2.68m、開口部0.6m）の内部工事をしていた作業員が、硫化水素を吸って、2名が自力脱出不能になった。

覚　　　　知	平成17年4月　13時35分（119）
発　生　場　所	耐火造10／1複合用途ビル　地下汚水槽ピット内
119番通報内容	ビルの地下ピット内に酸欠で2名倒れた。
受　傷　者	4名（うち2名は重症）
出　動　隊	第1出動：ポンプ小隊1隊、救急隊2隊、指揮隊1隊、特殊災害部隊1隊、特別救助隊2隊 特命出動：救急隊3隊、指揮隊1隊、3本部機動部隊 計12隊
使 用 測 定 器	ドレーゲル検知管、酸欠空気危険性ガス測定器（GX-111）、FTIR

2　活動概要

（1）消防活動

　ア　先着特別救助隊

　　到着時、ビル入口で数名の関係者と接触し、地下1階に2名の作業員が倒れているという情報を得た。救助隊は救助服・空気呼吸器装備で地下1階に進入、ピット内に要救助者2名が座位で寄り添っているのを発見した。なお、ピット入口のトイレ室内で硫化水素37ppm、ピット内で125ppm（GX-111を使用、酸素、CO、可燃性ガスは異状なし。）検出し、簡易送風機によりピット内部の換気を開始した。

　　その後、後着の救助隊と連携を図り、1名をサバイバースリングによる縛着救助、もう1名を簡易縛帯により引揚げ救出した。救助時、2名の受傷者はともにJCS300であった。

　　救助完了後、可搬式送風機でピット内の換気を実施するとともに、放水し、汚水槽内の硫化水素濃度が0ppmになり、覚知から2時間45分後に活動を終了した。

　イ　特殊災害部隊の活動

　　特殊災害部隊は、陽圧式化学防護服によりピット内部に進入し、GX-111及びドレーゲル検知管（酸、ポリ、アミン、塩化水素、塩素）によりガス測定を行った結果、硫化水素をGX-111で最高110ppm（ピット内）、FTIRで100ppmを検出し

ウ　３本部機動部隊の活動

　　　現場到着時、要救助者は既に救出されており、路上において救急措置実施中であった。部隊長が指揮本部において指揮本部長の指揮支援（GX-111測定値からの判断、ドレーゲル検知管の説明等）を実施し、測定、救出活動等は実施していない。

(2)　発災前関係者の状況

　汚水槽改修工事のため、６時50分頃から清掃会社の３名でピット内の清掃作業を開始した。12時30分ごろ洗浄剤のストール１号液を２～３倍に薄めてジョウロで男性Ｂがピット内にまいた後、昼食をとった。

　13時過ぎ頃、ピット内の床面コンクリート仕上げ作業のため建材会社作業員の男性Ｃが地下１階へ降りた際、むせるような刺激臭のため地上部分に脱出し、清掃会社員の３名に連絡したところ、男性Ａ及びＢの２名で確認のために降りていった。その後、20分くらいたっても上がって来ないため、おかしいと思い見に行ったところ、ピット内で座り込んでいる２名を確認した。

(3)　受傷者状況　　４名とも重症

　　男性Ａ　急性薬物中毒（ガス中毒）（救助隊により救出）

　　男性Ｂ　意識障害（救助隊により救出）

　　男性Ｃ　ガス中毒

　　男性Ｄ　ガス中毒

(4)　観察結果

　　ア　男性Ａ

　　　意識：JCS300、呼吸：20回／分、脈拍：126回／分、血圧：170／110、SpO_2：94％、心電図：洞調律

　　　特異事項　受傷者から塩素系の臭気を感じた。

　　イ　男性Ｂ

　　　意識：JCS300、呼吸：24回／分、脈拍：120回／分、血圧：160／60、SpO_2：96％、心電図：洞調律

3　所見

(1)　この活動における最重要ポイントは、119番通報内容に「酸欠により倒れた」という内容が含まれていたが、現場は硫化水素による中毒事故であった点である。指令室は、通報内容に基づき「酸欠による脱出不能」という付加指令を流している。

　最先着の救助隊は「酸欠」というキーワードによる判断で、救助服と空気呼吸器を着装し、GX-111を携行してガス測定を行いながら内部進入しているが、もし、「酸欠」だけに注意を払い、酸素濃度が20％を示していることを根拠に空気呼吸器を離脱していたら、救助隊員も硫化水素中毒により二次災害を起こしていた可能性がある。

救助隊長が、硫化水素濃度が高く警報を発していることを見逃さずに、空気呼吸器を着装したまま活動させたことは、隊員の生命を危険から守った極めて適切な判断であった。高濃度の硫化水素は、一呼吸で動物の行動能力を奪いうる恐ろしい毒性を持ったガスなのである。
　　なお、硫化水素は水に溶けるガスであり、皮膚や粘膜からも吸収されるので、救助服ににじんでいる汗に溶けて皮膚に刺激を与えることがあるため、化学防護服を着装して行動することが望ましい。
(2)　硫化水素は、測定器でも反応しない極めて低濃度でもヒトの臭覚で確認できることから、現場のかなり手前から特有の臭気を感じることが多い。到着時、刺激臭があるときは、必ず化学防護服等を着装すべきである。
(3)　硫化水素は、次のような性質を持つ。
　ア　許容濃度は5ppm（労働安全衛生法に基づく管理濃度）
　イ　水に溶ける性質があるため、比較的低濃度で眼、気道、皮膚を刺激する可能性がある。
　ウ　硫化水素の肺への吸入による影響は非常に早く、高濃度ガスを吸い込むと瞬間的に意識を消失するため、「ノックダウン」と呼ばれる。1971年に草津白根山でスキーをしている際に、火山性のガスにより発生した死亡事故や、2005年12月に秋田県湯沢市の温泉で家族4名が死亡した事故も、この硫化水素を吸ったことが原因といわれている。

人体への影響		濃度（ppm）
嗅覚の鋭敏な人は臭気を感じる		0.1～0.3
多くの人が臭気を感じる		0.3
許容濃度（労働安全衛生法に基づく管理濃度）	※1	5
許容濃度（TLV-TWA）	※2	10
短時間曝露限界濃度（TLV-STEL）	※3	15
臭気の慣れによる嗅覚疲労が生じる		20～30
顕著な気道刺激が生じる		50～100
嗅覚麻痺が起きて臭気を感じなくなる		100～150
健康即時危険（IDLH）	※4	300
1時間の曝露で生命の危険		350～400
30分の曝露で生命の危険		600
意識消失・呼吸停止・死亡		800～900
1～2回の吸入で死亡		1000

　※1　労働安全衛生法の作業環境評価基準にある管理濃度。労働者が1日8時間、週40時間程度の労働強度で平均曝露濃度がこれ以下であればほとんど全ての者に健康上の悪影響が見られないと判断される濃度。一般に消防が使う許容濃度
　※2　米国産業衛生専門家会議（ACGIH）の基準による許容濃度。日本で使われている多くの測定器は、この基準値を許容濃度として設定している。
　※3　米国産業衛生専門家会議の基準による、15分間内における平均値が超えてはならない濃度
　※4　米国国立労働安全衛生研究所の基準で、生命に直ちに危険又は死亡とされる。

(4) 指揮本部の設定位置

　指揮本部の設置位置が、災害発生建物開口部直近であった。3本部機動部隊到着時、指揮本部の周囲では、硫化水素の臭気を強く感じており、建物近くと建物出入口の動線は危険である。

　また、進入位置の動線付近では除染、トリアージ等の活動を実施するので、広く活動スペースをとるべきである。

(5) 送風機で送風する場合は排気場所に注意する。

　簡易送風機を使用し、拡散、希釈をしたが、送風によりガスが流れることから、その排気位置に十分注意を払うべきである。正面から送風して、指揮本部からは見えない位置で、二次災害の発生危険が生じる場合もある。

4　硫化水素災害対応要領

　硫化水素による中毒事故は、硫化水素を取り扱う工場での漏洩や、汚泥等からの発生、火山や温泉地などでの中毒等が主なものであったが、近年家庭用の洗剤や入浴剤、殺虫剤を混合することによって発生させる事故が多発している。このような人為的に発生させた災害に安全に対応するための活動要領を示す。

(1) 119番通報受付時・出動指令時の対応要領

　ア　119番通報受付勤務員→通報者に対する電話口頭指導事項

　　① 「現場の部屋の中をのぞかない」「中に入らない」「臭気のある場所から避難する」

　　② 「臭気がする場所・階の客、居住者、従業員等を避難させる」

　イ　119番入電時・指令の内容からの判断（災害実態の予測）

　　① 硫黄臭、卵の腐った臭気、刺激臭、薬品名が含まれている場合

　　　(ｱ) 現場に致死量の有毒ガスが漂っていると判断

　　　(ｲ) 化学防護服を着装して出動

　　② 複数の要救助者情報が含まれている場合

　　　(ｱ) 化学防護服を着装して出動

　　　(ｲ) 除染設備を要請

(2) 行為者とその他の被災者の救出・救護

　ア　隊員の装備

　　① 空気呼吸器と化学防護服の完全着装

　　② 測定器（酸欠空気危険性ガス測定器）の携行

　イ　行動

　　① 要救助者の救出────▶許容濃度（5ppm）未満の安全な場所
　　　　　　　　　　　　　　プライバシー保護上、臭気のない屋内が望ましい。

　　② 除染の実施─────▶(ｱ) 衣服の切断と脱衣

　　　　　　　　　　　　　(ｲ) 液体が付着していたら、水的除染（そばにある水道蛇口の活用も考慮）

　　　　　(ウ) 頭髪・呼気のガス濃度測定（必要により頭髪、露出部を洗浄）
　　③ 救急活動
(3) 発生場所とその周辺の居室内の確認
　ア　発生場所とその周囲の居室・廊下の換気実施→許容濃度未満になるまで実施
　　① 玄関ドア・窓の開放、換気扇
　　　※ ガスの発生量が少ないので、無害化処理をせずに換気しても問題がないが、二次災害防止のため、排出場所に注意するほか、測定を継続する。
　　② ガス成分濃度の測定
　　　※ 張り紙に「硫化水素」との記載があっても、「塩素」など、他のガスが発生している場合があるので先入観を持たずに十分注意する。
　イ　発生場所周囲の居室内確認（巻き添え被災者の有無）
　　① 原則は「全居室」
　　② 大規模施設・建物の場合は「臭気がする場所」「発生階・直上階・直下階」「発生場所を含む棟」で確認場所を限定する。
(4) 残存液体の処理
　ア　容器（洗面器等）に入っている液体→ビニール袋に収納し密封
　イ　洗面台、バスタブに入っている液体→大量の流水で希釈しながら下水に廃棄（毒物及び劇物取締法、水質汚濁防止法等関係法令、関係条例に抵触せず）
　ウ　薬剤による「中和」は行わないこと。
　　　※ 化学薬品の取り扱いに対する詳しい知識を十分に持たない一般市民や消防隊員が「薬品を用いた中和処理」を行うことは危険が伴う。
(5) 二次災害の防止
　ア　隣人・家族・同居人・施設従業員（119番通報者を含む。）への指示
　　① 張り紙がしてある部屋、臭気の強い場所、発生漏洩場所に絶対に近寄らないよう指示する。
　　② 屋外、臭気の弱い場所への避難を指示する。
　　③ 部屋の内部確認は消防隊に任せる。
　イ　活動隊員への指示
　　① 転倒や隊員同士の接触により面体がずれる可能性があるため、周囲を確認する。
　　② 硫化水素は4.3%（43,000ppm）で爆発範囲に入ることから、測定器の上限を超え濃度が把握できない場合は爆発危険を考慮する。
　ウ　救急隊員への指示
　　① 車内収容は搬送医療機関決定後とし、窓の開放、換気扇により車内換気を行う。
　　② 受傷者の体内から許容濃度を超える硫化水素が検出される場合、刺激臭を伴う物質を嘔吐した場合

(ｱ)　必要に応じて防毒マスクを着装する。
　　　(ｲ)　現場指揮本部長・消防本部に報告し指示を受ける。
　　　(ｳ)　ガス測定器を携行した隊員の同乗を考慮する。
　エ　硫化水素中毒症状の例
　　次のような症状が出たら、既に硫化水素中毒になっていると判断し、その場を脱出する。

> めまい、足がふらつく、頭がはっきりしない、冷汗、歯が溶ける感じ、頭痛、足が動かなくなる、今まで感じていた硫黄臭気を突然感じなくなる、気持ちが悪くなる、呼吸困難になる、嘔気・嘔吐

(6)　付近住民への対応
　ア　5ppm以上の硫化水素が検出された区域を危険区域とし、住民等を安全な場所へ避難させる。5ppm未満の場合には臭気の状況などから判断し、避難させる。
　イ　避難者には、濡れたタオル等で口と鼻を覆い、屋外階段等、外気に開放された空間の使用を考慮し屋外に避難させる。
　ウ　避難者に体調不良を訴える者が発生した場合は、必要に応じて医療機関への搬送を考慮する。
　エ　現場付近に硫化水素の臭気が漂うため、必要に応じて周辺の住民や従業員・宿泊客の人心安定を目的とした広報を実施する。
　　広報例：①　ガス濃度が許容濃度以下であるため、臭いはするが危険はなし。
　　　　　　②　気分が悪くなった人は、消防隊に申し出る。
　　　　　　③　臭気の弱い場所、風上に移動・待機すること。

家庭用洗剤等による硫化水素発生時の消防活動例

活動実施上のポイント	1　日用品（入浴剤やトイレ洗浄剤等）の混合により発生する。 2　低濃度でも臭気で確認でき、酸欠空気危険性ガス測定器、化学防護服など一般的に配備されている資機材で対応が可能である。	
	ポンプ隊・救急隊・特別救助隊・指揮隊	特殊災害部隊
	1　指令内容に「硫黄臭」、「卵の腐った臭い」、「何らかの薬品の混合」等の付加指令がある場合、硫化水素が発生している可能性がある。 2　ドアが施錠された建物や駐車中の車両内で、目張りされ、張り紙がされている場合、高濃度の硫化水素が発生・滞留している中に要救助者がいる可能性が高い。	
出動指令時	1　化学防護服、測定資機材の積載及び準備 　　化学防護服、酸欠空気危険性ガス測定器、ドレーゲル検知管等を積載し、測定器の校正等の準備を行う。 2　化学防護服着装による出動	1　化学防護服、測定資機材の準備 　　各種化学防護服及び測定資機材（酸欠空気危険性ガス測定器、ドレーゲル検知管等）を準備する。 2　特殊災害部隊から指令室への情報提供（活動上のアドバイス）を実施する。

	硫化水素による事故が疑われる時は、化学防護服を着装して出動する。 3　破壊器具の準備、進入手段の考慮 　ドア施錠中の場合に備え破壊器具を準備し、対象物の実態に応じた進入手段を考慮する。 4　部署位置の確認 　水利部署位置として風上側の公設消火栓を確認する。	
出動途上	1　集結場所の指定 　要救助者が多い、又は社会的影響が大きい施設の場合等は、必要により集結場所を指定する。 2　風位・風速の確認 　気象観測状況を確認するとともに、集結場所付近で風位風速の測定を実施し、部署位置の修正等に活用する。測定結果を指令室に報告する。	1　指令室への情報提供 　災害の危険性等について、先着指揮者へ進言を行う。 2　指揮隊への進言及び確認事項 　(1)　先着各隊に対し、特殊車の部署位置について考慮を進言する。 　(2)　隊員が化学防護服、空気呼吸器面体を着装して活動中か確認する。 　(3)　要救助者の症状及び乾的除染の実施の有無を確認する。 　(4)　臭気の有無及びどのような臭いかを確認する。
現場到着時	1　車両部署及び無線報告 　(1)　風上側から接近する。消防隊の誘導者、救助を求める人、刺激臭等を確認した場合には、その場で停止する（車両にあっては、臭気のない位置に移動する。）。 　(2)　部署位置周囲の状況、臭気（卵の腐った臭い等）の状況を指令室へ報告する。 　(3)　必要により特殊災害部隊、特別救助隊、救急隊、ポンプ隊、指揮隊、人員輸送隊等を応援要請する。 2　消防警戒区域の設定 　(1)　市民の安全を守り、消防活動空間を確保するため、通行人及び一般車両の立入りを規制し、二次災害防止を図る。 　(2)　必要により規制区域内の居住者、勤務者等の区域外への避難誘導を行う。 3　危険区域の設定 　(1)　原則として５ppm（許容濃度）を超えた区域に危険区域を設定し明示するとともに、全隊への徹底と指令室への報告を行う。 　(2)　設定場所は次のとおりとする。 　　ア　個人住宅は建物全体を原則とする。	1　指揮本部長への助言、補佐 　専門部隊としての知見から、指揮本部長に対して活動方針、活動上の危険性等についての助言を行うなど、指揮本部長を補佐する。 2　除染用簡易水槽の準備 　進入隊員の応急除染のため、除染用簡易水槽を準備する。 3　除染設備の活用 　要救助者の乾的除染等に対する特殊災害部隊の活用について配意する。

イ　共同住宅、ホテル等は、発災階を原則とする。
　(3)　測定は継続的に行い、指揮本部の安全を確認する。濃度変化や臭気が強くなった場合、指揮本部を移動する。
4　関係者からの情報収集内容
　(1)　具体的な臭気の状況、硫化水素が発生した容器等の種類、確認できた薬品の状況について確認する。
　(2)　「硫化水素発生中」、「内部進入禁止」等の張り紙の有無及び掲示箇所について確認する。
　(3)　建物内における換気扇、換気設備、排煙設備等の作動状況について確認する。
5　現場広報
　(1)　周囲建物の居住者に対し、災害の実態及び硫化水素の危険性を伝える。
　(2)　周囲建物居住者の避難の必要がないと判断される場合は、窓等の開口部閉鎖による室内への流入防止等を行うよう伝える。
6　避難誘導
　(1)　個人住宅は隣棟間の距離等を考慮し、開口部の閉鎖による避難誘導の必要の有無を判断する。
　(2)　共同住宅は、発災階及び発災下階について避難誘導の必要の有無を判断する。
　(3)　避難者数、天候、避難場所・状況等を考慮し、避難者の収容のため、人員輸送小隊の応援要請を考慮する。
7　ホース延長
　危険区域手前までホース線を1線延長し、内部進入隊員の化学防護服等の応急除染に備える。

1　救助活動
　(1)　各班2～3名編成とし、化学防護服・空気呼吸器を着装して、酸欠空気危険性ガス測定器により濃度測定しながら進入し、救助活動を実施する。
　(2)　酸欠空気危険性ガス測定器の測定値がスケールオーバーしたらいったん退避し、排気側に酸欠空気危険性ガス測定器による測定員を配置して、硫化水素濃度を確認しながら窓等を開放し、自然換気により換気を実施し、硫化水素濃度を低下させて活動する。必要があれば、特別救助隊の可搬式送風機を活用する。
2　ドア施錠中等で進入不能時
　(1)　マスターキーの確保、隣室からの進入、ベランダからの進入、小破壊等、可能な限り安全かつ容易に進入できる手段を考慮する。
　(2)　やむを得ずエンジンカッター等で破壊する場合には、酸欠空気危険性ガス測定器により濃度を測定しながら実施する。実施の際は、化学防護服を着装した

建物内進入時の留意事項	進入隊員とは別に、防火服に空気呼吸器を着装した隊員に破壊させ、切断時の火花等による二次災害を防止する。 （3）ドア開放時は高濃度ガスが流出するため、酸欠空気危険性ガス測定器で濃度を測定しながら、化学防護服、空気呼吸器面体の着装者がドアを開放する。以降、酸欠空気危険性ガス測定器による濃度の測定を継続する。 3　要救助者の除染 （1）要救助者の除染は、原則として乾的除染とする。 （2）社会死の場合を除き、要救助者の救出後に乾的除染を実施する。乾的除染時は、要救助者の着衣を脱衣又は切断し、救急隊に引き継ぐまで救命処置を実施する。また、頭髪、手足等の露出部については、水道水等を活用して努めて洗浄する。 （3）乾的除染は、除染区域内の安全な場所で早急に行い、衣類はビニール袋に収納して密封する。 （4）乾的除染後、酸欠空気危険性ガス測定器による汚染検査を実施するとともに、呼気のガス濃度測定を行い、救急隊へ引き継ぐ。 （5）乾的除染実施時及び搬送時は防水シート等を活用し、要救助者のプライバシーに配意する。 （6）ビニール袋内の衣類は、測定の結果、硫化水素が検出されない場合に関係者へ引き渡す。関係者が不在の場合、警察官に引き継ぐ。
救急搬送時	救急隊は乾的除染を終了した要救助者に対して、窓の開放、換気扇の使用により車内を確実に換気し、搬送する。
活動終了時	1　残留混合物の処理 （1）警察官が残留混合物等を回収する場合は引き渡す。 （2）警察官が回収せず、消防機関が処理を行う必要がある場合 　ア　大量の水により流すことを原則とする。 　イ　浴室での事故で浴槽に水が張っていない場合は、大量の水を流しながら希釈して排水する。 　ウ　浴室での事故で浴槽に水が張ってある場合は、残留混合物を少量ずつ浴槽に混合し、希釈しながら排水する。 　エ　トイレでの事故の場合は、便器の水洗タンク水を連続的に流しながら、残留混合物を少量ずつ混合して希釈・排水する。 （3）残留混合物の処理を実施する際は、硫化水素が発生する可能性があるので、化学防護服・空気呼吸器を着装し、酸欠空気危険性ガス測定器等で硫化水素濃度を継続測定しながら希釈する。 （4）処理後には濃度再測定を実施し、硫化水素が検出されないことを確認する。 2　内部進入隊員に対する除染検査 （1）化学防護服の表面を酸欠空気危険性ガス測定器により除染検査を実施し、化学防護服の体表面から硫化水素が検出されないことを確認する。 （2）許容濃度以上の硫化水素の検出の有無に関わらず、内部進入隊員は、手、足、その他残留混合物に接触したと考えられる部分を、放水による応急除染又は除染シャワーによる除染を行う。

事例 8　寒天製造工場の汚泥槽で発生した硫化水素中毒事故

1　災害概要

寒天製造工場の汚泥槽清掃のため、汲み出し作業中の汚泥槽内において、作業員1名が倒れ、地上で作業中の2名のうち1名が救出のため槽内に入ったところ、同様に倒れて、残りの地上作業員も槽内蓋付近にて倒れていた。

なお、この汚泥槽では寒天の製造過程で出る残渣物の排水処理のために、処理剤として硫酸還元剤を使用している。

覚　　　　知	平成11年9月　9時38分（119）
気　　　　象	天候：晴れ、風向：東北東、風速：1.3m/s、湿度：67％、温度：29.8℃
発　生　場　所	寒天製造工場敷地内の汚泥槽内
119番通報内容	汚泥槽内で作業員1名が倒れている。意識等は確認できない。
受　傷　者	3名
出　動　隊	ポンプ隊1隊、救急隊4隊、指揮隊1隊、特別消防救助隊2隊　計8隊
使　用　測　定　器	酸欠空気危険性ガス測定器（GX-111）

2　活動概要

出動指令の内容から、指揮隊長は槽内に人が倒れているとの情報により、酸素欠乏の疑いがあると判断、隊員は空気呼吸器を着装し活動するよう指示した。先着隊が現場到着時、硫黄臭に似た異臭があるとの状況報告から、検知活動及び警戒区域を設定、車載拡声器等により付近住民に広報するとともに、進入統制を実施した。

槽外に1名が倒れていたため、酸素欠乏のほかに毒・劇物等の有毒物質も想定されるため検知器により槽内検知活動を実施した結果、酸素濃度17％・硫化水素125ppmオーバーを検知、硫化水素の発生及び酸素濃度低下が判明した。また、槽内に2名の要救助者を確認した。

指揮隊は、全ての活動隊員の身体状況を把握しながら安全管理に留意し活動、槽外要救助者を救急隊に引き渡した後、可搬式送風機で槽内に空気を送風しながら活動を継続、隊員1名を槽内に進入させ1名をサバイバースリング、残り1名をマンホール救助器具（ロールグリス）にて引揚げ救助し、救急隊に引き渡した。

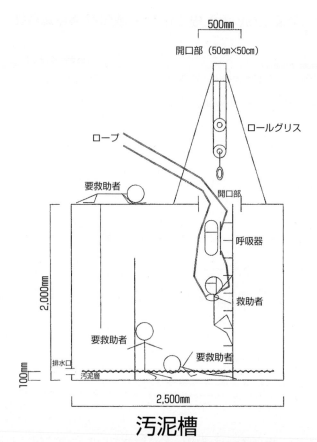

図2-5 現場状況図

汚泥槽
（縦1.2m、横2.5m、深さ2.0m、容量6m³）

3 所見

本災害は、情報収集と現場での徹底した状況確認が重要になる特殊災害であった。

情報収集（出動時）では、まず酸素欠乏を疑ったが、現場での状況確認及び関係者からの聞き取りによって、汚泥槽内においては、硫酸が発生していたことが判明した災害であった（硫酸還元剤が有機物を分解する時に硫化水素を発生させ、その硫化水素が酸化して硫酸が発生。それに伴って酸素濃度が低下した。）。

この災害の教訓として、初期の段階においては酸素濃度の低下のみに特定することなく、毒・劇物等の有害物質の発生等、災害状況を広く想定して、化学防護服や空気呼吸器の着装を早期に指示することが、消防隊員の二次災害防止につながると思われる災害であった。

事例 9　食品加工会社ピット内で発生したガス中毒事故

1　災害概要

食品加工会社建物内の原料ピット（4.0×5.5×4.9m）で作業中の男性1名がガス中毒により倒れ、それを救助しようとした男性1名も原料ピット入口で倒れていた。

覚　　　　知	平成14年11月　16時12分（119）
発 生 場 所	食品加工会社ビル
119番通報内容	ピット内に作業員が転落した。
受　傷　者	2名
出　動　隊	ポンプ隊1隊、救急隊3隊、特殊災害部隊1隊、救助隊3隊　計8隊
使 用 測 定 器	酸欠空気危険性ガス測定器（GX-111）、FTIR、GC-MS、ガステック

2　活動概要

現場到着時、ピット入口付近で倒れていた男性1名は意識を取り戻したため救急搬送し、ピット内の男性1名は、空気呼吸器を着装した救助隊員3名がピット内に降下、船底担架に縛着し安全区域まで引き揚げ、救急搬送を行った。特殊災害部隊が測定した結果、GX-111で硫化水素125ppm、可燃性ガスLEL30％、ガステックのポリテック1〜3でアンモニア、硫化水素を検知した。採集瓶でガスを採集し、消防科学研究所にてGC-MSで検出を行い、成分特定に至らなかったが、FTIRにあってはおおむねの成分を特定できた。

3　所見

呼吸保護を行っていない隊もあり、化学防護服及び空気呼吸器の着装を徹底すべきであった。

事例 10　薬品により発生した硫化水素による自損行為事案

1　災害概要

共同住宅の一室で、居住者の女性が、硫黄系農薬と酸性の液体洗剤を混合し、硫化水素を発生させて自損を図ったもの。

発 生 場 所	耐火造3／1共同住宅1階の居室（地階は道路に面して吹き抜けで車庫と駐輪場、中庭吹き抜けの内側回廊の建物）
119番通報内容	＜指令内容＞ 救助活動。救急隊扱い現場、硫黄のような臭気、並びに目貼りあり。
受 傷 者	1名
出 動 隊	救急隊1隊、ポンプ隊1隊、指揮隊1隊、3本部機動部隊
使用測定器	酸欠空気危険性ガス測定器

2　活動概要

(1)　救急隊は、自損行為による要救助者発生との通報内容から出動したが、現着後、建物のエントランスから発災した居室へ至るまでに硫黄の臭気を感じたことや、関係者から居室の玄関に粘着テープの目貼りがあるとの情報を聴取したことから、C災害であると判断し、部隊を応援要請した。

(2)　応援要請により出動したポンプ隊等は、発災した居室の玄関から約3mの位置に進入統制ラインを設定した。

　なお、居室の玄関前の廊下部分は、酸欠空気危険性ガス測定器の測定値に変化がなかったことから、居室前の廊下部分に除染所を設定した（図2-6参照）。

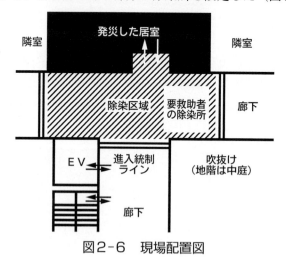

図2-6　現場配置図

(3)　化学防護服を着装した隊員3名が、酸欠空気危険性ガス測定器により可燃性ガスの存在を確認しながら居室内に進入し、浴室内にいた要救助者を救出した。

　また、要救助者の救出後に再進入し、間取り図を確認しながら検索し、ほかに要

救助者がいないことを確認した。
(4) 前(3)の活動に従事した隊員とは別の化学防護服を着装した隊員が要救助者の乾的除染を実施し、並行して気道確保及び胸骨圧迫を行った。

要救助者は毒性ガスに曝露されているが、目に見える薬品等の汚染はなかったため、乾的除染のみ実施し、口腔及び頭髪の硫化水素濃度を酸欠空気危険性ガス測定器により確認し（硫化水素濃度0ppm）、救急隊へ引き継いだ。
(5) 化学防護服を着装した隊員2名が進入し、浴室内の浴槽を活用して薬品の混合物を水道水により少しずつ希釈しながら排水口に廃棄した。なお、混合物は酸性洗剤と硫黄系農薬をバケツの中で混合したものであることを確認し、写真撮影を行い、警察官と現場保存について協議したうえで混合物の廃棄を実施した。
(6) 混合物の廃棄後、酸欠空気危険性ガス測定器により居室内の硫化水素ガス濃度の測定を行ったところ、浴室内で90ppm、その他の居室内の空間で50～60ppm検知されたことから換気を実施した。

換気に先立って、居室内の間取り図等を基に、二次的被害の発生防止のため道路に面した開口部の開放を決定し、開口部付近に測定員を配置するとともに、発災建物の居住者及び周辺住民に対しての広報を併せて実施した。

その後、開口部の開放と可搬式送風機（室内の商用電源を使用）の活用による換気を実施し、換気開始から16分後に、浴室1ppm、各室内0ppmとなり、換気を終了した。
(7) 進入統制ラインより危険側で活動した隊員は、発災居室内の水道水（浴室のシャワーや洗面台の蛇口等）を活用し、汚染された部位を洗浄した。その後、除染区域の活動隊員により、化学防護服の汚染状況を目視確認するとともに、酸欠空気危険性ガス測定器による測定を実施し、進入統制ラインの安全側に脱出した。

3 解説

(1) 硫化水素ガス発生による自損事故の発生件数は、平成20年をピークに減少してきてはいるが、現在も継続して発生している。
(2) 前2(2)のように、毒性ガスによる危険性がなく、活動に適した場所に進入統制ラインを設定するとともに、プライバシー保護を図れる場所に除染所を設定する。
(3) 硫化水素ガス発生事故に限らず、C災害現場において要救助者の救助へ向かう際の測定は、化学防護服では防ぐことができない火災・爆発危険の把握を主眼としているため、酸欠空気危険性ガス測定器を活用し、可燃性ガス濃度をよく確認する。

なお、家庭内での薬品の混合により発生した硫化水素等の可燃性ガスが爆発範囲（数万ppm）に達する可能性は非常に低いが、都市ガスの漏洩事故である場合や、硫化水素と家庭用ガスを併用した自損行為など、爆発危険のおそれがあることも想定する。
(4) 硫化水素ガス発生現場では、酸欠空気危険性ガス測定器により可燃性ガスと同時に硫化水素ガス濃度も測定できることから、毒・劇物危険区域の設定、除染所の安

全確認、要救助者の呼気や頭髪の汚染状況の確認、避難経路の安全確認などにも本測定器を活用できる。

(5) 硫化水素ガス発生による自損事故現場では、発災室からガスが漏洩し二次的災害が起こることを防ぐため、自損行為者が発災室（浴室やトイレ）の内側からガムテープ等で目貼りしていることが多く、徒手での扉の開放が困難となるため、破壊器具を携行する。

(6) 毒性ガスに曝露された要救助者の乾的除染は、一番外側の衣服のみ除去すれば完了する場合など、汚染状況によって判断されるが、硫化水素ガスによる自損事故現場から救出された要救助者は、高濃度の

写真2-13　別件の災害現場

ガスにさらされ、下着にまで臭気が浸み込んでいることなどから、円滑な医療機関引継ぎのため、ほとんどのケースで乾的除染時に全ての衣服を離脱させている。このことから、プライバシーの保護や毛布による保温に十分配意する必要がある。

(7) 要救助者の乾的除染実施後には、目視により全身をよく確認し、薬品の付着がある場合は、濡らしてよく絞ったタオルによる拭取り等を行う。

(8) 活動隊員の数が優勢であれば、前2(4)のように、救出と除染を任務分担することにより要救助者に汚染が再付着する可能性を軽減することができる。

(9) 除染実施時の胸骨圧迫は、次のポイントに配意して行う。
　ア　あくまで救急隊に早く引き継ぐことを優先し、胸骨圧迫を実施することで除染が遅れるようなことはしない。
　イ　意識レベル300、呼吸がなく、脈拍が触知できない場合（化学防護服着装等）は、速やかに胸骨圧迫を開始する。
　ウ　何かしらのサイン（痛みで払いのける動作など目的のある体動）があった場合は胸骨圧迫を中止する。
　エ　胸骨圧迫を実施する際に膝を着く場合は、毛布等を敷いて化学防護服の損傷防止を図る。
　オ　要救助者の保温にも配意する。

(10) 居室内進入時や脱出時は、開口部の開け閉めを必要最低限にし、ガスの拡散による二次的災害の発生防止を図る。
　　特に、耐火造建物での硫化水素ガス発生事案では、短時間のドア等の開放であっても、共用廊下や階段を伝って広範囲にガスが拡散するおそれが大きい。

(11) 前2(5)のような混合物の廃棄や原因物質の希釈等を実施する際は、高濃度の毒性ガスに曝露する危険性が高いことから、狭隘箇所のため陽圧式化学防護服ではなく化学防護服で対応する場合は、活動中の面体のずれ等に十分注意する。

(12) 換気の際には、二次的災害の発生防止に配慮した換気口の設定を行うとともに、排気口周辺や人的被害の発生危険の高い場所を警戒区域とし、測定員を配置する。

なお、硫化水素ガス濃度の把握には酸欠空気危険性ガス測定器を活用するが、硫化水素ガスの有無の確認にドレーゲル検知管のポリテスト検知管（2ppmで呈色）も活用できる。
⒀　換気について、本事例のように吸気口と排気口を同じ面に設定し、自然換気が円滑に進まない場合、可搬式送風機を活用して外気を室内に送り込むことで、活動時間の短縮を図ることができる。
⒁　原因物質の名称は、発生するガスを特定するために重要な情報であるため、正確に把握する必要がある。物質に関する情報の整理については、NBC専門部隊の活用にも配意する。
⒂　活動隊員の除染については、消火用ホースを活用した放水による応急除染に限らず、前2⑺のように、一般家庭や工場内の水道や施設内の除染設備を活用するなど、災害現場の状況に応じた除染を行うことにより、活動隊員による汚染の拡大防止を図る。

4　物質情報

硫化水素	化学式：H_2S
性状など	無色で腐卵臭の気体 蒸気比重　1.188（空気＝1）（25℃、1気圧）[*1][*2]
火災・爆発危険	可燃性 爆発範囲　4.3〜46.0 vol%[*1] 　　　　　　4.0〜44.0 vol%（空気中）[*2] 発火点　　260℃[*2]
人体危険	（許容濃度5ppm[*3]） 1〜2ppm　　　　　かすかな臭気が認められる[*2] 2.4ppm　　　　　　臭気は明瞭であるが、慣れると苦痛でない[*2] 3ppm　　　　　　　臭気は著しい[*2] 5〜8ppm　　　　　硫化水素臭に慣れた人でも極めて不快臭を感じる[*2] 80〜120ppm　　　著しい症状はなく約6時間耐えられる[*2] 200〜300ppm　　臭気はかえって低濃度の場合のように感じない。しかし、5〜8分後に眼、鼻、のどに強い痛みを感じ、30分〜1時間かろうじて耐えられる[*2] 500〜700ppm　　約30分吸入すれば亜急性中毒を起こし、生命が危険となる[*2] 1,000〜1,500ppm　吸入後、直ちに失神、呼吸麻痺を起こし、即死する[*2]
装備等	化学防護服、呼吸保護具
その他	・工業用のガスとして、医薬品や農薬等の原料、金属の精製用などに使われる。 ・下水道や汚泥槽内などで微生物分解により発生する。 ・温泉ガスとして発生し、窪地に滞留することもある。 ・腐食性が非常に強く、特に水分が共存する場合、その作用は著しい。
測定器等	酸欠空気危険性ガス測定器 ドレーゲル検知管［ポリテスト検知管］…2ppmで呈色
CAS番号	7783－06－4

※1　ガス安全取扱データブック　丸善
※2　化学防災指針集成　丸善
※3　許容濃度等の勧告（2013年度）　日本産業衛生学会

5　活動のポイント
　＜安全管理＞
　　化学防護服及び空気呼吸器による身体防護
　　酸欠空気危険性ガス測定器による可燃性ガスの把握
　＜救出＞
　　高濃度環境下からの速やかな救出
　　破壊器具の携行
　＜除染＞
　　救急隊への速やかな引継ぎを主眼とした除染
　　救命処置、保温、プライバシー保護への配慮
　　現場の設備（水道、浴室など）の活用
　＜措置＞
　　発災室内での希釈及び廃棄による汚染拡大防止
　　二次的災害防止に配慮した換気

事例　11　受傷者の除染不対応による医療関係者の曝露事案

1　災害概要

　廃液処理施設内の毒・劇物災害において、受傷者の衣服等に明らかな汚染がなかったことから救出した受傷者に対し除染を実施せず、A医療機関へ搬送した。
　その後、A医療機関において医師が受傷者の衣服を脱がせたところ、医師等4名が眼の痛み等を訴えた。

(1)　廃液処理施設

発 生 場 所	廃液処理施設内
119番通報内容	廃液処理タンクの前で人が倒れている。
受　傷　者	1名
出　動　隊	ポンプ隊2隊　特殊災害部隊1中隊　救急隊1隊　指揮隊1隊　計5隊
使 用 測 定 器	酸欠空気危険性ガス測定器（GX-2003）、ドレーゲル検知管

(2)　A医療機関

発 生 場 所	A医療機関処置室
受　傷　者	なし
出　動　隊	ポンプ隊1隊　特殊災害部隊1中隊　救急隊1隊　指揮隊1隊　計4隊
使 用 測 定 器	ポンプ隊：酸欠空気危険性ガス測定器（GX-2003） 特殊災害部隊：酸欠空気危険性ガス測定器（GX-2003）、ドレーゲル検知管、携帯型複数ガス連続同時測定器、赤外線分析装置

2　活動概要

(1)　廃液処理施設

　ア　ポンプ中隊は、出動指令を出向途上に受信し、積載していた化学防護服を着装後出動した。

　イ　救急隊は、出動途上に通報者から次の情報を収集し、現着前に指揮隊へ伝達した。

　　・　受傷者は1名で、意識がないこと。
　　・　バイスタンダーがCPRを実施中であること。
　　・　前日、作業中に誤って廃液を混合し、硫化水素を発生させたこと。

　ウ　現着した中隊長は、風上側から廃液処理施設敷地内に進入し、屋外通路において、受傷者1名及びCPRを実施中のバイスタンダー1名を確認した。

　エ　中隊長は、指令内容と受傷者の状況から、早期に進入統制ラインを設定し、隊

　　　　員にGX-2003による環境測定及び面体の着装を下命した（数値変化なし）。
　　オ　隊員は、バイスタンダーの症状を確認した上で、進入統制ラインの安全側に避難させるとともに、受傷者に対しては、その場でCPRを実施すると同時に、AEDを装着した（除細動メッセージなし）。
　　カ　現着した大隊長は、次の理由から、除染の必要はないと判断し、中隊長に受傷者を救急隊に引き継ぐよう下命した。
　　　・　受傷者の衣類等に目に見える汚染がないこと。
　　　・　災害現場及び受傷者をGX-2003で測定するも数値の変化がないこと。
　　　・　素面でCPRを実施していたバイスタンダーに症状がなかったこと。
(2)　A医療機関
　　ア　受傷者を搬送した救急隊がA医療機関へ病着し、救急隊長は医師に対して、災害現場で硫化水素が発生した可能性があること、受傷者をGX-2003で測定するも数値に変化がないことを伝達した。
　　イ　医師等4名は、処置室内で受傷者のズボンを脱衣した際に、硫化水素臭による眼の痛み等を感じ、引き揚げ前の救急隊に伝えた。
　　ウ　情報を受けた救急隊は、指令センター等に報告した。
　　エ　指令センターは、A医療機関の事案に対し、救助活動として特殊災害部隊を含めた部隊運用を行った。
　　オ　医療機関に現着した特殊災害部隊は、処置室内及び引き継ぎ済みの受傷者を複数の測定器で測定したが、数値に変化はなかった。
　　　　また、医師等に対して除染を実施し、間もなく医師等の症状は治まった。

3　所見

　本事案は、先着ポンプ中隊が早期に進入統制ラインを設定し、確実な身体防護を図り、受傷者の早期搬送を主眼とした活動が実施されたが、明らかな汚染がないため、除染は実施されなかった。

　本事案では、状況及び関係者の情報から、受傷者は高濃度の硫化水素に曝露し受傷した可能性が高く、医師等が体調不良を訴えた原因についても衣服等に取り込まれていた硫化水素に起因する可能性がある。

4　解説

　毒・劇物等災害は目に見えない危険が多く、GX-2003の数値に変化がない場合においても、受傷者[※]に症状がある場合は、受傷者の衣服等に有毒ガスが取り込まれている可能性があり、衣服等に目に見える明らかな汚染がない場合においても、除染を考慮する必要がある。
※自覚症状を訴えている者及び何らかの症状が確認される者

第4　一酸化炭素

事例 12　飲食店で複数のCO中毒者が発生した事故

1　災害概要

駅前繁華街にある複合ビルの地下1階焼肉店で、客5名と従業員2名、計7名がCO中毒により受傷した。

覚　　　　　知	平成17年6月　16時46分（119）
発　生　場　所	耐火造6／1　複合用途ビル地下1階　焼肉店
119番通報内容	＜指令内容＞ 救急出動。地下1階の焼肉店に急病人。子供がけいれんを起こしている。
受　傷　者	7名
出　動　隊	ポンプ隊3隊、救急隊3隊、指揮隊1隊、特殊災害部隊2隊、3本部機動部隊　計10隊
使 用 測 定 器	ドレーゲル検知管、酸欠空気危険性ガス測定器（GX-111）

2　活動概要

(1)　概要

119番通報は救急要請であり、「お客さんの様子がおかしい」との内容で店の従業員（男性）からの通報であった。

この通報で救急隊1隊が出動したが、現場到着時、複数の受傷者を認め、さらに数名の要救助者ありという情報を得たため、救助活動、危険排除活動に発展した災害である。受傷者7名はいずれも医療機関の救命センターに搬送されたが、重症のCO中毒と診断されたため、高圧酸素治療が可能な他の医療機関に転送された。

焼肉店はビルの地下1階部分全フロアを占有して営業しているが、このビルは典型的な雑居ビルで、客席と厨房を合わせても30㎡弱の狭い店である。客席にはテーブルごとに焼肉用のロースターが付いているが、事故発生時は1台も使われておらず、火気は厨房のレンジが一口のみ弱火で使われていただけである。

(2)　消防活動

ア　初期活動時系列

①　16時46分（救急出動）

先着隊は救急指令により出動した救急隊である。救急隊現場到着時、指令番地のビル1階入り口付近に2名（男性1名、女性1名）が倒れているのを発見した。この受傷者はグッタリしていたが意識はしっかりしており、「ビルの地下にまだ受傷者がいる」という情報を得、歩行可能な女性に誘導されて隊員が地下焼肉店に進入し、2名の子供（3歳女児、7歳女児）を抱え救出した。

②　16時58分（応援要請）

　　　　救急隊長は救出時に内部にまだ３名の受傷者がいることを把握しており、ポンプ隊１隊、救急隊１隊を応援要請した。
　③　17時01分（PA連携）
　　　ポンプ隊１隊、救急隊１隊が特命された。
　　　指令内容：焼肉店に受傷者３名。搬出困難。
　④　17時02分（救助活動）
　　　本部判断で、さらにポンプ隊１隊と、指揮隊が特命された。
　　　指令内容：焼肉店に受傷者３名。搬出困難。
　⑤　17時03分（救助活動）
　　　本部判断（酸欠、CO中毒の疑いあり。）で、特殊災害部隊が特命された。
　　　指令内容：焼肉店で何らかの原因で受傷者７名ある模様。
　　　特殊災害部隊長判断で、化学防護服＋防火服で出動。
　⑥　17時06分
　　　先着救急隊長とポンプ小隊長により男性従業員２名を抱え救出、続いて小隊長と救急隊員により女性１名を抱え救出した。
　⑦　17時15分
　　　大隊長は救急隊長の報告により、要救助者は７名のほかにはなしの報告を受けた。
　⑧　17時20分
　　　大隊長は応援ポンプ小隊員３名に空気呼吸器を着装させ、焼肉店内の逃げ遅れの有無の再確認を下命した。
イ　特殊災害部隊出動以降の危険排除活動概要
　①　特殊災害部隊と３本部機動部隊により、建物入口から10mの位置に危険区域を設定し、１階～地下１階を３本部機動部隊、２階以上を特殊災害部隊の分担でビル内部の測定実施。
　②　排煙車による送風換気により建物内部に充満したCOガスを排出して危険排除を行う方針を決定。
　③　１階出入口と２階デッキからの入口付近に警戒隊を配置するとともに、モニタ測定員を配置し、送風を開始する。
ウ　消防活動の終了
　　18時50分から19時35分までの45分間に３回に分けて送風とビル内測定を繰り返し、最終的に19時55分に各階反応がなくなったため、危険区域と消防警戒区域を解除し、活動を終了した。
(3)　その他
　ア　この活動で、ビル内部のガス測定で可燃性ガスを検出したため、現場指揮者はガス会社に要請してガスバルブを遮断させた。しかし、ガス会社職員の遮断完了報告後に地下１階に進入した３本部機動部隊員が、焼肉店の厨房のガスレンジに火がついているのを発見し、器具栓を閉鎖して火を止めた、という事実があった。

イ　指揮本部長は、受傷者が7名に及んだため、17時19分にDMATを要請した。17時35分に直近DMAT指定病院から医師3名、看護師2名が到着した。
　ウ　排煙車による送風が行われている最中は、ビル内の有毒ガスを含んだ排気が噴出する危険があるため、ビルの開口部付近を危険区域に指定して空気呼吸器を着装していない隊員の進入規制を実施した。

3　所見

(1)　最先着の救急隊は、路上に倒れていた複数の受傷者を確認した時点で、「単なる急病事故ではない」という疑問を持ち、受傷者からの情報収集を行い、救急事故の実態把握を行う必要がある。
　　救急隊が路上の受傷者に接触した時点で、有毒ガスによる中毒災害の可能性がある旨を指令室に一報すれば、その後の活動危険は生じることはなかったと考えられる。

写真2-14　排煙車による送風

(2)　この消防活動では結果として、16時46分から17時20分までの活動におけるビル内部進入隊員は呼吸保護具の着装なしで活動しており、原因物質がCOであったことから判断して、隊員の受傷危険・二次災害発生危険が存在した活動であった。
(3)　建物内部に滞留したCOを排出するために、送風機で危険排除を行う場合の注意事項は、送風によりガスがビル内に拡散することによって汚染が拡大する危険が生ずることである。
　　建物に排煙設備などの換気設備が設置されている場合は、ガスの排出に時間を要する結果となっても、設備を利用したほうが安全である。その場合、排気口付近に測定器を持った隊員を配置して、周囲の警戒を行う必要がある。
(4)　換気中は、ビル内部の複数箇所でCO濃度測定を継続し、濃度が許容濃度以下となった時点で消防活動を終了する。

4　解説　CO中毒のしくみ

NBC災害出動の中でも発生件数の多いCO中毒事故について、そのしくみを解説する。本事例では、結果的にCOガスが滞留している空間に、倒れている人と、症状もなく活

動している人が混在したり、消防隊員が呼吸保護なしに内部進入しても、隊員が中毒を起こさなかった。

しかしながら、稀に高濃度のCOが滞留する現場に遭遇することがある。平成21年6月に山口県のホテルで発生したCO中毒事故では、再現実験で30,000ppmを超えたという報道がなされ、また、事例13のように再現実験で60,000ppmに達した事例もある。酸欠空気危険性ガス測定器では250～500ppmを超えるとスケールオーバーしてしまうので、実際にはどれほどの濃度のガスが存在しているのか確認できないことから、空気呼吸器を着装しないで進入すると、短時間で中毒症状が現れる可能性があり大変危険である。

(1) CO中毒の発症過程

　ア　人体は呼吸により、赤血球に含まれる赤色色素のヘモグロビン（Hb）が肺で酸素と結合し、O_2Hbとなって組織に運ばれ、活動により酸素分圧が低くなっている人体の組織内で酸素を解離して組織に酸素を供給する。

　イ　呼気内に高い濃度のCOが存在すると（COとヘモグロビンの親和力が酸素の300倍といわれる）、ヘモグロビンは酸素と結合せずにCOと結合してCOHbが増え始め、組織に酸素を供給できなくなる。

　ウ　血液中のCOHbの濃度が増加していくと、人体組織は次第に酸素不足の症状が出はじめる。症状の出方は、現場のCO濃度 c [ppm] と曝露時間の長さ t [hr] に関係し、おおむね次のような関係がある。

$c \times t < 300$	影響は少ない
$c \times t < 600$	軽度の作用
$c \times t < 900$	中度ないし高度の影響
$c \times t = 1,500$	致死

許容濃度（TWA）	50ppm
短時間曝露限界濃度（STEL）	400ppm
最小致死濃度	650ppm

　エ　また、1時間曝露の条件下では、

600～700ppm	酸素不足による症状が出始める
1,000ppm以上	重篤な症状が出始める
1,500ppm以上	生命危険

(2) CO中毒事故現場における共通事項

2005年4月以降に、東京消防庁3本部機動部隊が出動したCO中毒と思われる事故現場において、共通している主な状況は次のとおりである。

　ア　119番通報内容は、「酸欠による傷者○○名」と通報されることがある。

　イ　現場では、換気扇やレンジファンを動かさずに長時間大熱量の業務用火気を使用したり、炭火を使っている場合が多い。

焼肉店⇒仕込みの寸胴鍋を長時間レンジに掛けていた。炭火使用
　　パン屋⇒パン焼き器
　　インド料理店⇒タンドリー使用
　　工事現場⇒換気せずに排気量200ccのガソリンエンジン発動発電機3台を3時間
　　　　　　　使用
　　　炭火を使う焼肉店や焼き鳥屋、居酒屋などでは、夏季に冷房が効かなくなるなどの理由で換気扇を止めたまま仕込みや営業をする店が多く、CO中毒事故が頻繁に起きている。
　ウ　通報内容からCO中毒を疑うことが困難な場合には、出動指令は、救急出動又はPA連携である事例が多く、先着隊はCO濃度の高い空間に空気呼吸器を着装せずに進入して受傷者に接触していることが多い。
　エ　初期の出動隊自身が現場の状況に何らかの異変に気が付いて、化学災害専門部隊を要請したり、消防本部が危険排除活動に切り替える場合がある。
(3)　CO中毒による危険排除・救助活動の留意事項
　ア　先着隊は、指令内容（119番通報内容）が「酸欠による……」であっても、何らかの有毒ガスの存在を疑い、建物進入時や受傷者接触時は現場の状況に応じて空気呼吸器を着装するとともに、必ず酸欠空気危険性ガス測定器を携行して酸素濃度・硫化水素濃度・CO濃度・可燃性ガス濃度をモニタする。
　イ　救出した受傷者は、直ちに新鮮な空気の下に保護するとともに、車内収容後は医師引継ぎまで高濃度酸素の投与を実施する（COHbの排出）。
　ウ　酸欠空気危険性ガス測定器による測定結果は、活動中の各隊に周知するとともに、逐次指令室に無線報告する。
　エ　事故現場の室内のCO濃度が、複数の地点で50ppm以下となるまでは、毒・劇物危険区域を設定するとともに、内部進入隊は空気呼吸器を着装して活動する。
　オ　酸欠空気危険性ガス測定器でガス測定を行う場合、酸素濃度が20％以上を示しても、他の測定値が高ければ危険であるので、空気呼吸器を外してはいけない。なお、酸欠空気危険性ガス測定器の警報発報基準は、CO⇒50ppm、H_2S⇒10ppmであるが、これはTWAによる許容濃度（1日8時間、週に40時間、この雰囲気の中で生活すると健康に悪影響が出るとされる環境基準）である。
　カ　COは空気よりも軽いので、中毒事故がビル内で発生した場合は、上階部分を含めてガス測定を行い、危険の確認をする。

事例 13　居酒屋で発生したCO中毒事故

1　災害概要

(1) 事故前日の夕方、男性は、父親の経営する居酒屋の仕込みのために店に出掛けた。出掛けるときに「今日中に帰る。」と言って出掛けたが、翌日の昼になっても帰らないので、父親は心配になって母親と一緒に男性を探しに店に出掛けたところ、店のカウンター内に倒れている男性を発見し、店の電話で救急要請を行った。

(2) その後、店の出入口付近で、母親が倒れた。先着の救急隊到着時、母親は腹臥位で倒れており、手足にけいれんを起こしていた。その直後、父親が倒れた。

覚　　　　知	平成18年7月　13時55分（119）
発　生　場　所	複合用途ビル　1階居酒屋
119番通報内容	救急要請：1階店舗内で息子が倒れている。 応援要請：何らかの原因で受傷者が3名。
受　傷　者	3名
出　動　隊	PA連携：ポンプ隊1隊、救急隊1隊 危険排除：ポンプ隊1隊、救急隊2隊、指揮隊1隊、特殊災害部隊1隊 計7隊
使　用　測　定　器	ドレーゲル検知管、酸欠空気危険性ガス測定器（GX-111）

2　活動概要

(1) 先着隊の活動（PA連携）

　ア　先着隊の隊員がビルの前に至ると、1階の店の戸が開いており、約2m入ったところに2名の男女がおり、男性が女性を抱えていた。救急隊員（空気呼吸器なし。）が店の中に入ると、男性が「店の中で息子が倒れている。」と言って、男性もその場に倒れた。

　イ　ポンプ小隊員（空気呼吸器なし。）は、出入口付近にいた2名を抱え救出して屋外に脱出した。

　ウ　ポンプ小隊長は、改めて隊員に化学防護服と空気呼吸器を着装させ、1階店舗内部を検索すると、カウンターの中に男性が倒れているのを発見し抱え救出した。

　エ　ポンプ小隊長は、救急隊1隊、特殊災害部隊1中隊の応援要請を行った。

(2) 消防活動（危険排除）

　ア　ポンプ隊の隊員が指揮隊のGX-111を用いて、出入口から3mの場所の測定を行ったところ、CO濃度が250ppmを超えてスケールオーバーした。

　イ　後着ポンプ隊の隊員が、ビル内の各階テナントに避難の呼び掛けを行い、3階から2名、6階から1名、7階から2名の合計5名が屋外に避難した。

　ウ　特殊災害部隊の隊員3名が、陽圧式化学防護服を着装して1階店内に進入し、酸・ポリ・アミンテストとCO濃度測定を実施した結果、ポリテストに強い反応

があり、CO濃度はスケールオーバーして測定不能状態であった。
エ　特殊災害部隊は、１階店舗の全ての窓を開放して換気を実施した。
オ　特別救助隊、特殊災害部隊、３本部機動部隊が分担して、ビル全館のCO濃度測定を実施した。各階の居室内は地下の70ppmを除き、CO濃度20ppm以下であった。
カ　ポータブル送風機を地下と１階に設定して、換気を実施した。
キ　ビル管理人到着後、施錠テナント部分の全てのドアを開放して、再度CO濃度測定を実施し、17時10分、全館０ppmを確認、毒・劇物危険区域を解除した。

(3) ガス瞬間湯沸器の再現実験

事故発生日の翌日、現場で使われていたガス瞬間湯沸器を使って、警察、消防、ガス会社が共同で再現実験を行った。その結果は以下のとおりである。
ア　点火５分後、湯沸器上部でCO濃度を測定した結果、６％（60,000ppm）を検出した。
イ　火口部分に大量の煤が付着しており、除去した結果、52ｇの煤が採取された。
ウ　測定器の反応
　　測定器のGX-111が、CO濃度測定時、スケールオーバーを起しており、同時に実施したポリテストでMax反応が出ている点を、測定器メーカーに問い合わせを行った。
　　その結果、GX-111が、COガスで可燃性ガスの反応を示すのは、COガスの濃度が爆発下限界（12.5％）に達するレベルの場合であるとの回答であった。

3　所見

この災害では、男性が倒れた時点はもちろん、災害発生から一昼夜経過後、消防隊が店内に進入した時点においても、室内には高濃度のCOが滞留していたものと推定されている。

① 出動指令で消防隊に与えられた情報は、「何らかの原因で受傷者３名」であるから、活動時は化学防護服と空気呼吸器を着装して内部進入する必要がある。
② 特殊災害部隊の測定活動によって、内部に滞留している有毒ガスがCOのみであることが判明した。夏季の高温多湿時期であったことから、指揮本部長は、その後の活動において、化学防護服を脱衣させ、活動隊員の熱中症防止を考慮すべきであった。

事例 14　洋菓子店の厨房で発生したCO中毒事故

1　災害概要

　現場は、耐火造5階建店舗併用共同住宅の1階部分にある洋菓子店。マンション1階部分全フロアを占有しており、洋菓子の製造販売と喫茶室を併設する店舗である。フロア面積の約半分に洋菓子・ケーキ製造のための作業所があり、そこに都市ガスを熱源とする業務用の大型オーブンが設置してあった。

　事故発生当日の朝、オーブンを使って菓子製造を行っていた従業員6名、喫茶室の開店準備をしていた店員2名の合計8名が、ガスオーブンの不完全燃焼により発生したCOガス中毒により受傷し、救急搬送された事故である。受傷者のうち3名は自力避難ができず、消防隊員により店内から救助されている。

覚　　　　知	平成18年6月　7時43分（119）
発　生　場　所	耐火造5／0店舗併用共同住宅　1階洋菓子店内
119番通報内容	＜指令内容＞ 危険排除　原因不明のめまい、過呼吸による受傷者5名 ⇒更に受傷者ある模様（救助活動に移行）
受　　傷　　者	8名
出　　動　　隊	ポンプ隊3隊、特殊災害部隊2隊、3本部機動部隊　計6隊
使 用 測 定 器	ドレーゲル検知管、酸欠空気危険性ガス測定器（GX-111）

2　活動概要

（1）災害詳細

　ア　先着した消防隊が、GX-111でガス測定しながら厨房出入口に達したところ、出入口付近でCO濃度がスケールオーバーした。COガス濃度測定の最高値は、活動初期に厨房側溝付近で計測した225ppmである。

　イ　ドレーゲル検知管（CO_2）による測定結果では、0.5ppmを検出している。厨房の小区画内にドライアイスの入ったケースが置かれていた。CO_2検出は、ガスオーブンの燃焼生成ガス又はドライアイス起源のものであると推定されるが、低濃度であり人体危険性はないと判断できた。

　ウ　厨房内には、2基の業務用ガスオーブンが設置されている。事故当時、従業員6名が厨房内でオーブンを使用して菓子を焼いており、2名が別区画の喫茶室内で開店準備を行っていた。受傷者は、従業員合計8名である。

（2）消防活動

　ア　最先着消防隊は発生場所から100mの位置に集結し、発生場所に出動した。建物外に従業員がおり、消防隊を誘導した。

　　　指揮隊員と救助隊員がGX-111で測定しながら建物出入口に入ろうとしたところ、GX-111が警報鳴動しCO濃度100ppm以上を検出したので、直ちに空気呼吸

器を着装して進入した。建物内では4名がケーキを作っており、外に誘導した。また、建物内更衣室では3名がぐったりしており、救助隊とポンプ隊で協力して救助した。
　イ　建物周囲50mに消防警戒区域、建物全体を毒・劇物危険区域として設定した。2階以上のガス測定と住民の避難誘導を実施した。
　ウ　3本部機動部隊等の活動
　　①　厨房出入口前、約5mに毒・劇物危険区域を設定し、消防隊の進入統制を行った。
　　②　救助隊と3本部機動部隊のポータブル送風機3台を使い、厨房内部の換気を実施した。
　　③　特殊災害部隊2隊と3本部機動部隊が交替で、店内のCO濃度測定を実施した。
　　④　ポンプ隊3隊により建物周囲開口部付近のCO濃度測定を実施した。
　エ　受傷者の搬送状況
　　　女性A　CO中毒（重篤）
　　　女性B　CO中毒（中等症）
　　　女性C　CO中毒（中等症）
　　　男性D　CO中毒（中等症）
　　　女性E　CO中毒（中等症）
　　　女性F　CO中毒（軽症）
　　　女性G　CO中毒（中等症）
　　　女性H　CO中毒（中等症）
(3)　指揮活動における判断要素（指揮本部長への助言）
　ア　厨房出入口でCO濃度が許容濃度以上を示したため、出入口付近に毒・劇物危険区域を設定して、消防隊の進入統制を実施した。
　イ　店内のCO濃度を下げるため、ポータブル送風機を使用して、内部換気を実施した。
　ウ　特殊災害部隊、3本部機動部隊を活用し、定期的に店内のCO濃度測定を実施した。
　エ　ポンプ隊を活用して、洋菓子店周囲の開口部付近のCO濃度測定を実施し、排気中のCO濃度の監視を実施した。
　オ　店内のCO濃度が複数箇所で9ppm以下になった時点で、毒・劇物危険区域を解除し、呼吸保護具なしでの店内進入を許可するとともに、部隊縮小を実施した。

3　所見
(1)　この災害は、指令内容から早期に厨房設備から発生した有毒ガスによる中毒の可能性が予想されたため、化学防護服の着装及び隊員や受傷者の除染の必要性はないと判断できたが、活動隊の危険区域進入については、念のために化学防護服＋空気

呼吸器の装備で活動させた。原因ガスがCOであると特定できた時点で、早期に化学防護服を脱がせ、熱中症防止を図るべきであった。
(2) 本文にもあるように、この事故現場では同じ厨房内で作業をしていた従業員でも作業場所や個人差などの条件によってCO中毒の症状の出方に大きな差が見られたが、病院搬送した受傷者の院内検査では、倒れた3名以外にも多数の者がCO中毒と診断されている。このことはCO中毒発生の特徴である。

事例 15　樹脂製造工場CO中毒事故

1　災害概要

樹脂製造工場のCO発生装置の浄化塔2階面で、定期点検のため作業員がバルブ交換作業を行っていたところ、何らかの理由でバルブ交換口から大量のCOが漏出し、気づかずに吸入したことにより受傷した。

覚　　　　知	平成15年7月　10時15分　救急覚知（119） 　　　　　　　10時22分　救助覚知（先着救急隊から）
発　生　場　所	CO発生装置浄化塔（スクラバー）4／0鉄骨造
119番通報内容	第1通報（救急覚知）：工場内でCO中毒のため、作業員が1名倒れた。現場からは救出済み。 第2通報（救助覚知）：CO中毒のため、更に作業員が3名倒れている。
受　傷　者	15名
出　動　隊	消防隊1隊、救急隊6隊、指揮隊2隊、救助隊2隊、予防課1隊　計12隊
使 用 測 定 器	酸欠空気危険性ガス測定器（XP-302Ⅱ）

2　活動概要

(1) 救急覚知により出動した先着救急隊により、現場状況及び要救助者の情報収集を実施する。

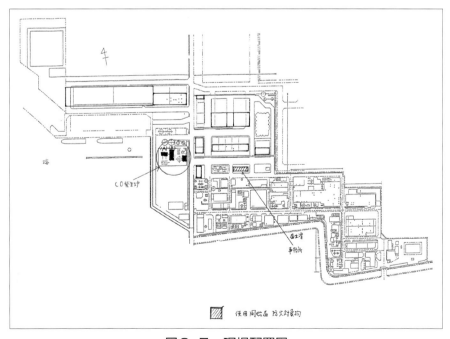

図2-7　現場配置図

(2) 救助覚知により出動した救助隊が現場到着後、先着救急隊及び工場関係者と接触し、建物内に要救助者が4名いるとの情報を得た。
(3) 空気呼吸器を着装した救助隊員が測定器により検知活動を実施し、建物東側10mに警戒区域を設定した。警戒ラインでの測定値はCO濃度20ppmであった。
(4) 建物内部進入後、空気呼吸器を着装した工場関係者が酸素及び空気の吸入などの応急処置を実施しているのを確認する。要救助者のうち3名を三連梯子による抱え救出、1名を1箇所吊り救助にて2階から地上まで救出し、消防隊と協力して警戒区域外へ搬送、救急隊に引き継いだ。
(5) 自力避難していた作業員（11名）が次々と異状を訴えたため、救急隊により市内3医療機関へ救急搬送を実施した。
(6) 要救助者搬送後、救助隊員及び関係者により再度検知活動を実施するが、異状が認められないため、活動体制を縮小し、警戒区域を解除した。

3 所見

(1) 今回の事故は、海に面した外壁のない吹きさらしの場所でのCO漏洩事故であるにもかかわらず、多数の受傷者が発生しており、稀な事案であると考えられる。
(2) 先着救急隊の情報収集活動が、後着隊の活動の円滑化に大きく寄与し、二次災害の防止が図られた。また、災害現場にて救急隊と関係者によるトリアージが実施され、傷病程度による医療機関の選定及び搬送が的確に実施された。
(3) 受入医療機関の中には、災害情報が不足していたため対応に苦慮したなど、迅速な対応が取れなかったとの事後報告もあった。
(4) これらを鑑み、消防機関、医療機関及び関係機関との情報の共有化・連携活動体制のシステム整備を図る必要がある。

4 解説　工業用COによる中毒事故

　本事例は、所見にも述べられているように、CO中毒事故としては非常に特異な事例である。従来、CO中毒事故は、換気のよくない空間で長時間火気を使用することによって発生するケースがほとんどであり、短時間の曝露では中毒症状が出ないため、空気呼吸器を着装しない消防隊員が救助のために内部進入しても、二次災害を起こすことなく済んでいる場合が多かった。
　本事例は、工業用として使われるCOの濃度では、海に面した風通しのよい屋外においてさえ、短時間曝露で一瞬にして中毒を起こし死亡することがあり得ることを再認識させた。

事例 16　解体工事中の建物で発生したCO中毒の事例

1　災害概要

耐火造3／0解体工事中の建物において、ガソリン駆動式の発動発電機2機を使用して作業中、換気が不十分であったために一酸化炭素が充満して作業員8名が受傷した。なお、通報者は、熱中症により作業員が倒れたと119番通報している。

覚　　　　　知	平成27年8月　8時05分
発　生　場　所	解体工事建物3階
119番通報内容	熱中症により作業員が倒れた。
受　傷　者	8名
出　　動　　隊	ポンプ隊2隊、特殊災害部隊1中隊、救急隊2隊、指揮隊1隊 計6隊
使 用 測 定 器	酸欠空気危険性ガス測定器（GX-2003）

2　活動概要

(1)　ポンプ隊は、救急活動支援として指令を受信したが、「解体現場」及び「3名倒れている」との内容から何らかのガスの発生を疑い、GX-2003及び化学防護服を積載して出動した。

(2)　指令内容を確認した指揮隊も、何らかのガスの発生を疑い、出動を判断するとともに、GX-2003を積載して出動した。

(3)　ポンプ隊及び指揮隊は同着し、建物付近にいた関係者から、上階に複数の要救助者がいることを聴取した。

(4)　ポンプ小隊長は、GX-2003で測定しながら建物内に進入、1階の階段室入口で一酸化炭素濃度20ppmを検知した。このことから指揮本部長は、階段室入口に進入統制ラインを設定するとともに、統制ラインの危険側では空気呼吸器の着装を徹底した。また、ポンプ隊1隊、特殊災害部隊、救急隊1隊の応援要請を行った。

写真2-15　1階の階段室入口

(5) ポンプ小隊長及び指揮隊員は、空気呼吸器を着装して状況確認のため上階に進入し、3階（階段踊り場含む。）に4名の要救助者が倒れているのを発見したため、速やかに1名を救出、救出後、ポンプ隊員2名を含む計4名で再進入し、さらに3名の要救助者を救出した。

写真2-16　3階の階段踊り場含む

(6) ポンプ隊による再検索結果及び関係者情報から、他に要救助者がいないことを確認するとともに、発動発電機2機が停止していることを確認した。
(7) 指揮本部長は、一酸化炭素濃度が高く消防隊による危険排除が必要と判断し、排煙高発泡車を応援要請して強制換気を実施した。
(8) 一酸化炭素濃度が人体許容濃度以下となり、人命危険がなくなったことから施設責任者に引き継ぎ、活動を終了した。

3　所見
　指揮隊及びポンプ隊ともに、指令内容から有毒ガスの発生を疑い、必要資機材の積載及びこれらを有効に活用し安全管理に配意した活動がなされた結果、受傷事故を未然に防ぐとともに、迅速な要救助者の救出活動が行われた。

4　解説
(1) 工事現場では、一酸化炭素のほか、硫化水素（地下での土木工事）、有機溶剤（塗装や剝離作業）等の有毒ガスによる事故が発生している。関係者からの情報収集では、作業内容や工事内容を聴取して災害実態を把握する必要がある。
(2) 一酸化炭素は無色無臭の気体[※]であるため、五感で検知できず、知らないうちに高濃度のガスを吸引して死亡する事故も発生している。
(3) 密閉空間における発動発電機使用時の一酸化炭素の濃度変化の検証が行われており、その結果は次のとおりである。

※ 一酸化炭素中毒事故に関する検証（2011年度　東京消防庁消防技術安全所）

検証条件	幅3.3m×奥行き3.6m×高さ2.1m（6畳の居室と同程度の容積）の密閉した部屋の中心に排気量50㎤の発動発電機（ポンプ隊灯光器用発動発電機と同型）を置いて運転した。
検証結果	・運転開始から35分後に700ppm※に達した。 　※　1時間で頭痛、めまい等が起こる濃度 ・運転開始から70分後に1,100ppm※に達した。 　※　1時間で意識障害など重篤な症状が現れる濃度 ・一酸化炭素濃度は、居室内において一様に上昇した。

第5 二酸化炭素

事例 17　地下倉庫内でドライアイスを使用し意識消失した事故

1　災害概要

　チョコレート販売店の地下1階にある冷蔵倉庫内で、CO_2中毒による受傷者3名が発生した事故。当ビルは前日夜から当日の夜までの間、電気設備保守点検のため全館停電としていた。店ではチョコレートを約20㎥の冷凍庫と約10㎥の冷蔵庫に保管しており、冷凍庫に約200kg、冷蔵庫に約50kgのドライアイスを入れて停電時対策を行っていた。

　災害発生当日20時過ぎに電源が復旧したため、店員3名が冷凍庫と冷蔵庫の扉を開けて作業を開始したところ、急に気分が悪くなり倉庫内で倒れた。同日20時25分頃、当ビル空調管理関係者が空調の点検のために、この冷凍庫に来たところ、3名が倒れてけいれんしているのを発見し119番通報を行った。

覚　　　　知	平成17年10月　20時36分（119）
気　　　　象	晴れ、南西の風1.0m、気温17.2℃、湿度69%
発　生　場　所	超高層ビルディング地下1階　洋菓子専門店の地下倉庫
119番通報内容	地下1階でドライアイスを冷蔵用に用い酸欠になった。
受　傷　者	3名
出　動　隊	ポンプ隊3隊、特殊災害部隊1隊、3本部機動部隊、救助隊4隊、特別救助隊1隊　計14隊
使用測定器	ドレーゲル検知管、酸欠空気危険性ガス測定器（GX-111）

2　活動概要

（1）消防活動

　　ア　先着のポンプ隊到着時、受傷者2名は倉庫外に運ばれて、1名が倉庫内に倒れている状態であった。同隊はGX-111で酸素濃度を測定しながら受傷者1名を倉庫外の廊下部分に救出した。

　　イ　後着した特殊災害部隊と3本部機動部隊は、ドレーゲル検知管（CO_2）で測定したが、その時点では高濃度のCO_2は検出されなかった。

（2）受傷者

　　男性A　CO_2中毒（中等症）
　　男性B　CO_2中毒（軽症）
　　女性C　意識消失（軽症）

3　所見

　CO_2は、ヒトの呼気にも含まれており、清涼飲料水にも使われているため、「人体に無害なガスである」という認識が一般的である。

しかし、高濃度のCO_2は毒ガスである。CO_2の毒性については下記解説を参照。

この事例のようなドライアイスを大量に使った冷蔵庫でも、二酸化炭素消火設備の放出事故現場でも、酸素濃度だけをたよりに活動をしてはならない。

酸素濃度が20％あったとしても、CO_2濃度が10％以上の空間では、空気呼吸器を外せば、隊員は死亡する危険がある。このような現場に進入する際には、必ず酸欠空気危険性ガス測定器で酸素濃度を測定すると同時に、CO_2の測定器を携行して安全の確認を行わなければならない。

4　解説　CO_2中毒防止上の留意事項

(1) CO_2の毒性

　　0.5％　　　許容濃度（米国国立職業安全衛生研究所NIOSH、米国産業衛生専門家会議ACGIH）
　　3％　　　短時間曝露許容濃度（同上）
　　4％　　　脱出限界濃度（米国国立職業安全衛生研究所NIOSH）
　　3～5％　　めまい、呼吸困難、頭痛、錯乱
　　10％　　　視覚障害、耳鳴り、ふるえ、1分で意識消失
　　30％　　　ほとんど即時に意識消失

(2) CO_2ナルコーシス

ヒトの血液の酸塩基度（pH）は、7.35～7.45の間で厳密に維持されているが、大気中のCO_2がこの血液の酸塩基度の維持に寄与している。何らかの原因で環境中のCO_2が増加すると、血液中のCO_2分圧が高くなり、血管の拡張や呼吸中枢刺激により呼吸が深くなる。呼吸が弱くなるとさらにCO_2分圧が高くなり、動脈血pHが低下して呼吸性アシドーシスとなり、昏睡状態から呼吸停止の状態になる。これをCO_2ナルコーシスという。

(3) CO_2が中枢神経に及ぼす影響

ヒトは大気中の濃度が10％を超えるCO_2を吸入すると、頭痛・めまい・不穏・脱力感などの中枢神経症状が現れ呼吸停止から死に至ることがある。

二酸化炭素消火設備は、設計上、警戒区画内のCO_2濃度が40％以上となる量のボンベが設置されており、この設備が作動してガスが噴出した空間内には致死量を遥かに超えるCO_2が存在している。

(4) 活動上の留意事項

二酸化炭素消火設備や大量のドライアイスの存在情報がある現場では、必ずO_2濃度とともにCO_2濃度を測定しながら活動しなければならない。ガスの皮膚からの吸収はないので、化学防護服を着装する必要はない。注意すべき点は、O_2濃度が20％を超えていても、CO_2濃度が高い場合は空気呼吸器の面体を絶対に外してはならないことである。

事例 18　地下駐車場で二酸化炭素消火設備が作動した事故

1　災害概要

耐火造3／2共同住宅の地下2階駐車場内において、内装業者が作業中、何らかの原因により二酸化炭素消火設備が作動し、作業員5名が地下2階駐車場内に取り残され、受傷者6名が発生したもの。

覚　　　　知	令和3年4月
発　生　場　所	耐火造3／2共同住宅の地下2階駐車場
119番通報内容	地下駐車場内で二酸化炭素消火設備が誤って作動し、内部に5名が取り残されている。
受　傷　者	6名
出　動　隊	ポンプ隊4隊、特別救助隊1隊、消防救助機動部隊、救急隊8隊、指揮隊3隊、補給隊1隊、資材輸送小隊1隊等　計25隊
使 用 測 定 器	酸欠空気危険性ガス測定器（GX-2003） 携帯型複数ガス連続同時測定器 ドレーゲル検知管

2　活動概要

(1)　先着ポンプ隊は、指令内容から、火災発生も疑い、防火衣及び空気呼吸器を着装し、酸欠空気危険性ガス測定器を積載して出動した。

(2)　先着ポンプ隊は、現着後、地下1階エントランスに警戒線を延長し、屋外を酸欠空気危険性ガス測定器で測定した結果、数値変化なしであった。

(3)　後着のポンプ隊と指揮隊は、自力避難した作業員から、二酸化炭素消火設備が作動したこと及び要救助者5名が地下2階駐車場に取り残されているとの情報を得た。

(4)　後着のポンプ隊は、エントランス内の地下駐車場につながる垂直タラップの手前3mに進入統制ラインを設定、面体着装後にタラップの蓋を開放し、浮子式ガス採取器を接続した酸欠空気危険性ガス測定器で地下2階駐車場内を測定した結果、酸素濃度15.8％を表示した。

(5)　特別救助隊は、垂直タラップから地下2階駐車場に進入し、要救助者4名を発見した。

(6)　消防救助機動部隊は、地下2階駐車場に進入し、残りの要救助者1名を発見するとともに、携帯型複数ガス連続同時測定器で測定した結果、二酸化炭素濃度24％を表示した。

(7)　地下2階駐車場に進入した消防救助機動部隊は、要救助者に対し、救出開始までの間、救急隊保有のバックバルブマスク（酸素10L）による人工呼吸を実施し、容態の悪化防止を図った。

(8)　消防救助機動部隊、特別救助隊及びポンプ隊は連携して、つるべ式救出により、地下2階駐車場から地下1階昇降機開口部（地上部分）へ要救助者5名を救出し、

救急隊に引き継いだ。
(9) 指揮本部長は、地下2階駐車場の二酸化炭素濃度が許容濃度より高く、消防隊による危険排除が必要と判断し、二酸化炭素消火設備付属のガス排出装置と消防隊保有の可搬式送排風機を活用し、強制換気を実施した。
(10) ポンプ隊と消防救助機動部隊は、強制換気中に屋外の排気ダクト付近等計3箇所で酸欠空気危険性ガス測定器及び携帯型複数ガス連続同時測定器による環境測定を実施し、活動隊や近隣住民への二次被害防止を図った。
(11) 強制換気実施後、地下2階駐車場の二酸化炭素濃度が許容濃度以下となり、人的危険がなくなったことから関係者に現場を引き継ぎ、活動を終了した。

3 解説
(1) 先着ポンプ隊は、指令内容から火災発生も疑い、防火衣及び空気呼吸器を着装し、危険側に立った活動が行われた。
(2) ポンプ隊が早期に進入統制ラインを設定したことにより、活動隊員の安全確保が十分に図られた。進入統制ラインの標示テープ等による明示は、複数の隊が到着する前に行われることが理想であるが、先着隊が初動対応のため余裕がない状況であれば、後着隊が行う。
なお、進入統制ラインは、脱出時に除染を必要とするが、二酸化炭素は、身体に付着しても影響がないことから、除染の必要はない。
(3) 進入統制ラインを設定した場合、進入管理者は、進入した隊員と進入時間を確実に把握するとともに、余裕を持った脱出が可能な活動時間を設定すること。また、進入した隊員は、測定器の数値に変化がなくても、危険な環境にいることを強く認識し、絶対に面体は外さない。
(4) 二酸化炭素の比重は、空気より重く空間の下部にたまりやすい性質があるため、酸欠空気危険性ガス測定器で地下空間等の測定を実施する場合は、付属の浮子式ガス採取器の活用も考慮する。
(5) 二酸化炭素やハロンガス等消火設備での強制換気では、測定員を排気ダクト等の排出口に配置し、測定器を活用した環境測定を実施する。

4 物質情報

二酸化炭素	英語名：Carbon dioxide	化学式：CO_2	別名：炭酸ガス
物　　　性	分子量　44.01 比重1.53（空気＝1）		
性　　　状	無色、無臭の気体（個体はドライアイス）		
人体危険	0.5%（5,000ppm）：許容濃度（産業衛生学会勧告） 3～5%：めまい、呼吸困難、頭痛、錯乱 10%：視覚障害、耳鳴り、1分で意識消失（最小致死濃度） 30%：ほとんど即時に意識消失※ ※　低濃度では無害であるが、濃度が高くなると呼吸中枢を麻痺させる。		

酸素欠乏と二酸化炭素の危険性	労働安全衛生法の酸素欠乏症等防止規則では、18%未満が酸素欠乏とされているが、直ちに人体に重大な影響を及ぼすおそれは低い。ただし、二酸化炭素の発生によって酸素濃度が18%に低下した場合は、二酸化炭素濃度は約14%となり、致死濃度を超えるため、酸素欠乏下でなくても、二酸化炭素で呼吸が停止し、死に至る可能性がある。

5 酸欠空気危険性ガス測定器による二酸化炭素の評価

酸欠空気危険性ガス測定器では、二酸化炭素を測定することはできないが、測定器の酸素濃度が低下する場合には、二酸化炭素が高濃度になっている可能性がある。

第6　ホスゲン

事例　19　同一事業所において短期間に2度ホスゲン漏洩が発生した事故

1　災害概要（1度目）

　危険物施設（製造所）から、製造工程で使用する毒物ホスゲンが漏洩し、付近住民を含む17名が受傷した。

覚　　　　　知	平成20年8月　8時30分頃（発生は6時20分頃）
発 生 場 所	危険物施設（製造所）
119番通報内容	（付近住民から）工場でなにか事故が起きたようだ。
受 傷 者	17名
出 動 隊	ポンプ隊3隊、救急隊4隊、指揮隊2隊、救助隊1隊、調査隊1隊、支援隊2隊　計13隊
使 用 測 定 器	北川式ガス検知器

2　活動概要

(1) 先着隊が、関係者に事情を聴取した結果、ホスゲンが漏洩したとの情報を得たため、直ちに危険区域を設定して立入を禁止するとともに、陽圧式化学防護服を着装した隊員が事業所関係者と協力し発生施設の周辺にてガス検知管によるガス濃度測定を実施した。

(2) 受傷者の確認等情報収集に当たるとともに、関係機関と協力して付近住民に対しての広報活動を実施し、事業所への道路封鎖を指示した。

(3) 時間の経過とともに体調不良を訴える者が増加したため、救急隊の増強を要請するとともに事業所職員の体調を再度確認し報告するよう関係者に対し指示した。

(4) 消防隊による有毒ガスのホスゲンが検出されないことから、関係機関と協議の上危険区域を解除し、体調不良者（17名）の収束をもって活動を終了した。

(5) 体調不良者17名中2名が処置入院（1～2日）となった。

3　災害概要（2度目）

　ホスゲン製造施設の除害塔からホスゲンが漏洩したもの。受傷者なし。

覚　　　　知	平成20年11月　13時19分頃
発 生 場 所	ホスゲン製造施設
119番通報内容	ホスゲンが漏洩。けが人なし
受　傷　者	なし
出　動　隊	ポンプ隊5隊、救急隊1隊、指揮隊2隊、調査隊1隊、救助隊1隊、支援隊3隊　計13隊
使 用 測 定 器	ドレーゲル検知管

4　活動概要
（1）　ホスゲン漏洩との通報により1度目の事案を受けて初動態勢を上記出動隊の計13隊が出動して、現場到着と同時に危険区域及び警戒区域を設定し、区域内への出入を制限するとともに、防護服着装隊員によるホスゲン合成施設周辺のガス濃度測定を実施するとともに、関係機関と協力して広報を実施した。
（2）　情報収集に当たるとともに、事業所職員に体調不良を訴える者がいないか関係者に確認を指示した。
（3）　隊員のホスゲンの検知管による反応なし、関係者の受傷者なしの報告を受け関係機関と協議の上危険・警戒区域を解除し消防活動を終了した。

5　所見
　1回目は、付近住民からの連絡による覚知であり、ガスの漏洩から2時間以上経過していたこと及び事態の把握に時間を費やしたことから、付近住民を含む多数の受傷者を出す事故となってしまった。
　ホスゲンは、毒ガスとして使用されたことのある人体に対して極めて危険な物質である。このことから、初期段階における処置がいかに重要であるかを再認識した事案である。
　2回目は、1回目の漏洩事故の反省から、事業所による早期の通報があり消防隊到着後、関係機関と連携し迅速に事態を収束することができた。しかしながら短期間に2度同じような漏洩事故が起きたことは極めて特異的な事案であった。

6　解説　ホスゲン
（1）　概要
　　ホスゲンは、染料・医薬品の原料、イソシアネート製造における中間体等の工業原料として、主に有機化学工業の分野など多方面で使用されている。また、第一次世界大戦では毒ガスとして使用された。
（2）　危険性・毒性
　　ア　300℃以上で分解し、腐食性の有毒ガスが発生する。
　　イ　乾燥状態では金属を腐食しないが、水分が存在すると加水分解して塩酸が発生し、金属を腐食する。

ウ　毒物及び劇物取締法で毒物に規定されており、ガスを吸入すると呼吸系統を刺激し、微量のガスの吸入でも肺障害を起こす。眼、皮膚、気道に対しての腐食性、液体の急速な蒸発による凍傷の可能性がある。
エ　ガスを吸引、曝露すると、初期に上気道刺激や結膜刺激が発生。その後呼吸困難、胸部痛、喀血、チアノーゼ等の症状が現れる。肺水腫症状は遅れて現れ、低酸素症が進行し死に至る場合がある。
オ　許容濃度0.1ppm（TWA）、臭気を感知…1.0ppm、流涙・咽喉頭痛・上気道灼熱感等…3～5ppm、重篤な肺障害・曝露時間が長ければ生命危険…25ppm、短時間でも死亡…50ppm

(3) 曝露時の応急処置

ア　ガスを吸入した場合
　直ちに新鮮な空気のある場所へ移動させ、安静を保ち、高濃度酸素吸入を実施する。
イ　衣服にガスが付着した場合
　衣服の汚染部が皮膚に接触しないように注意し、速やかに脱衣する。
ウ　皮膚や眼に付着した場合
　直ちに大量の流水で洗浄する。

第7　過酸化水素

事例 20　美術品の補修作業中、化学熱傷を負った事故

1　災害概要

　現場は、文化財的美術品の補修を行う事業所である。美術品の絹織物の染み取りをするために、34％の過酸化水素を含んだ水溶液に、反応促進剤としてアンモニア水を加え、さらに水で希釈したものを、ステンレス製の加圧式スプレーに入れて使用していた。事故当時も同様な方法でポンプで加圧していた最中に容器が爆発し、内部の薬品を浴びた女性1名と、飛び散った金属製容器の破片に接触した他の女性1名が打撲傷を負った事故である。

覚　　　　知	平成17年5月
発 生 場 所	美術品補修作業場
119番通報内容	過酸化水素で火傷したが、病院を紹介してほしい。 ＜指令内容＞ 作業場内に過酸化水素による受傷者ある模様。
受　傷　者	女性A：右顔面、右肩から右胸にかけて化学熱傷、左角膜上皮剥離（中等症） 女性B：下膝打撲（軽症） 計2名
出　動　隊	ポンプ隊1隊、救急隊2隊、指揮隊1隊、3本部機動部隊、特殊災害部隊1隊　計6隊
使 用 測 定 器	酸欠空気危険性ガス測定器（GX-111）

2　活動概要

(1) 集結場所には、ポンプ隊、救急隊、指揮隊、3本部機動部隊（ポンプ隊から3分後）、応援救急隊、特殊災害部隊（ポンプ隊から22分後）の順で到着した。

(2) ポンプ隊員2名は化学防護服を着装して現場に先行して、関係者と受傷者に接触した。その際にGX-111を携行したが可燃性物質の反応はなかった。
　　大隊長は建物の周囲30mを警戒区域として指定し、建物内部にいた従業員を全員避難させた。

(3) 大隊長は指令内容とポンプ隊の測定結果により、現場における化学防護服と空気呼吸器の着装は必要なしと判断した。

(4) 受傷者は玄関で顔にタオルを当てて座っており、痛みを訴えていた。救急隊員の観察結果、顔面と右肩から胸にかけて赤くなっていた。

(5) 3本部機動部隊の隊員2名が関係者と事故発生現場の作業室に進入し、事故の発生に至る経過の説明を受けた。

(6) 化学熱傷による受傷者を先着救急隊、打撲による受傷者を応援救急隊が収容し搬

送した。
(7)　3本部機動部隊員により、現場の作業場内部の安全確認を実施後、内部に有毒物質や危険性物質の存在が確認されなかったので、大隊長は危険区域の解除を実施し、部隊の引揚げを下命した。

3　所見
(1)　この事故の場合は、関係者の情報から使っていた薬品名が分かっていたため、受傷者の救護は、衣服の脱衣、滅菌精製水等による除染、薬品名の医師への申し送りが重要である。
(2)　化学熱傷による受傷者が存在した事故であるが、指令から救急隊の受傷者接触まで約30分かかっている。現場の状況から活動危険の有無を早く判断して救急活動の着手を早め、早期に受傷者の救護を行う配慮が必要であった。
(3)　作業内容の高濃度の過酸化水素溶液とアンモニア水を混合して使う工程は極めて危険な行為である。

事例 21　大型フォークリフトの転倒による60％過酸化水素の漏洩事故

1　災害概要

大型フォークリフトで、過酸化水素水溶液（約17トン）の入ったタンクコンテナを移動中、運転手（男性）が急ブレーキをかけたため前のめりに転倒しタンクコンテナ上部にある安全弁から約5Lが漏洩し、水抜きドレンをつたって地上に流出した。

覚　　　　　知	平成15年4月　14時55分（119）
発 生 場 所	貨物専用駅構内
119番通報内容	＜指令内容＞ 貨物専用駅構内において、貨車への積み込み作業中に、フォークリフトが前方に転倒し、運転手が受傷したもの（急病事案として覚知）。その後、関係者からの再通報により、危険物の漏洩が判明したため15時02分に化学物質漏洩警戒出動を指令。
受 傷 者	1名
出 動 隊	救急隊1隊、指揮隊2隊、救助隊8隊、化学隊2隊、タンク隊5隊、ヘリ1機　計18隊、1機
使 用 測 定 器	なし（初動時より関係者の確保並びに、漏洩物質の特定ができていたため使用しなかった。）

2　活動概要

指揮官等は、現場で関係者を確保し、受傷者の有無や漏洩品目を確定するとともに、出動各隊に対しては、風上に部署するよう徹底を図り、危険区域、警戒区域を明確に設定して、各隊の活動制限、進入統制を図るとともに、漏洩物質の拡散防止活動を下命した。

関係者に対しては、現場付近での作業の中断、駅構内における列車の運行規制を図るとともに、過酸化水素の製造業者、輸送業者及び復旧するためのクレーン業者の早期派遣を要請した。

消防部隊は、危険区域及び警戒区域の設定、タンク本体の亀裂、温度変化などの有無についての確認を行うとともに、漏洩箇所の水抜きドレンに木栓をはめ込み、漏洩の停止を図った。また、土のうにより側溝への流入防止を図り、すでに漏洩した分については、大量放水による希釈を行い、その後、事故車両の復旧まで筒先などを配備し、警戒に当たった。

3　所見

本事案では、貨物専用駅構内という広い空間であったことから、発災地点を中心に半径150m（風下300m）を初期の設定区域とした。警戒区域の設定は、次の点に留意する必要がある。

(1)　区域を広く見積もり設定する。

(2) 危険区域、警戒区域について出動部隊に徹底する。
(3) 警戒区域の設定の際には、住民などへの広報及び区域外への退去、命令などを併せて行う。
(4) 設定した警戒線には、消防隊員若しくは消防団員を配置し、進入規制及び立入者の監視を行う。
(5) 区域を拡大する必要がある場合は迅速に、縮小する場合は安全確認後行う。

4 解説　60%過酸化水素の漏洩
(1) 高濃度過酸化水素は、強力な酸化剤であり、金属などの触媒物質が存在すると爆発危険が生ずる。その爆発力は少量でも強力である。
(2) 高濃度過酸化水素の水溶液は、人体毒性が非常に強く、大量漏洩現場での消防活動は、化学防護服、空気呼吸器、ドレーゲル検知管（酸・ポリ・アミン、過酸化水素用）が必要となる。許容濃度（TWA）は1ppmである。
(3) 測定器の用途は、物質の特定、既知の物質の濃度検知、さらに毒・劇物危険区域の設定・解除や、進入統制の要否判断である。

第8 強酸

事例 22　運送会社配送センター内で発生した硫酸人身事故

1　災害概要

　配送センター内で、従業員がベルトコンベアーで移動してきた荷物（ダンボール箱）を台車に載せようとした際、ダンボール箱内の硫酸ビン20本（500mL／本）の内4本が破損し、ダンボール箱から流れ出た硫酸液が両大腿部に付着受傷した。

覚　　　　知	平成14年7月　2時44分（119）
発　生　場　所	運送会社　配送センター内
119番通報内容	従業員が作業中、硫酸液が下肢にかかり受傷した。女性、意識清明。
受　傷　者	1名
出　　動　　隊	救急隊1隊
使用測定器	なし

2　活動概要

　119番通報を受信した指令員により、硫酸がかかった皮膚を水道水で洗い流すよう口頭指導した。そのため、救急隊が到着した時は、同僚に付き添われ受傷部位を洗い流していた（受傷者が女性のため、救急隊接触時はバスタオルを腰部以下に巻いた状態）。

　意識清明、両大腿部前面が青色に変色した1〜2cmの斑点箇所が見られた。救急車に収容、車内での洗浄も考慮し滅菌アルミホイルにて被覆保温して医療機関に搬送した。

　なお、硫酸の漏洩の量が少量であったため、救急服に感染防止衣を着装し短靴で対応した。

3　所見

　今回の事故は、受傷者が1名でしかも受傷部位が大腿部のみであり、また、通報時点で硫酸液による受傷と判明したため、指令員の口頭指導と受傷部位の水洗浄が比較的短時間で実施できた事例と思われる。しかし、通報内容の過度な思い込みは、その後の活動に支障を来すおそれがあるので物質の確認と安全の確保が必要であると認識した。

4　解説

(1)　化学熱傷に対する留意事項
　　ア　脱衣（乾的除染）
　　イ　曝露部位の除染
　　　⇒流水による除染、滅菌精製水
　　　⇒上衣にも硫酸が付着している可能性もあるので脱衣させる。

(2) 医師への情報提供
　　⇒物質名、曝露部位の状態
(3) 隊員の身体防護装備
　　出動指令時の情報に基づき、化学防護服を着装する。救急隊は簡易型化学防護服とディスポーザブル手袋を着装するが、ディスポーザブル手袋は強酸に対する耐薬品性が低いので、二重にするなどの措置を講ずる。
(4) 隊員の除染
　ア　汚染物の廃棄
　　⇒簡易型化学防護服、ディスポーザブル手袋
　イ　靴の裏の洗浄
　　⇒現場から医療機関への搬送前、救急車に乗る前に靴の裏を洗浄する。

事例 23　何者かに硫酸をかけられ受傷した事例

1　災害概要

自宅マンションの駐車場で何者かに液体をかけられた男性が、背中の痛みを訴えながら自宅に戻り脱衣した。男性が脱衣した衣類が、自宅にいた妻の頬と臀部に触れた。妻は、頬、臀部、喉の痛みを訴え119番通報を行った。

覚　　　　知	平成27年８月　８時05分
発　生　場　所	高層マンション地下１階駐車場及び自宅居室
119番通報内容	夫が「何か液体をかけられた。」と言って帰宅した際、夫の衣服が頬と臀部に触れ、触れたところと喉が痛い。
受　　傷　　者	２名
出　　動　　隊	ポンプ隊２隊、特殊災害部隊１中隊、救急隊２隊、指揮隊１隊　計６隊
使 用 測 定 器	酸欠空気危険性ガス測定器（GX-2003）、ドレーゲル検知管、pH試験紙、赤外線分析装置

2　活動概要

(1)　先着ポンプ隊は通報者と接触し、受傷者が２名であることを確認した。また、受傷者の行動歴から、汚染場所は、地下１階駐車場及び自宅居室内であると判断し、地下１階入口及び自宅玄関前に進入統制ラインを設定した。

　　なお、何らかの液体をかけた行為者は立ち去っていることを臨場した警察官に確認した。

(2)　特殊災害部隊により、地下１階駐車場及び自宅居室を酸欠空気危険性ガス測定器で測定するも、数値に変化なし（火災危険の否定）。

(3)　特殊災害部隊により、地下１階駐車場に残っていた液体及び受傷者の衣服から採取した液体をpH試験紙で測定したところ、ともにpH１（強酸性）の反応を確認した。

(4)　液体をかけられた受傷者の衣服が破れていたこと、皮膚が変色していたことから、特殊災害部隊は、原因物質は硫酸と推定した。

(5)　特殊災害部隊は、受傷者２名を自宅浴室で水的除染を実施し、救急隊へ引き継いだ。

(6)　特殊災害部隊により赤外線分析装置にて硫酸と特定し、搬送先医療機関へ情報提供した。

(7)　警察官との協議後、特殊災害部隊により、地下１階駐車場の床に残されていた硫酸の液だまりを中和剤により中和し、pH試験紙により中性となったことを確認後、ポンプ隊が放水により除染した。自宅浴室は、シャワーで除染後、pH試験紙により中性を確認した。

3 所見
(1) 化学熱傷は時間の経過とともに悪化していくことから、受傷者の対応を最優先とし、測定器による原因物質の特定よりも、早期除染及び早期救急搬送を主眼とした活動を行う必要がある。
(2) 化学的な現象から原因物質を推定することは、測定器が災害現場に未着の場合の代替手段となる。また、測定器による測定結果の裏付けにもなる。

4 解説
(1) 酸性液体により受傷した皮膚の色
　酸性液体による受傷部位は、塩酸では灰白色から黄褐色、硫酸では黒色、硝酸では黄色褐色を呈す[※]。
　※　改訂第10版　救急救命士標準テキスト（へるす出版）から引用

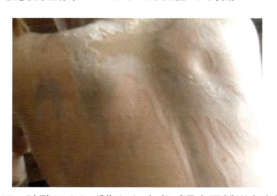

写真2-17　硫酸により受傷した皮膚（過去同種災害事例より）

(2) 酸性液体による衣類の溶解性実験（東京消防庁協力）
【実験1】
　混紡（ポリエステル90％、ポリウレタン10％）の生地（白色）に、濃度35％の塩酸、濃度60％の硝酸、濃度96％の硫酸（濃硫酸）をそれぞれ0.5mL滴下し、5分後の変化を確認した。
【実験1の結果】

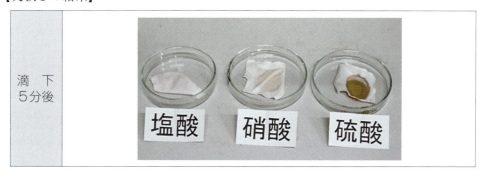

濃度96％の硫酸（濃硫酸）を滴下した生地にのみ、溶解（穴あき）を確認した。

【実験2】
　衣類の生地（3つの素材）に、濃度96％の硫酸（濃硫酸）を0.5mL滴下し、5分後の変化を確認した。

【実験2の結果】

素　材	①ポリエステル100％ （生地の色：紺）	②綿100％ （生地の色：ベージュ）	③毛100％ （生地の色：グレー）
滴下前			
滴下 5分後	※		

(1)　①及び②は、溶解（穴あき）を確認した。

(2)　③は、外観上の溶解はなく、変色（茶褐色）を確認した。

※JIS L1030-1：2012（繊維製品の混用率試験方法）によると、ポリエステルは、濃硫酸では溶解するが、濃度70％の硫酸では溶解しない。
※硫酸は無色透明であるが、生地の染料を溶かし赤色に変色している。

5　まとめ

　衣類の溶解は、酸性液体を特定する上で、重要な情報となる。一方で、溶解の程度は、液体の種類や濃度、衣類の素材等で差異があるため、物質の特定は、受傷者の症状や測定器による分析結果など複数の判断要素の下、実施する必要がある。

事例 24　トラックの荷台から塩酸が流出した事故

1　災害概要
大型トラックにより18Ｌポリ容器10本の塩酸を搬送していた。このうちの１本は搬送前から亀裂が生じていたためビニールに包み積載していた。これが振動等により亀裂が拡大し容器から塩酸が約11Ｌ道路上に流出し白煙が生じた。

覚　　　　知	平成14年４月　８時57分（119）
発　生　場　所	国道上
119番通報内容	トラック積載の塩酸が漏洩
受　傷　者	なし
出　動　隊	ポンプ隊３隊、救助隊１隊　計４隊
使 用 測 定 器	なし

2　活動概要
先着の水槽付ポンプ隊の積載水により、流出した塩酸を希釈、さらに中和剤として消石灰30kgを散布した。

3　所見
運送業者の取り扱いの不適により生じた事故であるが、流出量が約11Ｌであり、幸い側溝への流入がなかったので被害の拡大はなかった。先着隊はイエローカード等を活用し的確な状況判断及び被害の軽減を図れるよう日頃から危険性を認識しておく必要がある。

4　解説
(1) 現場除染による危険排除
　　中和剤の散布、大量水による希釈
(2) 中和剤等の調達
　　原因者負担が原則
(3) 活動終了後の措置
　　ア　使用資機材の洗浄（ホース、ホースカー）
　　イ　隊員の装備の洗浄（防火服、長靴、ヘルメット）

事例　25　　トンネル内で発生した塩酸流出を伴う交通事故での救助活動

1　災害概要

　トンネル内で、大型トラックがセンターラインを越え、対向車である塩酸積載の大型タンクローリーと正面衝突を起こし、要救助者が2名（タンクローリーの運転手が運転席内に狭窄状態。大型トラック運転手は車両から自力脱出したが、受傷のため現場から退出できず路肩で救助を待つ状況）とタンクローリーからの塩酸流出（流出量3.8トン）が発生した。

覚　　　　知	平成18年8月　13時18分（119）
気　　　　象	天候：晴れ、風向：東北東、風速：1.3m/s、湿度：67％、温度：29.8℃
発 生 場 所	国道のトンネル内
119番通報内容	トンネル内で大型タンクローリーと大型貨物の衝突事故が発生
受　傷　者	2名
出　動　隊	ポンプ隊5隊、救急隊2隊、指揮隊1隊、救助隊1隊、特科消防隊（化学防護服）1隊、その他（現場広報・資機材搬送）3隊　計13隊
使用測定器	ドレーゲル検知管、酸欠空気危険性ガス測定器（GX-111）

写真2-18　活動状況

2 活動概要
(1) 初期活動
　現場到着時の状況は、トンネル入口から約50m進入した位置でタンクローリーから物質が白く霧状に噴出しており、その流れは進入方向から逆方向へと流れていた。
　また、後続車等の他の車両については全て安全区域に退避しており、トンネル内には事故車両2台が視認できた。
　この状況に先着ポンプ隊は、上下防火服に空気呼吸器を着装してトンネル内の状況確認を実施したところ、大型トラックの運転手が路肩に座位でうずくまっており、さらにタンクローリー運転手が狭窄状態にあることが判明した。また、この段階で事故車両からイエローカードを入手して漏洩物質が塩酸であることについても判明したため、この旨を輸送会社及び後続部隊へ連絡するとともに車外に退避していた要救助者をトンネル外の安全区域に救出し、救急隊に引き継ぎ後続部隊の到着を待った。
(2) 消防警戒区域設定
　指揮隊、救助隊、特科消防隊、ポンプ隊が到着後の活動方針として、速やかな可燃性ガス、漏洩ガスの濃度測定及び区域設定並びにトンネル出口への警戒部隊の配置を実施した。
　消防警戒区域をトンネル入口から約400m後方の交差点とし、警察官により一般車の進入を規制した。

写真2-19　活動状況

写真2-20　現場状況

　また、測定結果からトンネル入口を境界にコールドゾーンとウォームゾーンに設定してトンネル内への進入及び活動準備拠点とし、さらに事故車両直近では100ppmの濃度であるため事故車両から手前10mをホットゾーンに設定した。
(3)　救助活動
　ポンプ隊による警戒筒先と特科消防隊による測定継続のなか救助隊は吸収缶タイプの化学防護服を着装し、救助工作車とキャビンとの間をチルホールにより牽引するとともに大型油圧スプレッダーにより狭窄部分を拡張して要救助者を救出、救急隊に引き継ぎ救助活動を終了した。
(4)　漏洩防止と希釈除染
　漏洩箇所はキャビン後方にある配管の亀裂からであることが判明し、流出量が多いためトンネル内の側溝に流れ出ていることから、近傍にある河川への流出が懸念された。
　管内の事業者から社員数名と中和剤1トンを現場に派遣する協力を得たが、現段階での判断として、放水による希釈洗浄は汚染物質の拡散を助長することから禁じられた。このため車両の周囲に中和剤を散布するとともに、土のうの積上げによる側溝への流出防止を図った。また、これと同時に木栓を作成し漏洩箇所に詰める作業についても同時に行われたが、作業スペースが取れないことから思うように作業が進まず、このため救助工作車のフロントウインチにより事故車両のキャビン部を持ち上げ漏洩量の減少を試みたところ約半分の量に減少させることができた。

(5) 塩酸の回収と現場復帰

　塩酸輸送業者は、社員10名とタンクローリー及び汚染残留物の回収用の大型貨物トラックにより現場に到着し、別のタンクローリーに事故車両に残る塩酸を抜き取ることで漏洩防止を図り、付近一帯に中和剤を散布するとともに、流出防止用土のう及び中和剤等の汚染物質の一切を大型トラックに回収して輸送業者の作業は終了した。さらに事故車両の搬出と消防、警察等の関係機関によりトンネル内の安全と河川への流出がないことを確認し、現場復帰して全ての活動を終了した。

3　所見

　今回のような災害の経験が乏しいことで、訓練等により培った基本的な活動要領等が実戦の場において十分に生かされなかった点が挙げられる。

　消防として一刻でも早い要救助者の救出は最優先活動であるが、「流出物質が判明していない状況における活動について」二次災害防止の観点からどう対処すべきかといったことと、どちらを優先すべきかの判断が難しいが、やはり、眼に見えない危険に対しては徹底した二次災害の防止が優先されるべきである。

　さらに指揮統制を確実に行い、各部隊の役割分担と活動内容を明確にすること、組織的な認識という部分からすると、これらの対応装備が本署に配備されていたことから、配備部署を中心に訓練を実施していたところであるが、本事例を振り返り組織全体としての認識向上を図ることの必要性を痛感した。よって、後日本事案に係る検証会を開催し、今後のあり方について議論を重ねた。

事例 26　大型タンクローリーからの塩酸流出事案

1　災害概要

塩酸を積載した大型タンクローリーがコンビニエンスストアの駐車場に入ろうとした際、後続の大型トラックに追突され、大型タンクローリーのタンク後部に設置されていた送液用バルブが破損し、積載されていた塩酸8,500Lのうち6,500Lが流出、気化した塩酸ガスが広範囲に拡散したもの。

覚　　　　　知	平成27年6月　5時09分（119）
気　　　　　象	天候：薄くもり、風向：北北東、風速：1.5m/s、湿度：88%、気温：17℃
発　生　場　所	コンビニエンスストア駐車場内
119番通報内容	15トントラックが大型タンクローリーに追突、塩酸が流出した模様
受　　傷　　者	なし
出　　動　　隊	特殊災害第1出動及び特命出動　　　計28隊30台 （本部指揮隊1隊、指揮隊3隊、消防隊16隊（化学車2台、高発泡排煙車1台を含む。）、特別高度救助隊1隊（特殊災害対策車）、特別救助隊4隊、特別装備隊1隊（大型除染システム車、空気充填照明車）、救急隊2隊）
使 用 測 定 器	検知器材：ミニレイ、ドレーゲル検知管 流出防止器材：シーリングパテ、シーリングランス、土のう

2　活動概要

先着消防隊到着時、コンビニエンスストア駐車場内に停車した大型タンクローリーの後部の破損した配管から塩酸が勢いよく大量に流出しており、現場周辺には塩酸ガスの白煙が広範囲に拡散し、視界が悪く鼻をつく刺激臭がある状況であった。

最高指揮者（本部指揮隊長）は、発生場所を中心に半径100mの範囲に消防警戒区域を設定し、除染が必要な受傷者がいなかったことから、活動方針を①大型タンクローリー破損箇所の流出防止措置、②流出した塩酸の希釈及び塩酸ガスの拡散防止のための噴霧放水活動、③側溝への流入防止措置、④塩酸ガス拡散に伴う住民への広報と決定した。さらに、警察による付近幹線道路の通行止めを要請した。

活動区域では塩酸の特性及び有毒性を考慮し、塩酸を直接浴びる危険性がある区域をホットゾーンとしレベルAでの活動、ウォームゾーンについてはレベルDにて呼吸管理での活動を徹底し、消防隊による地面に流出した塩酸の希釈放水と並行して救助隊による流出防止措置を実施した。

流出防止後はタンク内の残留塩酸をバキューム車に移し替え、最終検知で安全確認を行い、消防警戒区域を解除した。また、側溝に流入した塩酸の状況確認及び処置のために、関係機関による対処も実施した。

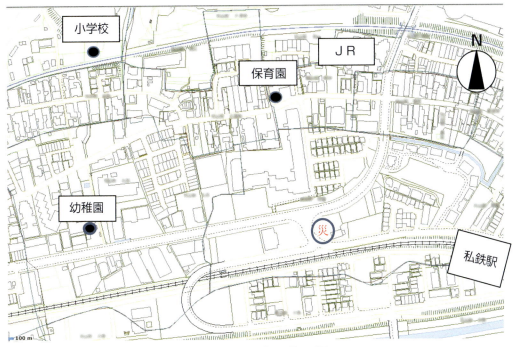

図2-8　現場見取り図

写真2-21　消防隊到着時の状況

第1節　化学物質による中毒・化学熱傷等

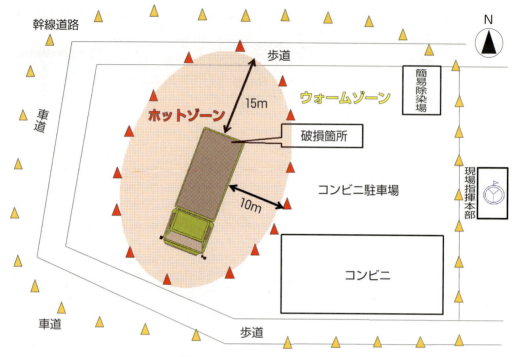

図2-9　ゾーニング状況図

写真2-22　希釈放水の状況

写真2-23　流出防止措置の状況

3　所見

災害場所は幹線道路沿いで、出動車両が両方向から集結する場所であったため、風向きの変化により風下側からの進入部隊もあり、安全確認を行いながらの現場到着となった。

また、本災害では流出防止等の最前線での活動と塩酸ガスが広範囲に拡散している状況での住民広報活動が必要であった。活動内容が多岐に及ぶことから、各担当者を指名したが、発生時間によっては通勤、通学時間帯等と重なり、多くの市民に被害が及ぶ可能性があったため、交通規制や広報活動について、警察や消防団とより連携した活動が求められる。

事例 27　屋外タンクからの塩酸の漏洩

1　災害概要

顔料工場の敷地に設置された屋外タンクのバルブが損傷して収容物の塩酸※70Lが漏洩した。受傷者は発生していない。漏洩時、大量の発煙が起きたため近隣住民が火災通報し、消防隊は出火報により出動したが、火災の事実はなく毒・劇物災害対応となった。

※　塩化水素を水に溶かしたもの。塩化水素ガスが発生する（3、(1)及び4を参照）。

発 生 場 所	工場敷地内に設置してある屋外タンク（塩酸タンク・容量6,000L）
119番通報内容	出火報
受 傷 者	なし
出 動 隊	指揮隊1隊、ポンプ隊8隊、救急隊1隊、はしご隊1隊、特別救助隊1隊、化学車隊1隊、3本部機動部隊　他
使 用 測 定 器	ドレーゲル検知管、pH試験紙

2　活動概要

(1)　先着隊はタンク周辺の発煙と刺激臭を確認し、関係者情報から塩酸の漏洩であることを認知した。

また、別の関係者からは、中和剤を集積していることや、排水が敷地内の地下水槽に貯留され、一般の下水道に流れていないことを確認した。

(2)　塩化水素ガス拡散防止のため、臭気のない位置から面体を着装した隊員がタンク周辺の噴霧注水を実施した。

また、第一出動隊の化学車からタンク周辺への泡放射を実施し、漏洩した塩酸を泡により被覆し、塩化水素ガスの発生を抑制した。

(3)　専門部隊到着後、化学防護服を着装した隊員がタンク周辺での噴霧注水を交替し、防火服で活動に当たっていた先着隊の隊員は、周囲の警戒に移行した。

(4)　漏洩箇所を確認したところ、タンク下部にあるバルブの腐食による損傷であった。
腐食したバルブを除去し、粘土と漏洩防止テープで損傷箇所を塞いで漏洩を停止させた。なお、活動場所が狭隘であり、陽圧式化学防護服での活動が困難であったため、化学防護服を着装し活動した。

(5)　工場関係者が準備した消石灰の粉末を、化学防護服を着装した隊員が散布して中和し、ドレーゲル検知管及びpH試験紙により中和完了を確認し、活動終了した。

(6)　化学防護服を着装した隊員は、活動終了後、簡易水槽内で放水による除染を実施した。

(7)　NBC専門部隊の助言により、本災害で活動した隊員の手袋を洗い流すとともに、手洗い、洗眼、洗顔及びうがいをするよう周知徹底した。

3 解説
(1) 指令内容から化学工場で発生した火災であることが判明している場合、化学防護服の積載に配意する。
(2) 本災害現場でも確認されたように、濃度の高い塩酸は、容器から放出し空気にさらされると、塩化水素ガスが空気中の水分と反応して白煙が発生する。
(3) 塩化水素ガスは水に溶けやすいため、ガスの拡散による被害の拡大防止を図るために噴霧注水によりガスを吸収させる（水に溶解させる）ことは有効である。ほかには、塩素、アンモニア、硫化水素のガスも水に溶けやすく、同様に対応できる。
　　ただし、次の点に注意して実施する。
ア　化学防護服を積載した隊が出動している場合は、化学防護服を着装した隊員が放水を実施する。
　　また、防火服を着装した隊員が放水を実施している場合は、陽圧式化学防護服又は化学防護服を積載した隊が現着後、陽圧式化学防護服又は化学防護服を着装した隊員と筒先を交替する。
イ　防火服を着装した隊員が放水を実施する場合は、拡散しているガスや残水の影響を受けない位置から行う。
　　また、放水に従事する隊員は、面体を着装するとともに肌の露出防止を図るなど身体防護に配意する。
ウ　タンクを囲む防液堤に大量の水が入ることで、液体があふれ出さないように配意する。
エ　防液堤等にたまった酸性液体等に水が混入することにより激しい反応や発熱、それに伴うガスの更なる発生等のおそれがあることから、急激な注水を避け、発煙等の状況確認に配意する。特に、濃硫酸に水が混入した場合、激しく反応し、周辺に飛び散るおそれがある。
オ　ガスを吸収させた残水にも毒性があることから、放水活動中や資機材撤収中等に、地面にたまった水に不用意に触れることのないように注意する。
(4) 漏洩物によっては、泡や防水シートによる被覆によって、毒性ガスの蒸散を抑制し、中和や回収作業までの間、一時的に被害拡大防止を図ることができる。
(5) 毒・劇物取り扱い施設での漏洩事故では、関係者と連携して中和剤の調達を速やかに行う必要がある。本事例では工場に常時配備してあった中和剤を有効活用したために迅速な対応がなされた。
(6) 塩酸に対する中和を実施する場合は、次の点に注意して実施する。
ア　陽圧式化学防護服又は化学防護服（努めて陽圧式化学防護服）を着装した隊員が実施する。
　　また、関係者と協力して実施する場合は、消防隊員と同等以上の防護措置を講じる。
イ　消石灰や水酸化ナトリウム水溶液など、中和剤自体も人体に有害であることから、取り扱いに注意する。

ウ　中和反応は、急激な発熱反応を生じる危険性があるため、最初は少量の中和剤を散布して状況を確認し、徐々に散布量を増やす方法をとるとともに、pH試験紙により中和の効果を随時確認する。
　　　また、特殊災害部隊等に配置された非接触温度計による中和熱の監視に配意する。
　エ　消石灰は、本事例のように粉末を直接散布するほか、水に溶かして15～20％の水溶液にして散布する方法もあるため、漏洩状況に応じて、安全かつ効果的に中和できる方法を選択する。
　オ　消石灰の粉末は陽圧式化学防護服又は化学防護服に付着すると固着し、水のみで除染することが困難となるため、努めて粉末に触れないように活動し、固着した場合は中性洗剤で洗浄する。
　　　また、無線機や照明器具等にもかからないように養生するか、あらかじめ外して活動する。
　カ　中和剤の準備や中和後の液体等の処理については、事業者の負担を前提に関係者と協議する。
(7)　塩酸のように腐食性が強い物質が漏洩した現場で使用した資機材は、活動終了後、入念に洗浄及び整備を行う。
　　　また、洗浄した際に残る水滴はよく拭き取り、腐食による資機材損傷の防止に努める。
(8)　危険区域や除染区域の設定による陽圧式化学防護服又は化学防護服着装隊員以外の進入統制と除染を徹底し、毒・劇物等による隊員の受傷防止を図る。
　　　また、本事例のように、防火服を着装し放水活動等を行った隊員は、身体に痛みや刺激などの異常を感じない場合も、個人装備の表面に腐食性の物質が付着しているおそれがあるため、次の対応をとる。
　ア　汚染確認や除染を実施する場所を設け、特殊災害部隊等による汚染確認を行う。
　イ　汚染されたおそれのある空気呼吸器や防火服、手袋等は、引揚げ前に離脱して洗浄や拭取りにより除染する。帰署後、更に細かな除染を行う。
　ウ　手洗い、洗顔、うがい等を徹底し、帰署後は全身をよく洗う。

4　物質情報

塩　　　　酸	別名：塩化水素酸	化学式：HCl
性状など	無色又は淡黄色、刺激臭、強酸性	
火災・爆発危険	塩酸自体に爆発性、引火性はない。 金属と反応し、可燃性の水素ガスを発生する。	
人体危険	許容濃度5ppm　眼等の粘膜を刺激する。吸入すると喉、肺などを刺激し、高濃度の場合、肺水腫を起こす。皮膚に触れると薬傷を起こす。	
反応危険	空気中の水分と接触すると、発煙して有毒の塩化水素ガスを発生する。	
装備等	化学防護服、呼吸保護具	

その他	塩化水素の水溶液 調味料、染料、香料、医薬、農薬等の原料の他、幅広い用途で使用される。
測定器等	携帯型複数ガス検知器 ドレーゲル検知管［酸テスト及び塩化水素検知管］ pH試験紙
CAS番号	7647-01-0

5 活動のポイント

① 空気呼吸器及び化学防護服の着装による身体防護措置の実施
② 危険区域、除染区域の設定及び化学防護服着装隊員以外の進入統制
③ 隊員及び資機材の除染の徹底
④ 漏洩物に対する噴霧注水や被覆による発煙蒸気の拡散防止
⑤ 事業者負担を前提とした回収、中和等の実施

6 資機材情報

名称	pH試験紙
解説	液体のpHを測定する資機材。強酸性からアルカリ性（pH 1～11）を判定でき、酸性は黄色から赤色、アルカリ性は青色を示す（容器に色見本が表示されている。右図参照）。pH試験紙を水で湿らせて、ガスや乾燥した物質のpHを測定することもできる。

写真2-24 現着時の状況 白煙が漂っている。

写真2-25 噴霧注水による被害拡大防止

写真2-26　塩酸タンク（容量6,000Ｌ）

写真2-27　狭隘な現場への進入

破損したバルブ

写真2-28　漏洩の状況
タンク下部のバルブから塩酸が漏洩

写真2-29　漏洩防止処置後の状況
破損したバルブを除去し、粘土と粘着テープにより塞いだ。

第9 アルカリによる化学熱傷

事例 28　次亜塩素酸ナトリウムの漏洩による受傷事故

1　災害概要

　10,000Lの12％次亜塩素酸ナトリウムを積載したタンクローリー車が、容量15,000Lの屋外タンクに注入作業をした際に、タンクレベルゲージ部分配管が破損して2,000Lの次亜塩素酸ナトリウムが外部に漏洩した。

　漏洩した薬品は流出防止用のためます内に滞留し、外部に漏れ出すことはなかったが、事業所の作業員1名が薬剤の漏洩を止めようとして着ていたエプロンで漏洩部分を押さえた際に、次亜塩素酸ナトリウムの飛沫を眼に入れて受傷し、救急搬送された。

覚　　　　知	平成18年11月　13時36分（119）
発　生　場　所	消毒剤製造作業所内の屋外タンク
119番通報内容	次亜塩素酸ナトリウムの漏洩
受　傷　者	1名
出　動　隊	ポンプ隊4隊、救急隊2隊、指揮隊3隊、特殊災害部隊1隊、3本部機動部隊、消防本部研究員　計12隊
使用測定器	ドレーゲル検知管、FTIR、pH試験紙

2　活動概要

(1)　消防隊の活動状況

　ア　先着隊

　　先着したポンプ隊は、タンク付近の屋外に、眼を受傷した関係者1名を確認し、化学防護服を着装した隊員により確保し、情報収集しながら救急隊に引き継いだ。

　　さらに、タンク周囲50mの範囲に進入統制区域を設定し、ホース1線を延長した。

　イ　後着した特殊災害部隊は、陽圧式化学防護服を着装した隊員2名がタンクの漏洩位置まで進入し、漏洩箇所に木栓を打ち込んで漏洩を防止した。

　　さらに、ドレーゲル検知管、FTIRで塩素、塩化水素を測定したが反応なく、放射温度計による温度測定を実施したが異常はなかった。また、周囲の空気のpH試験紙によるpH測定も中性を示した。

　ウ　タンク内に残った8,000Lの次亜塩素酸ナトリウムと、ためます内に漏洩した薬剤は、回収して産業廃棄物処理業者が処理した。

3　所見

(1)　次亜塩素酸ナトリウムについて

　　次亜塩素酸ナトリウムはアルカリ性の薬剤で、上水道水やプールの消毒剤、家庭用の除菌剤や漂白剤、病原菌による感染防止用の殺菌剤などに広く使われている。

この薬剤は、pHが11以下になると分解して塩素ガスを発生するため、市販するときは少量の水酸化ナトリウムを加えてpHを12以上に上げてある場合が多い。
　また、酸性物質が混入してpHが11以下になると急激に分解が進み、大量の塩素ガスを発生する。次亜塩素酸塩は、粘膜に対する刺激・腐食作用があり、細胞を破壊するため、高濃度の薬に接するときは、化学防護服の着装が必要である。

(2)　漏洩した次亜塩素酸ナトリウムは、そのまま下水道に流すと、下水道末端にある下水処理場に流入する。下水処理場ではバクテリアを利用して汚水に含まれる汚れを浄化しており、ここに多量の次亜塩素酸ナトリウムが流入するとバクテリアが死滅し浄化機能が低下する可能性がある。このため、漏洩してためますにたまった薬剤は、事業者によって汲み出し、産業廃棄物処理するよう助言した。

(3)　タンクに残った8,000Lの次亜塩素酸ナトリウムについても、事業者がタンクの配管修理が完了するまでの間、元のタンクローリーに戻すよう助言した。

(4)　薬剤を眼に入れた作業員を救急処置する際には、上下の着衣を脱衣させるとともに、眼を滅菌精製水又は滅菌生理食塩水で洗い流してから搬送すべきであり、指令室を通じて救急隊に助言を試みたが、既に病院に到着しており間に合わなかった（男性⇒角膜びらん・軽症）。

事例 29　地中に埋設されたアルカリ性廃液による受傷事故

1　災害概要

　石鹸・洗剤等の化学製品を製造する事業所の建築工事現場において、地下タンク新設工事のため油圧ショベルを用いて基礎掘削作業を行っていたところ、約20年前に廃棄処分のために地中に埋設されたアルカリ性の廃液ドラム缶（容量200L）と、重機のショベル部分が接触し破裂した。付近で作業中の土木作業員2名がこの廃液を浴び、化学熱傷を負った事故である。

覚　　　　　知	平成12年11月　10時21分（119）
発　生　場　所	Ａ事業所屋外敷地内
119番通報内容	＜指令内容＞ 建設現場において労災事故、受傷者2名、ともに熱傷を負っているが軽症であるとの通報から救急出動指令。しかし、ガス爆発のようなものが発生しているとの第2報があり、消防隊、救助隊にも出動を指令した。
受　傷　者	2名
出　動　隊	消防隊2隊、救急隊2隊、指揮隊1隊、救助隊1隊　計6隊
使用測定器	pH試験紙

写真2-30　現場状況

2　活動概要

　現場到着時、関係者から昔に埋めたものなら苛性ソーダの可能性が高いと聴取した。発生場所付近は既に埋め戻されていたが、若干の白煙及び蒸気・アルカリ臭を認めた。受傷者2名はすでに現場より離れた安全な場所に移動され、上半身の衣服は脱いだ状態で、他の作業員によって水道水にて洗浄、冷却処置が行われていた。工事関係者からの

聴取によると、油圧ショベルにて掘削作業中、ショベル部分と地中のドラム缶が接触した時に白煙と蒸気の発生があり、付近で作業中の２名がその噴出した廃液を浴び受傷。

また、発生源のドラム缶は、工事作業員にて地中に埋め戻されており、二次災害の危険性は排除されていた。

３　所見

化学熱傷の場合、①原因物質の名称・性質・濃度・接触時間の把握、②現場状況、受傷状況の聴取、③二次災害の防止、といった点に留意した活動を行わなければならない。今回の事例では、管内事業所の協力により噴出した廃液の物質名、濃度等の分析を早急に終えたことから、病院搬入時には有効な情報を提供することができた。また、幸いにも二次災害の危険性もなく、結果的にスムーズな活動を行えた。

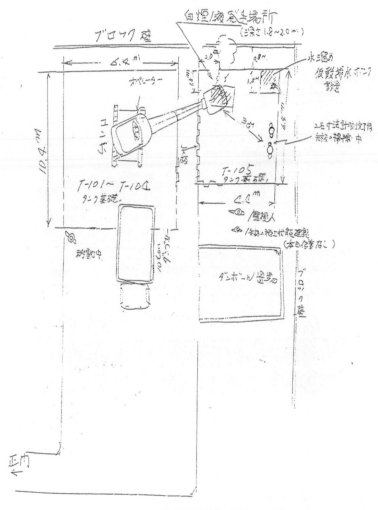

図２-10　発災現場付近見取り図

4 解説 廃棄物による化学熱傷事故

　一般的に、アルカリによる化学熱傷は、酸によるものと比較して重症化する。曝露当初は軽症に見えても、化学熱傷は皮膚の深部に達していることが多いので、衣服全てを脱衣させ、医療機関搬送前に全身を十分に水除染する。化学熱傷は熱による受傷ではないので、低体温による悪化防止上、水ではなく微温水による除染が好ましい。

　アルカリを使って除染技術の訓練を行うと、薬品を塗った部分を1時間以上洗っても、汚染検査を行うとpH試験紙が青変する。酸は皮膚表面を凝固させるが、アルカリは皮膚組織のタンパク質を融解させるので損傷が深部に達する。

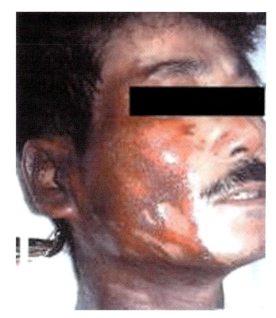

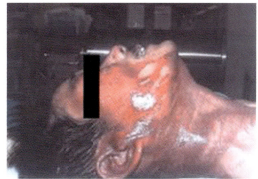

写真2-31　受傷状況

事例 30　生石灰の水溶液によって活動中の消防隊員が受傷した事例

1　災害概要

マンション建築工事現場の地下2階部分に野積み状態で保管されていた生石灰3トン（1トン袋×3）に、深さ約50cmたまった雨水が浸水して化学反応を起こし、発熱により発生した水蒸気を通報したもの。

なお、本現場で危険排除活動に従事した隊員4名が、生石灰が溶けた水に接触して化学熱傷を起こした。

覚　　　　知	平成31年3月　1時05分
発 生 場 所	建築工事現場
119番通報内容	通行人からの通報「工事現場から煙が出ている。」
受 傷 者	4名（活動に従事した隊員）
出 動 隊	ポンプ隊7隊、はしご隊2隊、救助隊1隊、指揮隊1隊　計11隊
使用測定器	pH試験紙

2　活動概要

(1)　先着ポンプ隊は、地下部分に白煙を確認したことから、雨水が約50cmたまった地下部分に進入し、ホース延長しながら白煙が出ている場所に接近した。白煙は、生石灰と水との反応熱により発生した水蒸気（湯気）であることを確認した。

(2)　消火活動から危険排除活動に移行し、スコップ等で生石灰を袋からかき出し、たまっている雨水に少しずつ溶かした。これにより発煙が収まり、活動を終了した。

(3)　活動終了後、長靴内まで水に浸かって活動した複数の隊員が、下肢にヒリヒリとした違和感があったため、地上部分で防火衣を脱衣し洗浄した。

　しかし、活動した隊のうち1隊は、洗浄することなく別件の災害に転戦出動し、転戦先の現場で足部の痛みを訴え、機関員を除く4名が医療機関に搬送された。

写真2-32　発災した現場（翌朝に撮影）

3 所見

　生石灰には、水との反応による強烈な発熱とともに強いアルカリ性による化学熱傷の危険があり、本災害においては、熱水や高温の水蒸気などで熱傷を負う危険性や、さらに重大な化学熱傷を負う危険性（生石灰に対して水が少なければ極めて強いアルカリ性水溶液となる。）が潜在していた。「生石灰」など物質名の表示を発見した場合、活動隊に周知するとともに、必要によりNBC専門部隊を応援要請する。

4 解説

(1) 生石灰は建築現場などで土壌を固めるために使われ、500kg以上を貯蔵又は取り扱う場合、事業者は消防法第9条の3に基づく届出を行わなければならない。事業者に対し届出を徹底させるとともに、災害の未然防止と災害発生時の対応について事業者との連絡体制を確立しておく必要がある。

(2) 本災害で、活動中の隊員は、生石灰を水中に溶かしているときに周囲の水が温まっているのを感じていた。このように、熱源がないのに温度変化があるときには何かしらの化学反応が起きており、潜在的な危険性があることを念頭に置く。

(3) 災害現場において、発熱や発煙などの化学反応が起きている場合には、有毒ガスの発生や爆発などの危険性[※]があることを常に念頭に置いておく必要がある。

　※　生石灰と水の反応では起こらない。

第10　危険物・有機溶剤

事例　31　開放型タンク内部を清掃中に塗料剥離剤（ジクロロメタン）により受傷した事故

1　災害概要

建設足場の開放型洗浄タンク内を2名の作業員が清掃中、塗料剥離材（ジクロロメタン）から発生した蒸気により、タンク内に倒れた。

覚　　　　知	平成10年10月　13時38分（119）
発　生　場　所	事業所　開放型タンク内部
119番通報内容	開放型タンク内を洗浄している作業員2名が倒れ、救出するためタンク内に入った事業所従業員2名が足に化学熱傷を負い救出できない状況。
受　傷　者	4名
出　動　隊	消防隊1隊、救急隊2隊、指揮隊1隊、救助隊1隊　計5隊
使 用 測 定 器	酸素濃度測定器（XO-326ALA）

2　活動概要

現場到着時、関係者から毒性の液体ではないとの情報を聴取した。洗浄中のタンク内の酸素濃度を測定したところ15％であったため、空気ボンベの投入による空気の供給及び吸排風機による換気を実施するとともに隊員2名が進入した。

しかし、底面10cmほどたまっていた液体に触れると足部に熱を感じたため、いったん脱出させ、長靴にて再度進入し、要救助者の身体に縛帯及び安全ベルトを使用し敷地内にあった重機を使用して引き揚げ救出した。

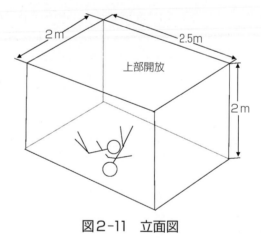

図2-11　立面図

3　所見

原因不明の液体により、意識障害のある受傷者が発生した事案では、薬品名・性質等も詳しく聴取すべきであった。また、ゴム製の長靴・手袋の着装も早期に実施すべき事案である。

写真2-33　災害現場受傷者の状況

写真2-34　救出活動状況

事例 32　ガソリン中毒の受傷者を扱った救急事例

1　災害概要

(1) 一般住宅の半地下になっている車庫内において、夫が2台所有している自家用車の1台のガソリンが無くなっていたので、もう一方の車の燃料タンクのガソリンを携行缶に移して、給油をしようと作業を始めた。

(2) ホースを使って、ガソリンを携行缶に移している最中に、夫が外出した。

(3) 妻は、家の中にガソリン臭が漂ってきたので、車庫を確認に行くと、携行缶からガソリンが溢れていたので、ホースを外して夫の帰りを待った。

(4) 夫が帰宅したので、妻が状況を説明し、夫は再び給油作業を始めた。

(5) 約1時間経過しても夫が戻ってこなかったので、妻が車庫に行くと、夫が倒れていたため、救急車を要請した。

覚　　　　知	平成18年5月　0時26分（119）
発　生　場　所	住宅半地下車庫内
119番通報内容	ガソリンの入替え作業をしていた夫が、車庫内で倒れており、いびきをかいている。
受　傷　者	1名
出　動　隊	救急隊1隊
使 用 測 定 器	なし

2　活動概要

(1) 救急隊現場到着時の状況

　ア　救急隊は、指令番地50m手前の路上に停車したところで、家族が案内に出てきて、事故発生現場まで誘導された。

　イ　受傷者は車庫奥に左仰臥位で倒れていた。車庫内にはガソリン臭が充満していた。

(2) 観察結果

　① 観察開始時

　　顔面紅潮、左肘部約0.5％熱傷（Ⅱ度）、他に外傷は認められず、意識：JCS300、呼吸：18回／分（いびき様）、脈拍：84回／分（やや弱い）、気道確保（下顎挙上）

　② 車内収容時

　　全身観察、心電図モニター装着、酸素吸入（10L／分）⇒0時35分、経鼻エアウエイ挿入、意識・呼吸・脈：変化なし、血圧：82／52（聴診）、瞳孔：1／1（対光反応なし。）、心電図：洞調律（ST上昇）、SpO_2：84％

　③ 現場出発時

　　意識：JCS300、呼吸：18回／分（いびき様）、脈拍84回／分（充実）、瞳孔：3／3（対光反応あり。）、心電図：洞調律（ST上昇）、SpO_2：98％

④ 病院到着時
意識：JCS300、呼吸：18回／分（いびき様）、脈拍：84回／分（充実）、心電図：洞調律（ST上昇）、SpO_2：98%

(3) 救急活動概要
ア 救急隊長は、観察結果と受傷機転から救命対応を判断し、指令室に救命センター選定を依頼した。
イ 指令室から救命救急センターへの搬送を指示された。
ウ 初診時傷病名：ガソリン中毒、程度：重篤
エ 当初の指令は「PA連携」であったが、「危険排除」に切り替えた。

3 所見

ガソリンに限らず、石油製品の高濃度蒸気を吸入すると、肺に損傷を受けて生命に危険を及ぼす。本事例は、高濃度のガソリンベーパーが滞留した状態の中に長時間いたために起きたものと推定される。

本事例は救急活動事例であり、特殊災害部隊が活動した事例ではないが、石油製品による中毒事故として、今後の参考となり得る事例として記録した。

事例 33　航空機事故での積載燃料漏洩による二次災害対策

1　災害概要

空港から離陸態勢にあった旅客機が、滑走路をオーバーランし緩衝緑地内で大破、炎上した。

覚　　　知	平成8年6月　12時08分（自己覚知）
発生場所	空港南側緩衝緑地
119番通報内容	旅客機が滑走路をオーバーランし、炎上中
受　傷　者	活動隊員のうち53名
出　動　隊	警防隊24隊、救急隊13隊、指揮隊4隊、救助隊7隊、航空隊1隊、応援隊（他消防本部）4隊、消防団8分団　計53隊、8分団
使用測定器	なし

2　活動概要

　火災の発生を空港内の消防航空隊が覚知し、直ちに災害救急指令センターへ通報後、現場での情報収集、事故機から脱出していた乗客・乗員の避難誘導等を行った。
　現場に到着した消防隊は、泡消火薬剤による事故機の消火活動、現場救護所の設置、要救助者の検索活動を行った。この活動中、事故機から積載燃料の漏洩が確認されたため、消火及び救助活動と並行して漏洩燃料の油面を泡消火薬剤で被覆する作業を継続して行った。また、関係者による燃料の抜き取り、漏洩箇所の閉塞処置等を検討したが、いずれも早急には不可能な状況であった。
　その後の活動中、一部の隊員に漏洩燃料による化学熱傷と疑われる症状が確認されたため、現場に派遣されていた医師等により応急処置を行い、医療機関へ搬送した。

3　所見

　航空機火災における防ぎょ活動の留意点として、積載燃料による二次災害の防止が挙げられる。
　本事案は離陸時に発生したため、事故機には大量の積載燃料が残存しており、燃料への引火等の防止に最大限の注意を払う活動となった。泡消火薬剤による油面の被覆処理を徹底することで、引火による火災拡大は発生しなかった。
　しかし、大量の漏洩燃料が滞留した機体付近で活動する隊員は、身体に燃料が付着した状態での活動を余儀なくされた。漏洩した燃料（JET A-1ケロシン系航空機燃料）の人体への影響は灯油とほぼ同じで、長時間接触すると皮膚に炎症を生じる。このため活動隊員のうち53名が受傷する結果となった。受傷部位は主に下半身であり、隊員が着装する防火服等の下半身保護の脆弱性が大きな要因であった。
　本事案を契機として、防火服等の装備について抜本的な見直しが図られ、隊員保護の観点から総合的に検証を重ねた結果、新型防火服の導入に至ったものである。

本事案での隊員の装備は、コート型防火服にカバー付ゴム長靴であった。
※写真は一般警防隊員用

隊員受傷の要因を検証し、セパレート型防火服を導入した。
※写真は一般警防隊員用

コート型の場合、下腹部から大腿部にかけ非防護部分がある。

セパレート型は非防護部分がない。

コート型の場合、腰部から臀部にかけ非防護部分がある。

セパレート型は非防護部分がない。

写真2-35　防火服の比較

事例 34 工場内で発生したブチルフェノール漏洩事故

1 災害概要

ブチルフェノールが入ったコンテナタンク（19,790kg）のバルブ交換作業中にバルブ不調により液体状のブチルフェノールが漏洩した。

覚 知	平成16年11月　9時20分
発 生 場 所	物流保管会社構内
119番通報内容	工場内のタンクバルブ交換中にタンク内に入っていた危険物が漏洩
受 傷 者	なし
出 動 隊	ポンプ隊8隊、救急隊1隊、特殊災害部隊1隊、救助隊4隊、特殊車5隊、ヘリ1機　計19隊、1機
使 用 測 定 器	酸欠空気危険性ガス測定器（GX-111）、ガステック

写真2-36　冷却注水の状況

2 活動概要

現場到着時、警戒区域を周囲100mに設定し、陽圧式化学防護服を着装した隊員が漏洩物質を測定した結果、GX-111に反応なし、ガステックでフェノール2ppmを検知した。また、漏洩箇所の止栓作業を行ったが完全に漏洩を止めることができず、ブチルフェノールは98℃以下で凝固することから、陽圧式化学防護服を着装した隊員によりタンク上部から冷却注水を行い、タンク内温度85℃となった時点で漏洩が収まり、同日17時12分に消防隊による処理を完了した。また、冷却注水作業にあっては、一定時間で交替させ、

区域撤退時は除染シャワーによる除染を行った。

3 所見

現場活動が長時間になった理由のひとつとして、当該タンクは保温材で覆われて冷却作業が困難であったため、早期に止栓作業ができなかったことが挙げられるが、現有資機材では困難であり、そのような資機材を配備することを考慮したい。

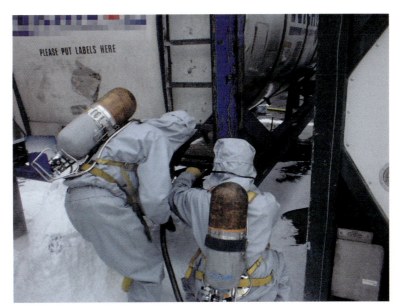

写真2-37 活動状況

写真2-38 除染状況

事例 35　地震によるトリクロロエチレン漏洩事故での救助活動

覚　　　知	平成23年3月11日　16時07分
発 生 場 所	作業所
受 傷 者	死者2名（搬送後死亡2名）
出 動 隊	特殊災害部隊1、消防団（1個分団2名）
活 動 終 了	平成23年3月11日　19時39分

ア　発生時の状況

　本災害は、耐火造3階建て作業所の3階において、山積みされたトリクロロエチレン入り18L缶が地震により倒れ、床上に漏洩した事案である。

　消防隊到着時、先に到着していた警察官及び建物関係者から、建物3階部分に要救助者が2名おり、室内に毒物（トリクロロエチレン）が充満しているとの情報を得た。このことから、要救助者の早期救出及び早期除染を活動方針とした。

イ　活動状況

写真2-39　乾的除染作業

　毒・劇物対応の活動基準に基づき、まず、化学防護服を着装した隊員以外は建物内に進入しないよう、建物1階入口に進入統制ラインを設定した。

　2階及び3階は毒・劇物危険区域に設定し、陽圧式化学防護服を着装した消防隊員のみの活動区域とした。

　3階に進入した隊員は、室内に倒れている要救助者2名を発見したが、既に意識不明の状態であった。

　要救助者を毒・劇物危険区域外まで搬送し、化学防護服を着装した隊員へ要救助者を引き継いだ後、床上に残留していたトリクロロエチレンを吸着マットにて除去した。

　救出された要救助者は、除染後に救急搬送されたが、医療機関にて2名とも死亡が確認された。

　また、消防団員は付近住民及び消防隊の安全管理のため、警戒活動を実施した。

写真2-40　作業所床面　　写真2-41　救急隊への引継ぎ

第11 農薬・殺虫剤

事例 36 農地近辺の住宅地で発生したクロルピクリン中毒事故

1 災害概要

事故当日の日中、葉たばこ栽培予定農地（約18ha）の土壌消毒のため、クロルピクリン約200kgを土中へ注入した。その後、気化したクロルピクリンが周囲の住宅地まで拡散し、居住住民8世帯24名のうち11名が目鼻に強い刺激、吐き気、嘔吐等を伴う中毒症状が発生し受傷した。

覚　　　　知	平成20年10月　21時02分（119）
発　生　場　所	農地近辺の住宅地
119番通報内容	救急要請「食事中に急に気分が悪くなった。吐き気を伴う」
受　傷　者	11名
出　動　隊	救急隊2隊、指揮隊1隊、救助隊3隊　計6隊
使用測定器	酸欠空気危険性ガス測定器（GX-85）

2 活動概要

(1) 初期活動

① 21時05分

通報内容から通常救急として第1救急隊が出動する。

② 21時11分

救急隊現場到着、隊員下車後、鼻を突く臭いを感じる。救急要請のあった受傷者宅の家族3名が目、喉に違和感を訴え咳込む、同時に鼻水が止まらない旨を訴える。救急隊員にも同様の症状が発生し、異変を感じた救急隊長から応援要請及び警察への連絡要請がされた。救急隊は早急に受傷者3名を車内に収容し、近くの公園駐車場へ避難移動して応援隊の到着を待つ。

③ 21時22分

状況確認のため隊員2名が出動する。警察と同時に現場到着する。

(2) 救助隊出動後の活動

① 21時36分

先発した支援隊員から特殊災害である旨の連絡があり、救助隊2隊が出動する。同時に市役所、保健所及び消防団に連絡を入れる。

② 21時44分

救助隊到着、現場指揮本部を設置し、第1救急隊及び先着支援隊員から状況報告を受ける。先着している警察と活動方針を協議すると共に、情報収集を行う。

③ 21時51分

第1救急隊が受傷者3名を病院搬送するとともに救急隊員3名も受診する。

④ 22時01分

　　　　　警察情報が入る。内容：「本日、農家が付近の農地に農薬を散布しており、農薬による中毒の可能性が疑われる。」
(3) 指揮隊出動後の活動
　① 22時17分
　　　指揮隊出動する。
　② 22時20分
　　　農薬名称は行為者の供述から「クロルピクリン」と推定する。（警察情報）
　③ 22時37分
　　　警察と合同で付近住民8世帯（24名）に対し避難勧告を実施、この地域一帯を警戒区域とし、一般車両及び住民等の立入制限を警察主導で行う。
　④ 22時39分
　　　第2救急隊出動する。現場指揮本部において受傷者4名を収容し、病院搬送する。
　⑤ 22時50分
　　　避難場所開設（地区公民館）
　　　現場指揮本部付近に避難してくる住民を、消防団の応援を受け避難場所に誘導及び搬送する。
　⑥ 23時10分
　　　避難勧告を終了する。
　⑦ 23時15分
　　　警戒区域内の住民の避難が完了する。避難所に消防職員を配置する。
　⑧ 23時21分
　　　避難所から住民4名が体調不良を訴え救急要請を受ける。
　⑨ 23時42分
　　　第2救急隊が避難所に到着し受傷者4名を収容、病院搬送する。
(4) 現場指揮本部の拠点移動後の活動
　① 01時40分
　　　現場指揮本部を付近の地区公民館に移す。
　　　消防署、警察、地元消防団及び区長が集まり、情報の整理、今後の活動方針を協議する。
　　　クロルピクリンの拡散警戒に当たることとして、消防署4名を配置し、30分ごとに警戒区域内の警戒に当たる。
　② 02時00分
　　　クロルピクリンの販売会社、製造会社に連絡し、拡散防止措置等対応策について助言を求める。
　③ 03時30分
　　　警戒人員交替
　　　消防署4名を交替させ、警戒区域内の警戒に当たる。

④ 06時30分

　　警戒人員交替

　　消防署4名を交替させ、警戒区域内の警戒に当たる。

⑤ 08時30分

　　現場指揮本部を地区公民館から現場付近に移動する。人員交替を実施する。

(5) 除去活動

① 08時45分

　　関係者によりクロルピクリンを注入した栽培地をマルチシートにより被覆する。

(6) 避難勧告・警戒区域の解除

① 12時00分

　　警戒区域内の状況確認を行い、各世帯の住居内が安全であることを各関係機関で確認の上、避難勧告及び警戒区域の解除を行う。

3　所見

(1) 特殊災害であることの早期判断

　　最先着の救急隊から「単なる救急事故ではない。」との連絡があり、早期の段階で特殊災害であるという認識の下、速やかに関係機関へ連絡することができ、結果として事後の活動を途切れることなく行うことができた。

(2) 原因物質の早期特定

　　原因物質が警察の情報収集により、農薬のクロルピクリンであることが早期に判明、事後の活動方針決定の大きな鍵となった。

(3) 原因物質の測定

　　測定器を所有していないことからクロルピクリンの濃度測定ができず、警戒区域をどの範囲とするか判断に迷った。結果的には消防と警察で、隊員による粘膜刺激症状の有無、住民の被災状況、地形及び風向から判断し決定した。

(4) 現場指揮本部の設置場所

　　災害現場付近の公園駐車場を現場指揮本部としたが、クロルピクリン拡散範囲内にあり、活動中も粘膜刺激症状があった。拡散範囲外の安全な場所の選定を行う必要がある。

(5) 警戒区域の早期設定、住民避難の早期判断及び避難場所の早期確保（避難勧告の発令者と時期）

　　付近住民に対し、誰が、どの時点で、どの範囲までを対象として避難勧告を発令するのかが課題となる。

　　避難勧告を発令する際、避難場所の確保、受け入れ体制の確立、避難場所への誘導及び搬送手段の確保と多くの関係機関の協力が必要である。関係機関と連携をとり活動することが重要である。

(6) 関係機関の連携と協力体制

　　原因物質の特定はできたものの、その濃度及び拡散範囲の測定、拡散防止措置、

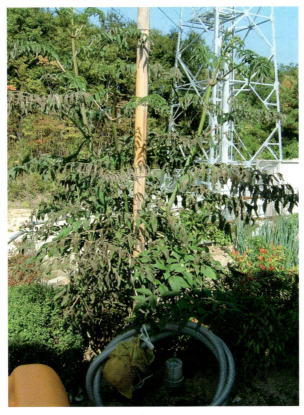

写真2-42 発生場所周辺民家の菜園の状況
（クロルピクリンの気化ガスにより葉が枯れている。）

除去方法、受傷者に対する応急処置要領等の専門知識が不足しており、初期対応に苦慮する結果となった。専門知識と技術を持った特殊災害時の機関と常に連絡・連携が取れる体制を確立しておき、初期段階から正確な活動方針の下に活動すること。
　初期の現場活動時の機関としては、市の危機管理部署を含め、警察や消防団との連携・協力体制が不可欠である。
(7)　集団救急事故としての対応
　今回は自力歩行可能な受傷者であり、軽症で終了することができたが、中・重傷者が多数発生していればよりシビアな集団救急事故としての対応が求められる。
(8)　隊員の安全管理
　化学防護服、防毒マスクの着装等C災害対応要領の徹底。
(9)　周辺住民への広報活動
　正確な情報を周辺住民に伝達することが必要である。防災行政無線等の活用も有効である。

4　解説　クロルピクリン（クロロピクリン）

(1)　概要
　クロルピクリンは、土壌燻蒸剤や米穀倉庫などの貯穀用殺虫剤として使用されている。本事例のように、土壌燻蒸剤中に拡散したガスによって、付近の住民等が受傷するという事故が過去にも多く発生している。また、事例37のように、輸送車両の事故に伴い流出した事例もあり、平成5年には高速道路での衝突事故により広範囲に拡散し、死者が発生した。クロルピクリンの蒸気密度は比重5.7と空気よりも極めて大きいことから、ガスは地表面に沿って拡散し、低地や窪地にたまりやすい等の危険性がある。さらに平成20年には、クロルピクリンを飲んで搬送された受傷者の吐しゃ物により、病院関係者が受傷する事故も発生している。このように、クロルピクリンに起因する事故は各地で多く発生している。

(2)　危険性・毒性
　ア　常温で気化しやすく、蒸気密度は比重5.7と空気よりも極めて大きいことから、ガスは地表面や低地に拡散しやすい。
　イ　不燃性でそれ自体は燃えないが、熱に不安定で、火災等により刺激性、腐食性、有毒ガスが発生する。
　ウ　毒物及び劇物取締法で劇物に規定されており、吸入、経口摂取、皮膚接触により重篤な傷害又は死に至ることがある。
　エ　粘膜刺激症状がまず起こり、眼、気道の刺激症状が現れる。皮膚や眼に接触すると重篤な熱傷を起こすことがある。
　オ　頭痛、めまい、悪心、嘔吐などの初期症状が現れ、進行すると呼吸器症状が重篤化して肺水腫となる。
　カ　許容濃度0.1ppm（TWA）、最小中毒濃度…1ppm、半数致死濃度…20ppm

(3)　曝露時の応急処置

ア　ガスを吸入した場合
　　　　直ちに新鮮な空気のある場所へ移動し、保温する。
　　イ　衣服に付着した場合
　　　　衣服の汚染部が皮膚に接触しないように注意し、速やかに脱衣する。
　　ウ　皮膚や眼に付着した場合
　　　　直ちに、15分以上大量の流水で洗浄する。
　　エ　呼吸困難時
　　　　10L／分の高濃度酸素吸入を実施する。
(4)　消防活動上の留意事項
　　ア　出動部隊は、風上側で高い場所に部署する。
　　イ　物質の推定・特定には、関係者情報や農薬の容器、車両の表示、イエローカード等の情報を活用する。
　　ウ　化学防護服及び空気呼吸器を着装していない隊員は、決して統制エリア内に入らない。
　　エ　通報時に毒・劇物災害の情報がない場合は、危険を察知した時点で本書（p.51）の先着隊の初期活動要領に基づき統制エリアを設定し、化学防護服や測定器積載部隊を要請する。

事例 37　交通事故によるクロルピクリン流出事故

1　災害概要

国道を走行中の4トントラックが、停車している20トントレーラーに衝突した際、荷台に積載してあった、クロルピクリン剤20L入り金属容器100缶のうち10缶が路上に散乱し、クロルピクリン剤約30Lが流出した。

覚　　　　　知	平成11年1月　2時08分（110）
発　生　場　所	国道上り線
119番通報内容	トラックとトラックの衝突事故で煙が出ている。
受　傷　者	なし
出　動　隊	特命出動　ポンプ隊1隊、指揮隊1隊、調査隊1隊 特命出動　救急隊1隊、特別救助隊1隊　計5隊
使 用 測 定 器	なし（積載伝票及び梱包に品名表示）

写真2-43　現場状況

2　活動概要

車両火災出動指令で出動した現場指揮者は、現場到着後、直ちに火災及び要救助者の確認を実施した。

刺激臭とともに眼の痛み、息苦しさを感じたため、隊員を安全な場所へ退避させるとともに、空気呼吸器、ゴム手袋の着装を指示、同時に状況把握及び二次災害の防止に当たった。

また、刺激臭の範囲が車両を中心に半径約3ｍ程度であったことから、警戒区域を半径6ｍに設定した。

活動方針は、現場到着した警察及び環境保全課員と協議し決定した。

道路を1車線通行止め。特別救助隊員には空気呼吸器の着装、防毒手袋及び防毒長靴を着装させ、クロルピクリン剤入り缶をごみ袋に詰め、ブルーシートで梱包し代替車両に積み込んだ。

写真2-44　容器の破損状況

警察が事故車両を郊外の多目的グラウンド駐車場に移動し、周囲への立入禁止措置をとるとともに、土木部員が乾燥砂を散布し、消防隊は現場を引き揚げた。

クロルピクリンは荷主を経由し事故処理（中和作業）専門業者が当日の午前中に処理した。

3　所見

現場指揮者及び出動隊員は、刺激臭とともに眼の痛み、息苦しさを感じたため、なんらかの毒・劇物が漏洩したことを早期に認識した。

しかしながら、初期の段階においては事故車両の周囲に散乱したメラミン（建材用接着剤）への対応に重きを置いたため、実際の劇物がクロルピクリンであると特定するまでにわずかながら時間を費やした。

また、出動隊が初期の段階とはいえ、一時的に空気呼吸器等の装備なしで活動したことにより、帰署後、全隊員が眼の痛みを訴え、うち悪心を訴える者1名、頭痛を訴える者2名が確認された。

幸いにも関係機関の職員を含め全隊員が病院で健康診断を受けるが異常なしとの報告を受ける。

事例 38　自宅で農薬を服用した受傷者の搬送に伴う救急隊員等の有機リン中毒事故

1　災害概要

　デイ・サービスの迎えに訪れた職員が、農薬（アセフェート、有機リン系白色粉末の殺虫剤）を服用して白い粉末まみれになっている受傷者を発見、通報した。受傷者を車内収容して医療機関に搬送中、隊員3名及び付添人に眼・鼻・喉の痛みや頭痛の症状が現れた。

覚　　　　　知	平成17年7月　9時46分（119）
発　生　場　所	木造2／0一般住宅　1階居室
119番通報内容	デイ・サービスに通所している女性が農薬をなめたようだ。
受　傷　者	5名
出　動　隊	救急隊1隊
使 用 測 定 器	なし

2　活動概要

　隊員3名は、サージカルマスク、ディスポーザブルグローブ及び感染防止衣を着装して出動し、現場到着後関係者と接触した。玄関が施錠されていたため、関係者の誘導により建物南側の窓から屋内進入した。

　居間に仰臥位で全身白い粉末まみれの受傷者を確認し、直ちに周囲の状況確認及び受傷者の観察を開始した。受傷者の全身及び周囲の床には白い粉末が付着しており、頭部付近に農薬の紙袋があったため、飛散防止のため農薬の紙袋をビニール袋に入れて密封した。農薬は商品名以外不明であったため、商品名の情報を消防情報センターに連絡して調査を依頼した。受傷者は、意識清明、呼吸正常16回、脈拍76回、血圧214／115、瞳孔左右3mmで対光反射あり、嘔吐やけいれん・発汗はなく、自覚症状を聴取するも特になかった。

　受傷者の衣類に付着している農薬の飛散を防ぐため、受傷者の首から下を防水シーツで包み、その上からタオルケットでさらに包んでポーターマットにて搬出、車内収容した。

　その後、車内の換気に留意しながら医療機関へ搬送中、受傷者を観察していた隊員と付添人に眼・鼻・喉の違和感が出現し、医療機関収容時には全員に眼・鼻・喉の痛みが出現した。水道水にて洗浄したが痛みが治まらないため、収容先医療機関にて診察を受けたところ、診察結果は有機リン中毒の疑いであった。

　なお、農薬の紙袋は、ビニール袋に入れた状態で現場に置いてきており、農薬の成分は医療機関収容後に判明した。

3 所見

　薬品の成分が不明な場合は、細心の注意を払って活動することが大切であり、本事例のように白い粉末が飛散する状況がある場合は、サージカルマスクではなくN95マスクやゴーグルを着装するなど、汚染防止対策を十分にとる必要がある。

　また、二次災害防止のためにも、消防隊や警察の出動要請を考慮する必要がある。

　さらに、農薬の紙袋を搬送先医療機関に持参すれば、容易に医師に情報を提供することができる。

4 解説

(1) アセフェートについて

　　園芸用の粉末・顆粒状の有機リン系殺虫剤。体内への吸収は、経口摂取又は空気中に浮遊する粉塵の吸入、眼からの吸収、皮膚からの吸収がある。

(2) 隊員の身体防護

　　簡易型化学防護服、ゴーグル、防毒マスク（HEPAフィルター付き）

(3) 医師への情報提供

　ア　殺虫剤の商品名や有効成分

　イ　曝露時の状況（飲み込んでいるか、皮膚に曝露しているだけか等）

(4) 搬送後の措置

　ア　救急車内の除染、使用資機材の除染

　イ　隊員の除染（シャワー）

　ウ　救急服、靴等活動時身に付けていた物の洗浄

(5) その他

　　本事例のように、毒・劇物による影響は、曝露してから時間経過後に遅れて自覚症状が出る場合があるので、出動指令時に情報がある場合は、毒・劇物に対する防護措置を施してから受傷者に接触する。

事例 39　リン化アルミニウム燻蒸剤による中毒事故

1　災害概要

　防疫会社の従業員が、製粉工場の燻蒸殺虫作業を2日間実施後、残渣物を回収（紙袋とビニール袋で二重梱包）してワゴン車後部荷台に積載移動中、車内に白煙が充満して従業員1名が気分不良を訴えた（化学肺炎の疑い　経過入院1日）。

　発生要因は、燻蒸剤（リン化アルミニウム）が作業期間中に完全に加水分解せずに未分解物が残り、残渣物をビニール袋に入れて密封搬送していたために、袋内の未分解物が分解してガス濃度が上がり、発火発煙した。

覚　　　　知	平成15年6月　10時27分（救急車車載無線　署員通報）
発　生　場　所	県道走行中のワゴン車内
119番通報内容	救急出動し帰隊途中の救急隊が、車内全面に白煙が充満した車両を視認し、車両火災第1出動を要請した。
受　傷　者	1名
出　動　隊	警防隊2隊、救急隊1隊、指揮調査隊1隊、救助隊1隊、消防本部警防課1隊　計6隊
使 用 測 定 器	関係者の供述により、原因物質が判明していたため使用なし

2　活動概要

　事案を視認した救急隊長は車両火災第1出動を要請後、車外に出ていた運転手（従業員）と接触して燻蒸剤の自然発火という情報を得たため、通信指令室に救助隊の特命出動を要請した。

　警防隊は、空気呼吸器を着装し車両を交差点内から側道に押して移動させ、周囲約5mに警戒区域を設定、タンク車から警戒ラインを設定して車両を外観から観察した結果、白煙の噴出は緩慢であった。

　運転手から水の使用は避けること及び燻蒸剤の分解が終息すれば現象が収まるとの情報を得たため、ガスの拡散防止のため粘着テープで窓等の目張りを実施し、状況推移を見守りながら待機した。同時に、県薬務室、市環境衛生課、燻蒸剤製造会社職員の現場出向を要請、現地で協議した結果、警察車両の先導により車両を人的影響が少ない消防訓練場までレッカー移動し、製造会社職員が分解終息後の残渣物を金属管に収容して自社に持ち帰り処理した。

　なお、車両移動に際しては、最短距離の高速道路を利用することとし、高速道路株式会社と協議した結果、走行区間の全面通行止め規制を実施した。

3　所見

　当該災害の関係者は、防疫会社従業員であったため燻蒸剤に対する知識を有していたことから、原因、危険性等の情報が早い段階で入手できたが、安全管理、二次災害防止

紙袋

【燻蒸剤の使用状況】
錠剤の燻蒸剤を少量ずつ袋に入れて吊るして使用していた。

写真2-45 燻蒸剤の積載状況

措置として、無防備に燃焼物に接近することなく事前に個人防護措置を確実に実施すること、測定器を活用して危険範囲を確認することが必要であると考えられる。

また、物質の特性、火災時・漏洩時の措置等のデータベースを蓄積して即時に取得できる連絡体制やシステムを構築しておく必要がある。

※発生ガス:リン化水素（ホスフィン） リン化アルミニウムの加水分解により発生

《推定される主な化学反応》
$AlP + 3H_2O \rightarrow PH_3\uparrow + Al(OH)_3$　[リン化水素ガス発生]
$2PH_3 + 4O_2 \rightarrow P_2O_5 + 3H_2O$　[白煙発生]

4 解説

(1) リン化アルミニウム燻蒸剤

穀類・豆類・飼料等の貯穀害虫の駆除に有効なリン化アルミニウム燻蒸剤で、リン化アルミニウムをパラフィンで包み、さらにカルバミン酸アンモニウムとともに硬い錠剤に圧縮成型したもの。

製剤中のリン化アルミニウムは、大気中などの水分に触れると加水分解を始めて、リン化水素（ホスフィンガス）を発生し、ホスフィンの殺虫作用によって薫蒸する。ホスフィンは許容濃度0.3ppmである。

○錠剤　3 g（1錠につき1 gのリン化水素を発生）
○医学用外毒物

(2) ホスフィンの人体毒性

ア　吸入すると咳・痰・呼吸困難・遅れて肺水腫を起こす。
イ　重症時は心電図異常・心筋障害・ショック・昏睡を起こす。

事例 40　殺虫剤により多数の受傷者が発生した事故

1　災害概要

深夜1時頃、ビル2階のスナック店内で、店主の外国人女性が害虫駆除のために殺虫剤（12畳〜16畳用）12本をたいた。

大量に発生した煙と殺虫剤成分がビル2階部分に充満し、ビル内の飲食店で食事をしていた一般客7名と、煙による出火報で出動した消防隊員5名の計12名が喉や鼻に刺激を受けて受傷した。

覚　　　　知	平成17年8月　2時15分（119）
発　生　場　所	耐火造7／1複合用途ビル　ビル2階スナック店内
119番通報内容	出火報
受　傷　者	12名
出　　動　　隊	ポンプ隊12隊、救急隊6隊、指揮隊4隊、特殊災害部隊1隊、3本部機動部隊、はしご隊2隊、救助隊1隊、特別救助隊1隊、資材輸送隊1隊、救援隊2隊　計31隊
使 用 測 定 器	ドレーゲル検知管、酸欠空気危険性ガス測定器（GX-2001）

2　活動概要

(1)　消防活動

　ア　最先到着したポンプ中隊の隊員は、2階飲食店前で白い煙を確認すると同時に眼にチカチカした激しい刺激を感じた。

　イ　特殊災害部隊は、店のドアの隙間から出ている白煙を測定した結果、アミンが反応し、COも46ppm〜60ppm反応した。

　ウ　3本部機動部隊がビル2階廊下で測定した結果、CO 96ppm反応、その他の測定器は変化がなかった。

(2)　原因物質（推定）

　ア　殺虫剤の殺虫有効成分は、メトキサジアゾン（オキサジアゾール系）とd・d-t-シフェノトリン（ピレスロイド系⇒除虫菊の殺虫成分）であり、前者はゴキブリに、後者はハエ・蚊などの昆虫に対し神経剤として働く有効成分であるが、哺乳類の肝臓で分解されるので、人体に対する毒性は少ないとされる薬物である。

　イ　特殊災害部隊と3本部機動部隊が測定したCOについては、殺虫剤を使用することによって発生することが、メーカーから説明されており、本現場のような製品の使用法を逸脱した狭い空間での大量使用時は注意を要する。

3　所見

一般に人体に対する毒性が低いとされるピレスロイド系殺虫剤でも、大量であったりすると、アレルギー体質を持つ人に対して強い刺激を与え、時には重い急性毒性による

症状が出る可能性がある。

　大量の殺虫剤がたかれた部屋の内部に進入する場合は、空気呼吸器を着装する。この事故では、外国人のスナック店主が殺虫剤の説明文に書かれている日本語を十分に理解できず、「12畳～16畳用」とあるところを「12本必要である」と解釈して大量にたいてしまったものである。

写真2-46　現場状況

写真2-47　活動状況

第12　ハロン消火設備の作動

事例 41　駅舎地下機械室の火災（ハロン消火設備作動）事例

1　災害概要
(1)　駅舎地下機械室の信号制御装置に漏電による大電流が流入し、信号制御系統の配線、制御盤など3箇所から出火し、機械室に設置されていたハロン消火設備が作動した。火災は制御盤の基盤や配線が焼損しただけで鎮火した。
(2)　消防隊到着時、鉄道会社の防災センターには、消火設備に関する知識を持った職員が不在で設備作動に関する情報が提供されず、ハロンガス排出などの危険排除活動の開始に支障を生じた。

覚　　　　　知	平成18年9月　5時25分
発　生　場　所	駅舎地下機械室
119番通報内容	＜指令内容＞ 火災通報（普通出動）
受　傷　者	なし
出　動　隊	第1出動（火災）：ポンプ隊5隊、救急隊1隊、指揮隊1隊、はしご隊2隊、特別救助隊1隊 特命出動（危険排除）：ポンプ隊4隊、指揮隊1隊、特殊災害部隊1隊、3本部機動部隊、特別救助隊1隊、救護隊（給食）1隊 計19隊
使 用 測 定 器	ドレーゲル検知管

2　活動概要
(1)　消防活動
　　ア　先着の消防隊は、火点の機械室の消火設備警戒区域前までホースを延長し警戒を実施するとともに、駅防災センターで火災と消火設備に関する情報収集を試みたが、ガス排出の換気設備等に関する詳細情報が得られなかった。
　　イ　特殊災害部隊は、陽圧式化学防護服着装隊員3名が火点機械室に進入し、火災の状況と消火設備作動状況の確認を行った結果、火災は鎮圧状態であり、ハロンガスは全ボンベが噴出を終えている状況であることを確認した。
　　ウ　3本部機動部隊長は、指揮本部長の下命を受けて、出動全隊の中・小隊長を集合させ、次の活動方針を指示した。
　　　　①　指揮隊は、防災センター勤務職員に換気設備の運転開始を依頼するとともに、ハロンガス排出口の位置を確認し、警戒隊を配備すること。
　　　　②　3本部機動部隊は、特殊災害部隊と分担して火点室内のハロンガス濃度の測定を実施し、ハロンガスの排出状況をモニタすること。また、ハロンガス濃度

写真2-48　活動状況

　　　が許容濃度を超えた場合は、毒・劇物危険区域を設定し、活動隊員の進入統制を行うこと。
　エ　活動の結果、火点室内及び周囲にハロンガスの滞留がないことを確認したため、消防活動を終了した。

3　所見
(1)　鉄道会社の防災センターが火災を覚知したのは、機械室の火災報知設備とハロン消火設備の作動を示す警報が鳴動したことによるもので、119番通報は約1時間後に行われている。消防隊が現場に到着した時点で、既に火災の影響を受けて電車の運行が止まっており、会社側は信号の復旧と電車の運行開始に全力を傾注していたものと推測され、消防隊が求めた情報提供に対する対応は少なかった。
(2)　消防隊の活動方針は、以下の3点である。
　ア　ハロンガスの滞留による二次災害危険の有無確認
　イ　ハロンガスの排出による危険排除
　ウ　換気終了後のガス濃度測定による確認
　　また、活動上の留意事項は、「危険なし」が確認されるまでの間、消防隊には空気呼吸器を着装させて行動させる必要がある。鉄道会社側は、早期の運行再開に向けて現場への立入りを強く求めてくることがあるが、危険のないことが確認されるまでは警戒区域を解除すべきではない。

事例 42　地下駐車場のハロン消火設備が作動した事故

1　災害概要
　ビルの地下に設置されているハロン消火設備の起動ボタンを押されたため、設備が作動してハロンボンベ14本が全量放出した。

覚　　　　知	平成17年6月
発　生　場　所	耐火造6／1事務所ビル　地下1階駐車場
119番通報内容	何者かがハロン消火設備の起動ボタンを押し、ガスが噴出した。
受　傷　者	なし
出　動　隊	ポンプ隊2隊、救急隊1隊、指揮隊1隊、特殊災害部隊1隊、3本部機動部隊、救援隊1隊　計7隊
使 用 測 定 器	ドレーゲル検知管

2　活動概要
(1)　消防活動
　ア　指揮隊、救急隊、ポンプ隊2隊は指令どおり出張所に集結して再出動し、指令番地ビル正面の大通り下り車線上に部署。特殊災害部隊と3本部機動部隊は大隊長の途上命令に基づき直接指令番地に出動した。
　イ　指揮本部はビル正面入り口付近に設置され、入り口の隣に駐車場のターンテーブルと車両を地下へ収納するエレベーターがあり、エレベーターの扉の上部に設置されたハロン放出表示灯が点滅していた。また、ビルの5階以上に勤務する社員81名は、ビル南側（風下）空き地に避難していた。
　ウ　地下駐車場内のハロンガス濃度を調べるために、3本部機動部隊員を進入させて測定した結果、ドレーゲル検知管（ハロン）での吸入2回（通常3回）の測定で表示が振り切り、地下1階に高濃度のハロンガスが滞留していることが判明した。
　エ　指揮隊の情報班とともに、平面図・設備資料を用いてビルの構造とハロンガス消火設備のガス排出用換気設備の設置状況を調べた結果、ガス排出口がビルの屋上であることを確認し、排煙設備を起動しても付近環境への影響はないと判断した。
　オ　活動方針は、ハロン防護区画のある地下1階のハロンガスの排出希釈と、内部逃げ遅れの確認とし、活動中はビル北側の通りに面した部分を中心とした半径50mを消防警戒区域として一般人の歩行・立入規制を行うとともに、ビル正面に危険区域を設定して、空気呼吸器を着装しない隊員の進入規制を実施した。
　カ　ビル内部の安全確認は、3本部機動部隊と特殊災害部隊により、ドレーゲル検知管（ハロン）を使用してハロン濃度測定を定期的に実施した。
　キ　ハロンガスの排出と希釈は、ビルに設置された排煙設備と排煙高発泡車の送風

機を併用して行った。送風開始に際しては一般人への影響を考慮し、消防警戒区域を拡大するとともに、警察官の協力を得て通りを通行止めにして実施した。
ク 送風中にビル内部の地下1階〜2階部分と、ビル正面入り口周辺のハロン濃度の測定を2度実施した。その結果、送風開始から30分経過後の測定において、8ppmまで低下したことを確認したので、消防警戒区域と危険区域、ビル勤務者の避難指示を解除した。

3 所見
(1) 活動当初、ビルに設置されているはずのハロンガス排出用の排煙設備の起動スイッチの位置が分からず、換気作業の開始が遅れたため、ビルに面した幹線道路の交通障害が長引いた。そこで排煙車を使った早期換気に切り替えて大量送風を実施したが、地上の開口部からハロンガスが一度に流れ出してきて、一時的にビル周辺に塩素系の臭気が漂った。
(2) そのうちに送風中の排煙車のエンジン排気ガスが、白〜灰色の煙に変化し、大量の煙の噴出が続いた。煙の成分をドレーゲル検知管で測定した結果、高濃度のハロゲン化物が含まれていることが判明した。また、排煙車の金属部分の表面が腐食していることが分かった。

これは、エンジンが排出されたハロンガスを空気とともに吸い込み、エンジン内部でハロゲン化水素に分解して放出したものと推測された。

この白煙は人体への影響があるため、この種の災害に安易に排煙車や発動発電機を使うことは危険であり、周囲への安全管理を徹底した上で使うべきである。

4 解説 ハロン消火設備に使用されるハロンガス等について
(1) ハロン消火設備に使用されるハロンガス等
・ハロン1301（ブロモトリフルオロメタン：$CBrF_3$）
・ハロン1211（ブロモクロロジフルオロメタン：$CBrClF_2$）
・ハロン2402（ジブロモテトラフルオロエタン：$C_2Br_2F_4$）
・HFC-227ea（ヘプタフルオロプロパン：C_3HF_7）
・HFC-23（トリフルオロメタン：CHF_3）
・FK-5-1-12（ドデカフルオロ-2-メチルペンタン-3-オン：$C_6F_{12}O$）
(2) 主な人体への影響
高濃度のガスを吸入すると、めまいや吐き気、運動障害などを起こし、呼吸困難となることがある（ハロン1301：TLV-TWA1,000ppm）。
(3) 火炎に接触したときの分解生成物
高温で分解し、有害ガス（フッ化水素等）を発生させる。

第13　テロ・意図的事案（疑い含む。）

事例 43　地下鉄サリン事件

1　災害概要

　地下鉄各路線の車両内及び駅構内で、何者かが有毒ガスを発生する物質を同時に数箇所に放置したため、通勤途上の乗客、駅務員ら多数が、卒倒、嘔吐、眼の痛みなどを訴えた。消防では、通報のあった16の駅等を中心に、救急隊など340隊を出動させ、受傷者の救出・救護、有毒ガスの分析、有毒物質の現場除染などに従事した。

　この災害により12名が死亡、5,510名が受傷したが、受傷者の中には活動に従事した消防職員135名、多数の受傷者を受け入れた医療機関の職員が含まれている。

覚　　　　知	平成7年3月　8時09分（119）第1報
発 生 場 所	地下鉄各路線の車両内及び駅構内
119番通報内容	救急要請「お客さんのけいれん」。 以降、16の駅等から、「お客さんが倒れた」「気分が悪い」「爆発。けが人多数」などを内容とする119番通報が入電する。（119受付件数：3,280件）
受　傷　者	5,510名（消防職員135名）
出　動　隊	ポンプ隊68隊、救急隊131隊、指揮隊51隊、はしご隊7隊、救助隊10隊、化学車隊2隊、特殊災害対策車16台、救援隊5隊、資材輸送隊7隊、人員輸送車5台、照明電源車5台、特殊救急車3台、その他30隊　計340隊、出動人員総数1,364名
使 用 測 定 器	ドレーゲル検知管、FTIR

2　活動概要

消防職員の受傷原因

(1)　初期の段階では、通常の救急要請や火災に対する運用を行ったことから、呼吸保護なしで異物や液体が発見された場所付近で活動した隊員、意識不明者の救護に携わった隊員がサリンに曝露した。

(2)　サリンが付着したままの受傷者を救急処置し、また、救急車内に収容して搬送した際に、受傷者から揮発したサリンガスに曝露した。

(3)　地上の道路脇に設置された地下鉄の換気口からサリンを含んだガスが噴き上がり、付近で活動していた隊員が曝露した。

(4)　活動終了後、特殊災害部隊の使用した化学防護服や資機材の除染が不完全であったためにサリンに曝露した。

3　サリン事件後の消防活動対策

(1)　日本においても化学兵器による災害が発生する可能性があるという認識への切り

替え
　　⇒消防職員に対するNBC災害関連の知識・技術の普及、教育体制及び活動基準の見直し
(2) 消防職員の受傷防止
　　⇒安全管理体制の強化と教育・訓練の徹底
　　⇒指揮隊、救急隊への防毒マスクの配置
(3) 隊員や資機材の除染に加え、受傷者を除染する必要性を認識
　　⇒除染技術の導入と普及教育、除染資機材の整備
(4) 化学防護服、測定器、分析機器等の増強
　　⇒NBC災害全般に対応する資機材の増強配置及び高機能化
(5) NBC災害専門部隊の増強
　　⇒NBC災害専門の消防救助機動部隊の創設、特殊災害部隊のグレードアップ
(6) 初動対応体制の強化
　　⇒ポンプ隊への化学防護服、検知管の増強配置
(7) NBC災害関連教育・訓練体制の強化
　　⇒専門部隊を核としたNBC災害対応教育・訓練体制の確立
(8) NBC災害の専門家との連携強化
　　⇒特殊災害支援アドバイザー制度の導入
　　⇒NBC災害関連の専門家会合や各種ネットワークに参加

事例 44　地下鉄車両内でまかれた液体で乗客が受傷した事故

1　災害概要

　地下鉄A駅で、同じ電車内でシート上に付着した液体により女性が受傷したPA連携活動があった。その同じ車両がB駅で車両交換のため乗客全員を下車させた時点で、乗客2名が気分が悪いと訴え出たことが発端になり、危険排除として指令された事故である。

覚　　　知	①：地下鉄駅　PA連携（ポンプ隊・救急隊連携活動） 　　平成16年12月　22時00分 　　地下鉄A駅 ②：地下鉄駅　危険排除 　　平成16年12月　22時30分 　　地下鉄B駅　地下鉄車両内
発 生 場 所	地下鉄A駅、地下鉄B駅　地下鉄車両内
119番通報内容	救急要請
受　傷　者	8名
出　動　隊	①：ポンプ隊1隊、救急隊1隊 ②：ポンプ隊3隊、救急隊3隊、指揮隊4隊、特殊災害部隊1隊、資材輸送隊2隊、3本部機動部隊 計16隊
使用測定器	FTIR、GC-MS

2　活動概要

(1)　消防活動

　ア　地下鉄A駅

　　救急隊が受傷者の女性を収容。下半身の衣服を脱衣させ、腹臥位で医療機関に搬送した。

　イ　地下鉄B駅

　　特殊災害部隊が電車の座席シート部分に付着した液体を測定した結果、pHが14という強アルカリ性物質であることが判明した。FTIR、GC-MSによる分析では物質の特定はできなかった。

(2)　地下鉄A駅におけるPA連携の詳細

　ア　受傷概要（受傷者の女性の話）

　　D駅で電車に乗り、前から2両目の中ほどの座席に座ったところ、お尻に冷たさを感じた。若干の時間の後お尻がヒリヒリする痛みを感じ始めたので、地下鉄A駅で下車し駅員に知らせて救急車を要請してもらった。

　　救急隊到着時、女性は駅務室内の簡易ベッド上でズボンを脱いで待っていた。

　イ　観察結果

　　臀部左側：15cm×15cm、臀部右側：10cm×10cmの擦過傷様（熱傷様）発赤あり、

水疱なし(赤黒く爛れたような状態)
意識清明、呼吸24回(浅く速い)、脈114回、血圧120／80
　ウ　救急処置
ズボンを脱がせ、三角巾で被覆し毛布で保温、ズボンにはグリーン色の染みが見られた。
本人から痛みの主訴があり、歩行介助してメインストレッチャー上に腹臥位で収容し搬送開始した。
　エ　傷の進行状況
搬送先の病院引継ぎまでは進行見られず。その後病院の医師からの要請で処置困難のため、大学附属病院に転送した。
　オ　傷病名：化学熱傷(軽症)

3　所見
(1)　電車のシートに付着していた液体は、pH試験の結果や臭気の有無から判断して、強アルカリ性の物質であることが判明した。
　人体組織は、強アルカリ物質によって皮膚深部まで腐食されるにもかかわらず、曝露当初は痛みを感じることが少ないため、曝露に気付くのが遅れて重症化することが多い。
　ア　消防隊や救急隊は、受傷者の衣服や体に正体不明の物質が付着していたり、有毒ガスに曝露して受傷した受傷者を救護する場合は、直ちに衣服を脱がせること。
　イ　受傷者の皮膚に薬品が付着している場合は、脱がせた後、滅菌精製水か流水で洗い流すこと。決して物質を付着させたまま救急車内に収容してはならない。
　ウ　付着している物質の色や臭気、受傷者の主訴、物質が付着した衣服を搬送先の医師に申し送ること(物質名が判明していれば、その名称)。
(2)　A駅で受傷した女性の対応を行った救急隊は、女性の受傷部位である下半身の着衣を脱衣させ、毛布でくるんで腹臥位で搬送したが、強アルカリ性の化学物質による悪化防止上、極めて有効で適切な処置であった。

事例 45　新交通システム車内で塩酸がまかれた事故

1　災害概要

何者かが塩酸の入った褐色ビンをビニール袋に入れてシート下に放置して立ち去ったため、床にこぼれた塩酸により車両内に異臭が漂い、乗客約150名がB駅で降車し、車両基地に回送された。

覚　　　　知	平成18年7月　13時50分（110）
発 生 場 所	新交通システム2両目
119番通報内容	＜指令内容＞ 新交通システム車内で何らかの液体により異臭が発生した
受 傷 者	なし
出　動　隊	ポンプ隊1隊、救急隊1隊、指揮隊1隊、特殊災害部隊1隊、特別救助隊1隊　計5隊
使 用 測 定 器	ドレーゲル検知管、GC-MS、HazMat ID

2　活動概要

(1) 通報概要

ア　第1報は乗客から交通システム運転指令室への通報であり、A駅構内に設置のインターホンを用いて「車両の車内に液体状のものがある。」との内容であった。

イ　連絡を受けた職員は、13時30分に警察に同内容を通報した。

ウ　職員がB駅で当該車両を確認したところ、「前から2両目の床に、刺激臭のある液体がある。」とのことであった。同駅で乗客約150名を全員下車させ、無人走行で車両基地へ回送した。なお、乗客の中には受傷者はいなかった。

(2) 先着隊の活動

ア　先着のポンプ隊は、職員の案内で車両基地正面玄関から敷地内に進入した。

イ　消防隊よりも先に到着していた警察官は、車両基地管理棟で待機していた。

ウ　近くに部署可能な消防水利がないため、ポンプ車のタンク水により65mmホース1線をホームまで延長した。

エ　ホーム上では防火服と空気呼吸器を着装し、65mmホースによる警戒と現場管理を行った。

オ　ポンプ隊は出向先からの出動のため、測定資機材は携行せず、測定は行っていない。

(3) 特殊災害部隊の活動概要

ア　後着した特殊災害部隊は、陽圧式化学防護服着装隊員3名を車内に進入させ、床に50mL程度こぼれていた液体付近の気体をサンプリング実施した。

イ　ドレーゲル検知管（酸・ポリ・アミンテスト）を実施したところ酸テストの反応があったため、塩素検知管で測定したが反応がなかった。

ウ　その後到着した警察のNBCテロ捜査隊がドレーゲル検知管（塩化水素）による測定を行い塩化水素を検出した。
　　エ　特殊災害部隊はpH試験紙で「1」を表示したため、強酸であることを確認した。
　(4)　3本部機動部隊の活動
　　ア　GC-MSにより分析したが、有効な反応はなかった。
　　イ　HazMat IDで測定したところ、塩酸（ヒット率99％）の結果が得られた。

3　所見

(1)　この新交通システムは、乗務員が乗らずに自動運転される車両で、事故発生時の通報は、駅に設置されたインターホンによって行われた。

(2)　この災害は、何者かが新交通システムの車内に、故意に危険物質をまいたものである。犯罪が絡む事件であるため、消防のNBC専門部隊と警察のNBCテロ捜査隊の共同作業となり、相互の情報交換を行い、早期に原因物質の特定が実現した事例である。

(3)　消防、警察到着の時点で、乗客は全員下車しており、人的被害が確認されなかったため、分析実施後は車内の除染を交通システム側に申し送り、活動を終了した。

事例 46　駅ホームに停車中の電車内床面の液体からの異臭

1 災害概要

停車中の電車内床面に広がっていた（50cm四方）液体から異臭がした。

覚　　　　　知	平成18年7月　22時46分（110）
発 生 場 所	駅ホーム
119番通報内容	駅8番ホーム停車の電車内から異臭がする。受傷者等不明
受 傷 者	なし
出 動 隊	ポンプ車2隊、救急隊1隊、指揮統制車1隊、特殊災害対応車1隊、水槽車3隊、特別救助隊1隊、呼吸器充塡車1隊、支援車1隊　計11隊
使用測定器	酸欠空気危険性ガス測定器（GX-111）、GC-MS、FTIR、ChemSentry

2 活動概要

(1) 大隊長は、情報収集、出動隊の集結場所、活動方針の決定等現場指揮に当たった。

(2) 特別救助隊は、陽圧式化学防護服を完全着装し、ChemSentryにより検知活動を実施したが検知には至らなかった。

(3) 特殊災害対応車隊3名は、陽圧式化学防護服を完全着装し、GC-MS及びFTIRにより空気及び液体の分析活動を実施した。さらに、GX-111による活動を実施した結果、「塩素」、「メタノール」を検出した。

(4) その他の隊については、後方支援活動を実施した。

3 所見

(1) 消防隊現場到着時、鉄道職員からの情報の提供、ホーム及び関係車両から利用客等の避難誘導が済んでおり迅速な対応がうかがえた。

(2) 不特定多数の人が出入りをする施設であることから、利用客等の行動意識に差がありゾーンの設定が難しかった。

(3) 警察（犯罪捜査）の関係からサンプル採取が困難であった。

事例 47　催涙スプレーにより多数受傷者が発生した事故

1　災害概要
　駅構内で警察官が不審な外国人４人組を職務質問したところ、ホームに駆け上がり、うち１名が催涙スプレーを噴射した。このため、警察官及び付近の乗客が受傷した。

覚　　　　知	平成18年４月　９時56分（119）
発　生　場　所	駅ホーム上
119番通報内容	ホーム上に何らかの臭気があり、３名が倒れている。
受　傷　者	28名
出　動　隊	ポンプ隊６隊、救急隊15隊、指揮隊９隊、救助隊１隊、特殊災害部隊２隊、３本部機動部隊、２本部機動部隊　計42隊
使 用 測 定 器	ドレーゲル検知管、酸欠空気危険性ガス測定器（GX-111）、JCAD

2　活動概要
(1)　先着のポンプ小隊長は、到着時に警察官から「何かのガスをまかれたようだ。」との情報を入手したため、隊員に化学防護服着装を下命した。その後は情報収集のみ実施した。

(2)　指揮隊は、到着時、警察官から「カプサイシン系催涙スプレーの噴射で、容疑者１名を確保、駅事務室に３名（女性２、男性１）の受傷者がいる。」旨の情報を得た。
　その後、情報収集と特殊災害部隊に対する下命（測定・警戒区域の監視等）、他に受傷者がいないか現場広報を駅に依頼するとともに、消防隊でも広報を実施した。

(3)　特殊災害部隊は、陽圧式化学防護服を着装し、ホーム上のスプレーの噴射された地点を測定したが、ドレーゲル検知管（酸・ポリ・アミンテスト、リン酸エステル、シアン化水素）、JCAD、GX-111のいずれも反応がなかった。

(4)　指令内容から化学剤の使用の可能性も考えられたため、３本部機動部隊は、出動途上で指令室に「受傷者の病院搬送前に乾的除染を実施すること。」及び「特殊災害部隊はドレーゲル検知管のリン酸エステル、シアン化水素を用いて測定すること。」を徹底するよう要請した。要請後直ちに、指令室から無線でフィードバックされ、各隊に徹底された。

3　所見
(1)　３本部機動部隊が現場到着するまでに得られた情報は、「駅構内で何者かが薬品をまき、多数の受傷者がホーム上に倒れている。」とのことであったため、初動時に化学剤がまかれた可能性を前提として、化学剤の可能性を考慮して活動を開始した。薬品をまいてからすぐに受傷者が出る場合は、原因が有毒な化学薬品と特定できるからである。

(2) 電車は通常運行されており、乗客が多数行き来していたため、危険区域、除染区域のゾーニングが行える状況ではなかった。鉄道会社は、事故の内容が電車の運行に支障がないと判断すれば、ホーム上で消防や警察が活動していても、電車の運行を止めない場合が多いので、安全監視を行う隊を指定して、活動隊員の安全管理を徹底する必要がある。

事例 48　路上にて強アルカリの液体をかけられ受傷した事例

1　災害概要

住宅地の路上において、通行人女性の顔に何者かが液体をかけ、立ち去ったもの。受傷者女性は、目の痛みを訴えて路上でうずくまり、付近住民に110番通報を要請した。

覚　　　　知	令和3年12月　0時31分
発 生 場 所	住宅地路上
119番通報内容	警察からの専用電話による通報「通行人が何らかの液体をかけられ目が開けられない模様」
受　傷　者	1名
出　動　隊	ポンプ隊2隊、特殊災害部隊1隊、救急隊1隊、指揮隊1隊　計5隊
使 用 測 定 器	化学剤検知紙、化学剤検知器、酸欠空気危険性ガス測定器（GX-2003）、ドレーゲル検知管、pH試験紙

2　活動概要

(1) 先着ポンプ隊現着時、警察官が受傷者に付き添っていた。

(2) 先着ポンプ隊は、GX-2003による測定を継続しつつ、警察官に対して何らかの液体をかけた行為者が立ち去っていること、警察官自身に体調異常及び汚染はないことを確認した。

(3) 先着ポンプ隊により、受傷者を中心に半径20mに進入統制ラインを、半径50mに消防警戒区域を設定した。

(4) 液体をかけた行為者は、発災現場から逃走したが、すぐに警察官が確保した。警察官による聴取の結果、行為者は猫の忌避剤をかけたこと、忌避剤の容器は発災現場に捨てたことを供述していることが警察官から指揮隊に情報提供された。そして、発災現場において忌避剤の空き容器が発見された。

(5) 後着した特殊災害部隊は、受傷者の衣類を化学剤検知紙、化学剤検知器、GX-2003、ドレーゲル検知管、pH試験紙により測定しつつ、並行して受傷者の眼を中心とした顔の水的除染を行った。

(6) 測定の結果、pH試験紙により衣類の一部が強アルカリ（pH11）であることを確認した。また、受傷者の衣類が白く脱色していることを確認した。
　一方、眼の痛み以外の主訴はなかったこと、顔以外の皮膚に原因物質（液体）の付着は確認されなかったこと、受傷者の上半身の皮膚（顔を除く。）にpH試験紙を当てたところ、pH7であったことから、眼以外の除染は乾的除染のみの対応とした。
　なお、原因物質（液体）の採取はできなかったことから、赤外線分析装置による測定は実施できなかった。

(7) 特殊災害部隊は、発災現場に落ちていた忌避剤の空き容器の成分表示を確認したところ、忌避剤は固体であり、強アルカリ成分は含まれていないことから、行為者は忌避剤の容器に強アルカリ成分の液体を入れ、受傷者にかけたと推測された。
(8) 特殊災害部隊は、受傷者の衣類の一部が強アルカリを呈し、白く脱色していたこと、発災現場周辺に塩素のような臭気が感じられたことから、原因物質は塩素系漂白剤の可能性が高いと推定し、救急隊及び警察官へ情報提供するとともに、受傷者を医療機関へ早期搬送した。

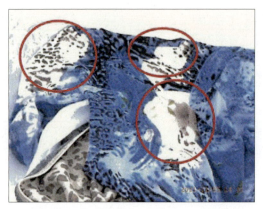

写真2-49　脱色した受傷者の着衣

3　所見
　原因物質の特定は、関係者からの情報提供、各種測定器の活用、化学現象及び受傷者の症状等を踏まえ総合的に判断する必要がある。

4　解説
　強酸や強アルカリ等の腐食性の強い液体に汚染された受傷者に対して、次の点に配意して除染を行う。
(1) 液体を浴びたおそれのある部位は必ず脱衣させ、地肌まで浸透しているか確認し、地肌の汚染部位には拭取り又は水的除染を行う。
(2) 化学物質により衣類が溶け、皮膚に付着していることもあるので、汚染部位の衣服除去は慎重に行う。
　　また、皮膚に衣類が付着している場合は、無理に剥がすことはせず、付着部分を残してはさみで切り取って衣服を除去した後、水的除染を行う。

第14 毒・劇物等の危険性を有する火災

事例 49　めっき工場火災で化学熱傷が発生した事例

1　災害概要
めっき工場での火災において、逃げ遅れた女性の背部から臀部にかけて硝酸が付着し、化学熱傷を負った。

覚　　　　　知	平成18年3月　9時44分（110）
発　生　場　所	準耐火4／0めっき工場　4階122㎡焼損（部分焼）
119番通報内容	出火報
受　傷　者	4名
出　動　隊	ポンプ隊8隊、化学車隊2隊、はしご隊2隊、救助隊2隊、指揮隊5隊、救急隊5隊、特殊災害部隊1隊、指揮支援隊1隊、資材輸送隊1隊、後方支援（給食）隊1隊、3本部機動部隊4隊、消防ヘリ1機　計29隊、1機
使用測定器	HazMat ID、pH試験紙

2　活動概要
(1)　火災による受傷者
　　女性A　気道熱傷（重篤）⇒消防隊による救助
　　女性B　背部熱傷・気道熱傷疑い・CO中毒・化学熱傷（重症）
　　　　　⇒消防隊による救助
　　女性C　気道熱傷疑い・CO中毒・（中等症）⇒消防隊による救助
　　男性D　気道熱傷疑い（中等症）

(2)　化学熱傷認知時の受傷者の概要
　ア　ポンプ中隊（救助指定）及び特別救助隊により救助された女性Bの救護に当たった救急隊は、現場到着時、現場救護所に仰臥位で寝かされ、消防隊により酸素吸入を実施中の受傷者に接触した。
　イ　観察結果
　　意識：JCS10、呼吸：24回／分、脈拍：132回／分、血圧：154／100（聴診）、ふるえあり、両鼻腔煤様付着・鼻毛焼失、口腔内煤なし
　ウ　化学熱傷発見時の状況
　　車内収容時、受傷者が背部の痛みを訴えたため、右側臥位に体位変換すると、強い刺激臭があり、下着に黄色い液体が染み込むように付着しているのが確認できた。
　エ　本人の合意の上作業着（ジーンズ）を脱がせ、下着をはさみで裁断し、脱衣させた衣類をビニール袋に入れて密封した。さらに背部から臀部に黄色い液体が付着していたため、滅菌精製水と滅菌ガーゼを使って除染し、救急タオル包帯（大）

で被覆した。皮膚の傷の状況は火災熱による傷はなく、皮膚の変色もなかった。
オ　隊員の二次汚染による受傷を防ぐため、スタンダード・プレコーション（ゴーグル・N95マスク・車内換気）を実施した。
カ　指揮本部に対し、「逃げ遅れ者の衣服が変色し、刺激臭がある」という報告を行うとともに、衣服を収納したビニール袋を指揮本部に持参した。
キ　現場出発時、本人希望で右側臥位から左側臥位に体位変換。
ク　搬送途上、背部から臀部にかけての痛みが激しくなったという訴えがあり、傷を確認すると、臀部全体にかけての皮膚が黄色く変色し始め、皮膚表面が粗目様となっていたので、指導医に処置について助言要請実施。
助言内容：液体が特定できないので、そのまま搬送せよ。
ケ　救急隊長は、めっき工場関係者と連絡を取り、工場内に置いてある薬品の品名を確認したところ、1、3階にクロム、1階屋内貯蔵所に硝酸がある、4階バルコニーでリフター設置工事実施中の情報を得た。
コ　救急隊長はさらに指令室から、衣服に付着していた液体が硝酸であるとの情報を得たため、その内容を収容先の医師に伝達したところ、医師から救急車内を流水で洗浄するよう指示があったので、その内容を指令室に報告し、帰署後、救急車内を洗浄した。

(3) 化学熱傷者発生に対する処置

　　指揮本部長は、搬送先医療機関における治療方針の参考に活用するため、3本部機動部隊長と消防本部研究員と協議の上、衣服に付着した物質の分析を実施することとした。

(4) 3本部機動部隊の活動概要
ア　指令室の特命により出動
イ　隊員2班（5名）を建物内部に進入させ（陽圧式化学防護服）、HazMat IDにより女性Bの衣服に付着した液体を分析した。
ウ　2名を汚染検査員に指定し、進入統制ラインでpH試験紙で汚染検査を実施させた。
エ　陽圧式化学防護服の除染は、ポンプ隊によるフォグガンを使用して実施した。

3　所見

(1) 救急隊の活動内容を精査すると、受傷者の悪化防止（除染）、隊員の二次汚染防止の観点から、非常に適切な活動であった。
(2) 救急搬送中に、受傷者の皮膚が黄色く変色したのは、硝酸付着によるキサントプロテイン反応によるものと推定できる。
(3) この火災における受傷者の女性Bは、火災熱と煙による被害と薬品による化学熱傷を受けていた。搬送した救急隊長の適切な判断で、化学熱傷による容態変化に注意を払い、除染を行いながら搬送し、原因物質の情報を医師に伝えており、極めて適切な活動を行っている。

4 解説
(1) 情報収集と安全管理
　ア　めっき工場等毒・劇物の貯蔵・取り扱い施設や取り扱いが想定される施設での出火報の場合は、化学防護服を積載して出動する。
　イ　署隊本部との連携や関係者の早期確保により、薬品の保管場所及び薬液槽の場所、貯蔵保管している毒・劇物などの活動危険に関する情報を早期に収集し、特殊災害部隊の応援要請に配意する。
　　　また、毒・劇物に関する情報は複数の関係者、署隊本部、活動隊から継続して収集し、適宜活動隊に周知する。
　ウ　特殊災害部隊により毒性ガスの拡散状況や消火残水の流出状況を確認し、毒・劇物による活動危険を認めた場所を毒・劇物危険区域とし、進入統制を図る。
　エ　毒・劇物危険区域を設定した場合は、指揮者を通じて全隊員に周知徹底させ、化学防護服及び空気呼吸器を着装した隊員以外の活動を強く統制する。
　オ　化学防護服を着装時に、熱や炎の影響を受けるおそれがある場合は外側に防火服及び防火帽を着装する。
　カ　安全な場所に除染用のホースを延長し隊員の除染に備える。
　　　また、毒・劇物が漏洩又は飛散した区域で活動した隊員及び資機材の除染を確実に行い、汚染の拡大防止と、身体の安全確保を図る。
(2) 毒性ガスの拡散への対応
　ア　風向を考慮し、毒性ガスの影響のない場所に活動拠点や指揮本部を設定する。
　イ　シアン化合物や酸など加熱や燃焼により有毒ガスを発生する薬品があるため、指揮隊や救急隊等も空気呼吸器や防毒マスクの準備に配意する（N95マスクには防毒性能はない。）。
　ウ　有毒ガスは煙よりも早く広範囲に拡散するため、煙の影響を受けない場所で刺激臭や皮膚の痛み等を感じた場合は速やかに面体を着装し、安全な場所に退避する。
　エ　周辺住民に対する広報（窓の閉鎖や屋内退避等）に配意する。
(3) 毒性液体への対応
　ア　めっき工場にはめっき槽などの薬液槽が複数設置されている施設もあるため転落に注意し、表示テープ（赤色）で明示する。
　イ　薬液槽に消火残水が入ることで薬液があふれ出し、活動隊員に危険が及ぶおそれがあることから、薬液槽のある場所やその上階での消火活動や消火残水の排水に注意する。
　　　また、薬液槽を防水シートで覆うなど消火残水の流入防止も考慮する。
　ウ　火災により損傷した薬液タンクや配管などからの漏洩も考慮する。
　エ　過去のめっき工場火災において、水酸化ナトリウムを含む消火残水の顔面への接触や、手袋を通し手掌に接触することにより隊員が受傷した事例があることから、薬液槽や保管庫の周辺や階下、薬品の漏洩が疑われる場所等では、折り膝注

水などの活動時の姿勢に注意し、消火残水に安易に触れることのないよう注意する。

　オ　容器の破損等、薬品の流出の可能性がある際に、消火残水の汚染の有無を確認する場合はpH測定器、水質検査キット等を活用する。

　カ　めっき工場には土のうを備蓄している施設もあるため、汚染した消火残水による毒・劇物等の流出拡大防止への活用に配意する。

⑷　その他

　ア　保管庫等への延焼危険がある場合、関係者と協議し、安全な場所を指定して毒・劇物等を搬出することを考慮する。

　イ　保管庫等が加熱された場合、庫内に可燃性ガスや毒性ガスが充満している可能性（シアン化合物の過熱によるシアン化水素の発生など）もあることから、毒・劇物等を搬出する際は、安易に扉を開放することなく、警戒線を配備し、特殊災害部隊等により安全確認を行いながら実施する。

5　めっき工場で扱う主な毒・劇物等

種類	毒・劇物等	別名	危険性等
強酸	塩酸		粘膜への刺激、皮膚の薬傷を起こす。
	硝酸		皮膚、粘膜に激しい薬傷を起こす（皮膚が黄色く変色する。）。
	硫酸		皮膚組織を破壊し重症の薬傷を起こす。
強アルカリ	水酸化ナトリウム	苛性ソーダ	腐食性が強い。粘膜を侵す。
シアン化合物	シアン化ナトリウム	青酸ソーダ、青化ソーダ、青化ナトリウム	シアン化水素（可燃性、毒性）を発生する。
	シアン化カリウム	青化カリウム、青酸カリ	
	シアン化第一銅	青化銅	
その他	フッ化水素酸	フッ酸	呼吸器を激しく侵す。皮膚の内部まで浸透する。
	無水クロム酸	クロム酸、三酸化クロム	皮膚、粘膜を強く刺激する。

6　活動のポイント

＜災害実態の把握＞

　取り扱い及び保管している毒・劇物等に関する情報収集

　危険性ガス及び汚染のおそれのある消火残水の拡散・流出状況の把握

＜安全管理＞

　毒・劇物危険区域内での活動における化学防護服の着装

活動危険のある場所に対する進入統制
＜測定＞
　危険性ガス及び消火残水の測定
＜措置＞
　毒・劇物等→延焼危険が及ぶ保管庫等からの毒・劇物の搬出
　消火残水→土のう等を活用した流出防止

写真2-50　関係者が搬出した強酸の容器

事例 50　モノクロロ酢酸を積載したトラックの車両火災

1　災害概要

高速自動車道下り車線を走行中のモノクロロ酢酸を積載したトラックの右後輪から出火し、車両下部、荷台及び積荷のモノクロロ酢酸の一部が焼損した。

覚　　　　知	平成18年2月　4時52分（119）
発 生 場 所	高速自動車道下り車線
119番通報内容	トラックの荷台から炎が出ている。 ＜指令内容＞ 当初、車両火災として指令したが、消防車両の出動途上に、出火しているのは劇物（モノクロロ酢酸）積載車両であるとの情報が入ったため、特殊災害部隊等を追加出動させた。
受 傷 者	なし
出　動　隊	ポンプ隊3隊、救急隊1隊、指揮隊1隊、特殊災害部隊1隊、救助隊1隊、特殊車2隊　計9隊
使用測定器	酸欠空気危険性ガス測定器（GX-111）、ガステック、pH試験紙

2　活動概要

現場到着時、当該車両右後輪部から荷台にかけて炎が高さ約5m立ち上がっている状態であった。隊員2名が空気呼吸器を着装し風上から噴霧放水を実施、積荷のモノクロロ酢酸そのものは燃焼していなかったため、モノクロロ酢酸に直接放水しないように燃焼の激しい車両下部へ集中的に放水した。あわせて陽圧式化学防護服を着装した救助隊及び特殊災害部隊が塩素ガスの測定、酢酸ガスの測定、可燃性ガスの測定を行ったがいずれも検知されなかった。また、運転席からイエローカードを発見し、積載物がモノクロロ酢酸であることと、その物性を再確認した。その後、特殊災害部隊がpH試験紙で消火水のpH測定を行ったところ、pH4.5の中程度の酸性を確認し、側溝から河川等への流出を防ぐため、ACライト（油吸着剤）、土等で流出防止処置を行った。

3　所見

運転手が早期に警察車両内に確保されており、車両も現場から離れたところに部署していたため、運転手からの情報が早期に収集できなかった。放水活動を実施していた隊員数名が手のピリピリ感を訴えたため、防火手袋を交換し作業を継続させたが、帰署後確認すると、Ⅰ～Ⅱ度の熱傷を負っていた。直ちに病院で受診し、いずれも軽症で事なきを得た。これは、汚染された消火水が放水活動時に防火手袋に染み込んだためと思われるが、このような毒・劇物等の火災では、消火水が染み込まないような処置（ブチル製手袋の着装）を行う必要がある。

4 解説 劇物(モノクロロ酢酸)
積載車両火災
(1) モノクロロ酢酸(MCA)の
人体毒性
 ア 皮膚、眼、呼吸器などの
  粘膜に対する強い刺激性・
  腐食性があり、皮膚から容
  易に体内に吸収されて全身
  症状を呈する。血圧低下、
  嘔吐、下痢、心臓血管系
  統、腎臓障害、中枢神経障
  害による意識障害など。
 イ 加熱すると塩化水素ガ
  ス、ホスゲンガスが発生す
  る。
(2) 曝露時の処置
 ア 全身脱衣実施
 イ 流水による除染実施(救
  急搬送開始まで継続する)
(3) 活動隊員の装備・服装
  測定隊員⇒陽圧式化学防護
 服+空気呼吸器の着装、又は
 化学防護服+空気呼吸器
  消火隊員⇒化学防護服の上
 に防火服(二重着装)+空気呼吸器

写真2-51 現場状況

写真2-52 活動状況

(4) 活動上の留意事項
 ア 火災熱がモノクロロ酢酸に及ぶと、猛毒ガスの発生に直結するので、活動開始
  前に十分な身体防護を行い、毒・劇物危険区域を設定した上で厳しい進入統制の
  下に活動する。
 イ モノクロロ酢酸は曝露事故による多くの死亡例が報告されており、隊員の安全
  管理上、細心の注意を要する物質である。

第15 混触・反応による爆発等

事例 51 研究施設でアジ化ナトリウムと酢酸エステルの混合によりフラスコが破裂した事故

1 災害概要

製薬会社の研究開発センター棟の4階実験室で、研究員がドラフター内でフラスコにアジ化ナトリウムと酢酸エステルを入れて混合していたところ、フラスコが爆発し、飛び散ったガラス片が首から下の部分に刺さり受傷した。

覚　　　　　　知	平成17年5月　（119）
発　生　場　所	製薬会社　研究開発センター4階実験室
119番通報内容	研究棟内で何らかの実験中受傷者が発生、詳細不明（救急要請） ＜指令内容＞ 危険排除指令　集結場所は消防署本署（指令番地東500m）
受　　傷　　者	男性1名。受傷部分のうち喉元部分に4cm×4cmの穴があき、また、胸部にも深い傷を負い、外傷性気胸を起こしていた。実験室内及び実験室の外の事務室の床面には大量の血液が付着しており、産業医が右頸部を直接圧迫止血、右上腕部に止血帯、右下腿に点滴を実施していた。
出　　動　　隊	ポンプ隊2隊、救急隊2隊、指揮隊1隊、特殊災害部隊1隊、3本部機動部隊、ヘリ1機　計7隊、1機
使 用 測 定 器	ドレーゲル検知管、GC-MS

2 活動概要

(1) 消防隊の指令番地接近

大隊長は、出動途上で集結場所を製薬会社正門入口手前（指令番地東100m）に変更した。

(2) 大隊長は発災場所の4階実験室ドア手前に危険区域を設定し、中隊が連結送水管から筒先1線を延長し警戒を行った。

(3) 特殊災害部隊と3本部機動部隊がドレーゲル検知管で酸・ポリ・アミンテストを実施したが、いずれも反応せず、直ちに救急隊に救急活動開始を指示し、救急隊は救命救急センターに搬送した。

(4) 受傷者を救急車内に収容する前に、脱衣させて乾的除染を指示し、3本部機動部隊の救急救援隊長に除染が確実に行われるよう確認させた。

(5) 特殊災害部隊と3本部機動部隊が、それぞれGC-MSで実験室内の空気を採取し測定したが反応がなかったので、関係者の実験室内立入禁止を解除した。

3 所見

(1) この事故現場となった企業では、会社の性質上、研究員個々が独自に開発業務を

行っており、会社の関係者から受傷した研究員が行っていた実験内容の詳細情報を聞くことができなかった。
(2) Ｃ災害の活動要領で活動を行ったため救急活動の着手が遅くなり、側にいた同僚の研究員から「救急隊員の到着が遅すぎる。」という苦情があった。隊員の安全管理を優先する活動要領ではあるが、早期救急処置の着手や早期搬送を要する受傷者を扱う場合の救急事故におけるＣ災害対応の欠点が表面化した事例であった。この点は、今後状況判断要領について検討を要する部分である。

事例 52　化学反応した薬品が飛散し工場従業員が受傷した事故

1　災害概要
　工場従業員の女性がフッ化水素酸と硝酸の廃液を18Ｌポリタンクに移す作業中、化学反応を起こした液体約４Ｌが飛散して顔面、両上腕部及び左膝を受傷した。

覚　　　　　知	平成16年４月　14時59分（119）
発　生　場　所	鉄骨造２／０　工場１階
119番通報内容	化学薬品が飛散し１名が顔面、両上腕部、左膝の化学熱傷
受　傷　者	１名
出　動　隊	救急隊１隊、指揮隊１隊、化学車隊１隊、救助隊１隊　計４隊
使 用 測 定 器	酸欠空気危険性ガス測定器（GX-111）

2　活動概要
　出動途上に受傷の原因となった薬品名が判明したことから、救急隊はメディカルコントロール医療機関の医師からの処置法（洗浄・呼吸管理）及び搬送先等の指導、助言を受けた。
　覚知６分後に現場到着した最先着隊の救急隊は、受傷者が工場入口において、立位で同僚により流水で応急手当を受けているのを確認した。
　この時、受傷者は、薬物の付いた衣服を脱がされて別の衣服を着ていた。
　救急隊は直ちに受傷者を救急車内に収容し、受傷部位を確認（顔面、両上腕部、左膝に浅達性Ⅱ度熱傷。バイタルは、意識クリア、脈拍が若干速い以外は正常）した。その後、化学薬品事故調査のため消防隊の出動を要請し、呼吸管理を実施しながら三次医療機関へ搬送した。
　なお、後着隊が現場到着した時には、廃液が入っていた18Ｌポリタンクは従業員によって屋外に搬出され、屋内の漏洩・飛散した液体も清掃除去されていた。
　後着隊は、情報収集活動を実施するとともに現場指揮者の指示によりGX-111を用いて室内のガス濃度の測定を実施し、反応がなかったため活動を終了した。

3　所見
　119番通報とともに事業所の従業員によって応急手当等（衣服の着脱・洗浄）が実施されていたために消防活動は、さほど困難ではなかった。
　しかし、特異な事案であったために収容先医療機関の手配に時間を費やしたことから、より早い段階で現場の状況を把握し、出動隊及び医療機関の選定をより早期に行う必要がある。

4　解説
（1）　毒・劇物による化学熱傷対応

ア　まず「脱衣」
　　　⇒普通に脱がすのではなく、衣服を切断して、汚染物質が皮膚に接触しないように除去する。
　　イ　汚染部位の流水による除染
　　　⇒寒候期は、温水を使って低体温を防止する。
　　　⇒衣服の上から放水などで水を掛けてはいけない。
　　ウ　除染後は保温とプライバシー保護
（2）　救急処置、搬送上の留意事項
　　ア　医師への情報提供
　　　⇒脱衣した衣服、物質名、曝露部位の状態
　　イ　車内での除染
　　　⇒受傷者が痛み等を訴えた場合は、滅菌精製水で曝露部位を除染する。

事例 53　高校の理科室で濃硫酸と硝酸カリウムが混合して爆発した事例

1　災害概要

　高校の理科準備室に数年前からデシケーター（湿気を嫌う物質を乾燥状態において保管するために用いる容器）の中のビーカーで保管していた薬品を、床面改修中の作業員がデシケーターごと誤って倒し、その後、他の作業員が場所を移動させるべくデシケーターを持ち上げた途端に爆発現象を起こしたもので、作業員2名が受傷（いずれも軽症）した。

　鑑定結果によると、デシケーターの底部には乾燥剤として濃硫酸が入っており、ビーカーの中には硝酸カリウムと有機物（又は炭）が入っていた。このため、濃硫酸と硝酸カリウムが反応して硝酸が発生し、その硝酸と有機物（又は炭）がさらに急激に反応して爆発に至ったものと推定する。

覚　　　　　知	平成20年2月　9時55分（119）
発　生　場　所	準耐火2／0　高等学校1階理科準備室
119番通報内容	理科室を解体中の作業員に薬品がかかって受傷した。
受　傷　者	2名
出　動　隊	救急隊1隊、ポンプ隊1隊、支援隊2隊　計4隊
使用測定器	なし

2　活動概要

　先着の救急隊が現場到着時、受傷者2名は廊下に立っていた。そのうちの1名は右頬に化学損傷（火傷）を負っており、市内の医療機関に搬送を行った。もう1名は背中にガラス片による切創を負っていたが、創の程度がごく軽症であったために救急搬送を拒否した。関係者への聞き取り調査の結果、化学薬品による爆発事故と判明し、ポンプ隊及び支援隊の出動要請を行った。

　後着したポンプ隊並びに支援隊により、活動危険及び被害の拡大がないことが確認された。

3　所見

　通報の段階においては、作業中に薬品がかかって顔に軽症を負っているとの内容を受信していたが、薬品の種類を特定するまでの情報は得られていなかった。受傷程度が軽症であるとのことから、通信勤務員は第1出動で救急隊1隊の出動を指令している。また、先着した救急隊は、通常装備で受傷者に接触を行った。

　今回の事案では、結果的に被害の拡大や二次災害等の発生はなかったものの、
(1)　薬品による受傷者がいる。
(2)　高校の理科室で発生した事故である。
(3)　薬品の種類が特定されていない。

以上のことが通報時に確認されており、C災害の可能性を疑う部隊運用が必要であったと感じた事例である。

写真2-53　爆発による飛散状況

写真2-54　爆発前の状態に復元

事例 54　大学実験室で異常反応により臭素ガスが発生し、重症者が発生した事故

1　災害概要

　大学の学生用の物性実験室内で実験中の学生数名が臭素ガスを浴びて受傷した事故。そのうち最も大量の臭素ガスを浴びた重症者を収容した救急隊の隊長以下3名が学生の衣服に付着していた臭素の二次的曝露により受傷し、応援出動した他の救急隊により搬送されたため、救急隊は長時間出動不能となった。

　実験室では学生1名がドラフトチャンバー内でピリミジン化合物に臭素を付加させる反応実験を行っていた。反応後に残った臭素を回収するために還元剤を入れ過ぎ、異常な反応が起きて臭素がフラスコ内から噴出した。学生は慌ててドラフトチャンバーのカバーを閉めたが、隙間から漏れた臭素ガスに曝露し受傷した。

覚　　　　知	平成16年3月　18時
発　生　場　所	大学研究室
119番通報内容	大学の実験室内で臭素を浴びて受傷者が出た。
受　傷　者	11名（うち1名は重症）
出　　動　　隊	ポンプ隊1隊、救急隊5隊、指揮隊1隊、特殊災害部隊1隊、3本部機動部隊　計9隊
使 用 測 定 器	ドレーゲル検知管、FTIR

2　活動概要

(1)　所轄指揮隊は、主に救急活動の指揮を執っていた。
(2)　3本部機動部隊は大隊長から実験室内の安全確認のための測定をするよう下命があった。
(3)　3本部機動部隊長は、自覚症状がないとしていた他の学生や職員に対し、臭素ガスの症状の後発性を説明し、希望者を救急搬送するよう助言した。

3　所見

　本災害以降、有毒ガスにより受傷した受傷者の救急搬送時は、必ず受傷者を脱衣させるよう助言することとした。
　臭素ガスは、吸い込んだ直後には自覚症状がなくても、後発的に肺や眼に症状が現れることがあるので、救急搬送時は、バイタルサイン変化の監視が重要である。

事例 55　難燃剤製造工場敷地内で塩化ホスホリルが漏洩し、塩化水素ガスが発生した事故

1　災害概要

　難燃剤製造工場敷地内にある塩化ホスホリル（別名オキシ塩化リン。以下「オキシ塩化リン」という。）の貯蔵タンクに、タンクローリーからの荷降ろし作業中、貯蔵タンクの内圧指示計が上昇した。施設の担当者がタンクの内圧を抜くため、予備の排ガス除外設備を作動させ、タンク内圧の調整作業を行った。

　その後、荷降ろし作業を再開したが、液面指示計が故障しており、そのことに気が付かなかったため、オキシ塩化リンが通気管から予備の排ガス除外設備内に流入して、当該設備内の洗浄水と接触して加水分解により急激な発熱反応を伴った塩化水素ガスが発生し、その圧力により予備の排ガス除外設備が破裂して塩化水素ガス及びリン酸が周辺に拡散したもの（図2-12）。

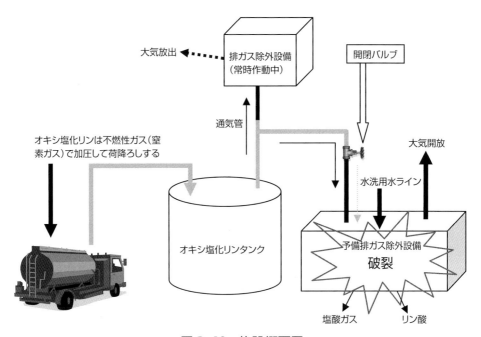

図2-12　施設概要図

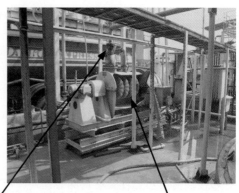

予備の排ガス除外設備　　　　開閉バルブ　　　　破裂した排ガス除外設備

写真2-55　事故状況写真

覚　　　　知	平成20年3月　9時55分（加入）
発　生　場　所	難燃剤製造工場
119番通報内容	オキシ塩化リンタンクの排ガス除外設備が破裂し、塩化水素ガスが漏洩した。
受　傷　者	従業員1名（角膜薬傷）軽症　同僚の車両で病院へ
出　動　隊	指揮隊1隊、ポンプ隊2隊、特別救助隊1隊、救急隊1隊、その他2隊　計7隊
使　用　測　定　器	MSA複合式ガス検知器

2　活動概要

(1) 通報内容及び管制課からの情報により、難燃剤製造工場敷地内のオキシ塩化リン排ガス除外設備の破裂による塩化水素ガス及びリン酸の拡散であることを確認した。支援情報として風位を確認するとともに、発災事業所に対し受傷者の有無及び漏洩物質の詳細情報の提供を要請した。同時に消防隊員には空気呼吸器の着装、救助隊員には化学防護服の着装準備を指示した。

(2) 現場到着した中隊長は、正門付近において刺激性の塩酸系のガス臭気を感じたことから、全車両に風上部署を命じた。関係者に対し当該プラントの生産設備の稼動停止を指示するとともに、直ちに警戒区域を設定した。消防隊にはMSA複合式ガス検知器による測定、消火栓に部署後ホース延長による警戒を下命した。また、詳細情報で発生ガス、漏洩物質の性質については塩化水素ガス及びリン酸であることを確認した。

(3) 中隊長は、漏洩箇所において、事故処理（希釈及び中和作業）を行っている従業員を確認したため、安全が確保されるまでの間、区域内への立ち入りを制限した。
　　また、受傷者が1名いることを確認し、同時出動した救急隊にて容体観察をさせた。受傷者は流水で洗眼を実施しており軽症であることから救急搬送を辞退、同僚の車両で病院にて受診した。

(4) ガス検知器により可燃性ガス等が検知されないことから、事故箇所の化学反応はほぼ終了しているものと判断し、また、主要バルブが閉鎖されていることから、ガス除外設備へのオキシ塩化リンの更なる流入がないことを確認した。
　災害発生場所の責任者と協議を行い、安全性は確保されたことから消防隊による希釈措置は行わず、関係者に対し残存している少量の塩化水素ガス、リン酸の拡散、希釈中和措置を指示した。

3　所見

　今回の災害は、オキシ塩化リンと洗浄水の化学反応により塩化水素ガスが発生し、その圧力による破裂、漏洩事故となったもので、消防隊到着時には化学反応による塩化水素ガス及びリン酸の拡散もほぼ終了しており、関係者により水及び苛性ソーダで希釈中和作業が行われていた。事故発生直後の関係者による主要バルブの閉鎖によりそれ以上のオキシ塩化リンの流入を抑えられたこと、また、希釈及び中和作業により結果的には事故を最小限にとどめることができたといえる。しかし、漏洩及び発災箇所において、事故処理をしていた従業員は社内規程であるヘルメット、軍手、安全靴は着装していたものの、保護メガネ、ゴム手袋、防毒マスク等の防護具を着装していなかった。受傷者１名が出たということは、安全管理の点からも反省すべきことであり、今後の類似事案はもちろんのこと、消防活動阻害物質に対する対処方法等について事業所関係者への教育・指導を徹底させ、日頃からの危険性及び安全管理を認識させておく必要があると考える。
　総合的に活動全体を検証すると、現場到着時には既にオキシ塩化リンと水による化学反応はほぼ終了していたものであるが、出動時の通報内容、出動途上時の支援情報と、刻々と変化する状況の中、先着隊及び後方の支援隊との連携が取れた事案といえる。

4　解説　混触

(1)　概要
　　事例51から事例56は、２種以上の化学物質の混触により災害に至った事例である。
　　混触とは２種以上の化学物質が混合又は接触することをいい、混触危険とは混触により元の状態に比べて危険な状態になることをいう。混触危険には、化学反応による発熱・発火や有害性・腐食性の物質の発生、発火・爆発の潜在危険のある混合物の形成等がある。混触による災害事例としては、工場、学校、研究機関等における化学薬品の貯蔵・取り扱い中での火災・爆発・有毒ガスの発生、化学物質への不純物の混入による火災・爆発・有毒ガスの発生等のほか、地震等で化学薬品が転倒・落下し、混触して出火した事例が過去の大規模な地震で必ずといっていいほど発生している。また、２種の家庭用洗剤等を誤って又は故意に混合させたことによる塩素や硫化水素等の有毒ガスの発生もある。

(2)　混触による発熱・発火等危険の種類
　ア　化学物質の混触による危険

① 化学物質の混触による発熱・発火危険
　　酸化性物質と可燃性物質との混触、オキソハロゲン酸塩類と強酸との混触等
② 化学物質の混触による発火・爆発危険性混合物の生成
　　酸化性物質と可燃性物質との混合物、オキソハロゲン酸塩類と可燃性物質・煙火組成物等との混合物
イ　空気との接触による発熱・発火危険
　　黄リン、アルキルアルミニウム類等の自然発火性物質と空気との接触による発熱・発火
ウ　水との接触による発熱・発火及び可燃性ガス発生の危険
　　ナトリウム、カリウム、アルカリ土類金属、金属の水酸化物等の禁水性物質と水との接触による発熱・発火及び可燃性ガスの発生

事例 56　大学実験室内で有毒ガスに曝露し受傷した事故

1　災害概要

　大学の学生が、研究棟実験室内において、四塩化チタン溶液とアンモニア水溶液から酸化チタンを生成する目的で、四塩化チタン溶液60mLをビーカーからシャーレに移したところ（ドラフターの外で実施）、白い煙が発生して、その煙を実験中の学生11名が吸い込み受傷した。自動火災報知設備の発報により、現場確認のために同室に入った防災センター員2名も受傷した。

覚　　　　知	平成18年6月　20時26分（119）
発　生　場　所	大学研究棟実験室内
119番通報内容	大学で実験中に、酸化チタンを吸い、受傷者10名
受　傷　者	男性12名、女性1名 収容先の病院では、搬送者全員に対し、病院前除染（水除染）を実施した。
出　動　隊	ポンプ隊1隊、救急隊5隊、指揮隊1隊、特殊災害部隊1隊、救助隊1隊　計9隊
使 用 測 定 器	ドレーゲル検知管、酸欠空気危険性ガス測定器（GX-111）

2　活動概要

(1)　災害発生の経過

　ア　18時頃、大学の学生が、研究棟実験室内において、四塩化チタン溶液とアンモニア水溶液から酸化チタンを生成する目的で、四塩化チタン溶液60mLをビーカーからシャーレに移したところ（ドラフターの外で実施）、白い煙が発生して、その煙を実験中の学生11名が吸い込んだ。煙を吸い込んだ学生は、保健室で看護師に相談している。

　イ　18時15分、この実験室に設置されている自動火災報知設備（光電アナログ式）が発報し、現場確認のために同室に入った防災センター員2名が、室内で喉の違和感を訴えた。

　ウ　看護師は、11名の学生と2名の防災センター員を保健室で休息させたが、医師の診察を受けるべきと判断し、電話で病院に相談した結果、病院の医師から「119番通報せよ」との指示を受け、大学保健室から119番通報を行った。

　エ　煙を吸い込んだ11名と喉の違和感を訴えた2名は、出動した5救急隊により全員が電話相談に応じた病院に搬送された。

(2)　消防隊の活動状況

　ア　先着のポンプ中隊は、実験棟手前に進入統制ラインを設定し、エレベーターで11階に進入する消防隊員と学生の進入管理を行うとともに、ホース1線を延長した。

　イ　救助隊は、化学防護服＋空気呼吸器を着装し、10階保健室で救護されている学

生の状況確認を実施した。
　　ウ　特殊災害部隊は、陽圧式化学防護服を着装し11階に進入し、ドレーゲル検知管とGX-111を使用してガス測定を実施した（反応なし）。
　　エ　指揮隊と救急隊は、保健室から出てきた受傷者13名を救護しながら、情報収集を実施した。
(3)　3本部機動部隊の活動状況
　　ア　出動途上に携帯電話にて、大隊長に対し（指令室経由）、受傷者を救急車内収容前に、脱衣による除染（乾的除染）を行うよう助言した。
　　イ　帰隊途上、受傷者収容医療機関の医師から、指令室を通じて次の3点の問い合わせがあり、下記の回答をした。
　　　①　受傷者を収容した救急車内の除染⇒清拭を指示した。
　　　②　測定結果⇒反応なし。
　　　③　実験内容⇒四塩化チタンが水と反応し塩化水素が発生したと思われ、喉の違和感は塩化水素を吸入したものと推定している。
　　　　　塩化水素が空気中の湿気により塩酸となり、同時に酸化チタンの粉末が発生したものと思われる。酸化チタンに人体毒性はない。
　　　※　②、③の回答は、医師と直接会話した。
　　ウ　指揮本部に対するアドバイス
　　　①　今回のように発生場所が高層階であり、集結場所から距離がある場合は、指揮本部は建物1階ロビー付近とし、進入統制ラインの設定は、発生階の直下階で十分である。
　　　②　人員・資機材の搬送にエレベーターを活用し、空気呼吸器の消費と労力の軽減に配慮すること。
(4)　専門機関からの情報収集と提供
　　　出動途上、指令室が専門機関に原因物質に関する助言を求め、以下の2点を出動隊にフィードバックした。
　　ア　酸化チタンが無害であること。
　　イ　受傷者発生の原因は塩化水素であると推定されること。

3　所見
(1)　この災害における受傷者は、酸化チタンの粉末と塩化水素ガスを吸入して喉の違和感を訴えたもので、バイタルサインに異常はなく全員軽症であったが、医療機関では、病院収容前に温水による除染を行っている。
　　　この医療機関は、化学物質に曝露した多数の患者の受け入れに関する体制が整備されている。
(2)　結果として、災害そのものは軽微な内容であったが、初期の段階で原因が特定困難な化学物質による受傷者の発生事故の対応として、以下の2点が特徴的であり、今後の同種災害発生時の参考となる事例である。

ア 消防隊員の安全を確保しながら活動した。
イ 現場、指令室、受傷者搬送先の医療機関、専門機関との密接な情報伝達の下に活動判断を行った。

第16　掘削作業中のガス発生等

事例 57　サッカー場（改装中）の整地作業中に発生した危険排除事案

1　災害概要

　改装中のサッカー場において、作業員が重機を用いてグラウンド内の整地作業を実施していたところ、掘削した土砂とともにポリ容器を発見。当該ポリ容器付近から蒸気のような白い煙が立ち昇っていたため、危険と判断し消防機関に通報した。

覚　　　　　知	平成18年8月　15時36分（119）
発　生　場　所	市営サッカー場（改装中）
119番通報内容	グラウンド整地中にポリ容器を発見、蒸気のような白い煙が立ち昇っている。 ＜指令内容＞ 通報を受け、未確認有害物質のおそれが大であるため、出動計画に基づき「特別危険排除（NBC災害に伴う災害分類）」の出動指令。
受　傷　者	なし
出　動　隊	ポンプ隊5隊、救急隊1隊、指揮隊（管轄指揮隊及び特殊災害対応指揮隊）2隊、特殊災害部隊1隊、救助隊3隊、資機材搬送隊1隊　計13隊
使用測定器	酸欠空気危険性ガス測定器（GX-2003）、HAPSITE、HazMat ID、ChemSentry

写真2-56　活動状況

2　活動概要

　先着ポンプ隊及び管轄指揮隊により、関係者から情報収集した結果、受傷者及び要救助者の発生のないことを確認、GX-2003を用いて部署位置付近のモニタリングを実施したところ、検知結果は正常値であったものの、原因物質が不明のため消防警戒区域を設定、広報を実施し、付近住民の避難を促した。

　特殊災害部隊が現場到着と同時に、HAPSITEによる気体の検知及びHazMat IDにより得られた物質名（CAS＃21351-79-1）を危険物データベースと照合した結果、「水酸化セシウム」と同一であると認められた。拡散防止措置として、ポリ容器をビニール袋で覆った。

　なお、サッカー場外に除染テントを設置し、活動態勢を整えるとともに、関係者に廃棄物を専門の業者にて処理するよう指示し、現場を引き揚げた。

3　所見

　今回の災害については、通報の段階において受傷者及び要救助者の発生のないことが確認されており冷静に行動できたが、特殊災害部隊が後着となる地域であったため、風上のサッカー場ゲート付近が先着の車両で埋まってしまい、資機材搬送等に時間を要してしまった。今後、特殊災害部隊の部署スペースの確保が必要になる。

　また、検証されていることであるが、気温36℃の中での化学防護服着装（除染担当）の1名が熱中症直前となったことから、早期の活動隊員の交替が必要である。

4　解説

(1)　長時間活動（化学防護服着装時）の留意事項

　　陽圧式化学防護服や化学防護服を着装した隊員が活動する現場では、夏季の隊員の体力消耗と発汗が著しく、活動時間は最大30分間が限度である。災害現場の状況から長時間活動が予想される場合は、下記事項に留意する。

　ア　交替要員の確保
　イ　水分補給隊の要請
　ウ　早期除染体制の確立

(2)　消防活動の終息の仕方

　　不審物や有害物質の処理に時間を要する現場では、本事例のように原因者負担を原則として処理を委託するほか、警察や環境行政機関に現場を委譲することで、消防活動を終了する。消防活動終了判断要素は次のとおり。

　ア　要救助者や受傷者の救助や搬送が終了していること。
　イ　危険の拡大がおおむね終息していること。
　ウ　測定の結果、原因物質の許容濃度を下回っていること。
　　⇒毒・劇物危険区域を解除した時点

事例 58 　住宅街の新築工事現場における有害物質発掘事故

1　災害概要
　住宅新築工事現場で、油圧ショベルで敷地の土壌掘削作業を行っていた工事作業員が、地中から薬品らしき液体が入った古い瓶を掘り出し、割れた瓶から流れ出た液体から刺激臭のある気体が立ちこめて、作業員8名が眼、喉、鼻の痛みや咳き込みで救急要請となった。

覚　　　　知	平成16年3月　10時（119）
発　生　場　所	住宅新築工事現場
119番通報内容	住宅工事現場において、根切り工事掘削中、さらし粉様臭気と眼・鼻の刺激により受傷者3名がいる。
受　傷　者	8名
出　動　隊	ポンプ隊1隊、救急隊2隊、指揮隊1隊、特殊災害部隊1隊、3本部機動部隊　計6隊
使 用 測 定 器	ドレーゲル検知管、化学剤チケット、ChemPro 100

2　活動概要
(1)　原因物質関係
　ア　発掘された瓶は全部で16本、外見から判断するかぎりでは埋められてから年月が経過した古いものと思われ、内部に黒褐色の液体が入っていた。
　イ　測定の結果
　　①　ドレーゲル検知管：リン酸エステル、シアン化合物に反応
　　②　化学剤チケット：赤色変色反応あり（3本部機動部隊、警察NBCテロ捜査隊同時検出）
　　③　ChemPro 100⇒C⇒unknown：化学剤反応あり（品名不明）
(2)　消防活動
　　現場は特殊災害部隊、3本部機動部隊、警察の共同作業となった。16本の瓶全部を収納容器に納めた後でも、土を掘り返すと再び黄色い色をした刺激臭のある気体が発生するため、現場を埋め戻し、環境行政機関に申し送って消防活動を終了した。

3　所見
(1)　この現場では、救急隊による受傷者の搬送終了後、掘り出された液体の分析と、現場除染による危険排除活動は消防と警察の共同作業となった。このような現場では、消防と警察の活動目的が異なるため、消防は消防の目的を明確にして指揮体制を確立して活動するとともに、警察との協調に努力して必要な情報を相互に交換するなど、現場を混乱させない判断が必要である。
(2)　発掘物は科学捜査研究所で収去され、後日、臭酸系物質と発表された。

事例 59　道路掘削工事中に発生した黄リンの自然発火

1　災害概要

道路改良工事のため小型油圧ショベルにて道路掘削中、突然、土中から強い硫黄臭を伴う白煙が立ち昇り工事現場周辺を覆うとともに、青白い炎が立ち上がり、燃焼の継続がみられた。実害の発生はなかった。

覚　　　　知	平成17年11月　16時20分（119）
発　生　場　所	工事中一般道路
119番通報内容	掘削中、土中から硫黄の臭いと白い煙が噴出、不発弾と思われる。
受　傷　者	なし
出　動　隊	ポンプ隊3隊、指揮隊1隊、救助隊2隊、大型水槽1隊、照明電源隊1隊、広報隊2隊　計10隊
使 用 測 定 器	なし

2　活動概要

先着指揮隊は現場状況確認後、事前情報と併せ工事関係者及び付近住民等からの情報から、広範な活動対応が必要と判断し警備隊長を現場最高指揮者とする第1指揮体制を設置し、指揮の一元管理体制の下火災警戒区域の設定・管理及び広報活動並びに現場管理の徹底を活動方針とした。その後、後着した所轄消防署長に指揮権を移行し署隊本部長統括による第2指揮体制を構築した。

不発弾と思われるものの確認作業は、警察を介して得た自衛隊情報に基づき概観的確認手法で進めた。
① 現場周辺に立ちこめている臭気の確認
② 物体の埋没深度の確認
③ 物体形状の確認

①の臭気は硫黄系若しくは硫化水素系と推測されること、②の埋没深度は地表から50cm程度であること、③は円筒状であるが外観上金属的物質が見られないこと、等から不発弾的要件が極めて低いものと判断し、刺激臭気及び発煙状態から当該物体を「リン」系物質と推測。眼、喉への粘膜被ばく保護のため、状況に応じた警戒区域の変動及び広報活動を徹底するとともに、救助隊は、土中から縦30cm横50cmの円筒状の発炎物体を掘り出した。

物体全面が空気に触れた直後、炎の色は青白色から黄色に変化し激しく燃え上がる反応が見られることから、リン系物質特有の自然発火現象であるものと判断し、当発炎物体を水中に没し発火抑止処理し安全を確認した後、適時火災警戒区域を解除し、活動を終了した。

後日、採取した物質を警察本部科学捜査研究所へ物質鑑定依頼をした結果、物質は「黄

リン」と判定された。

3　所見
　今回の事案については、物質が「何なのか」を早期に特定することが重要であり、各機関連携に基づく化学物質等に関する特殊災害対応システムの実質的整備が急務であると痛感した。

第17 その他

事例 60　飲食店内で多数傷病者が発生した異臭事案（フロン中毒疑い）

1　災害概要

　駅前のビル３階にあるスナック店内で、多数の客と従業員が喉、眼、鼻の痛み、咳込み、息苦しさを訴え、16名が救急搬送された。

覚　　　　　知	平成16年７月　１時
発　生　場　所	耐火造３／０複合用途ビル　３階スナック内
119番通報内容	＜指令内容＞ スナック内で異臭による受傷者多数（救急要請）
受　傷　者	16名（軽傷）
出　動　隊	ポンプ隊１隊、救急隊６隊、指揮隊１隊、特殊災害部隊１隊、３本部機動部隊　計10隊
使用測定器	ドレーゲル検知管、酸欠空気危険性ガス測定器（GX-111）、FTIR、GC-MS、JCAD

2　活動概要

　救急搬送後、特殊災害部隊と３本部機動部隊が出動し、店内のガス測定を実施したが何も検出されなかった。４名の受傷者を収容した医療機関の医師から、血液検査の結果４名ともフロン中毒の疑いがあるコメントが寄せられた。

3　所見

(1) 本災害現場において、フロンガスが存在したかは不明であるが、フロンガスがガスレンジ等に接炎すると、分解して塩化水素、塩素、ホスゲンなどの有毒ガスを発生し、受傷事故に発展する危険がある。

　原因不明で息苦しい、喉や鼻が痛い、気分が悪いという受傷者が大勢発生した場合は、フロン中毒を疑って活動する選択肢が存在する。

(2) この災害による受傷者を収容した医療機関の医師から、受傷者に関する情報が伝えられた。医師は血液中のガス測定の結果、収容した４名とも共通にフロン中毒の疑いがあるとコメントし、「現場に古いエアコンか冷凍庫がなかったか。」を問い合わせてきた。フロン中毒の場合は、数時間経過後、後発的に心臓に対する不整脈等の影響が現れることがある。

事例 61　遊技施設内での異臭による集団災害

1　災害概要

遊技施設の1階ゲームコーナー付近にて異臭がし、数名が咳や喉の痛みを訴え、また、2階ボウリング場でも同様に異臭により数名が気分が悪いと訴えている状況であった。なお、異臭の原因及び物質等は特定できなかった。

覚　　　　知	平成16年5月　21時59分（119）
発　生　場　所	耐火造5／0遊技施設　1階ゲームコーナー
119番通報内容	1階ゲームコーナー付近で異臭がし、数名が気分が悪いと訴えている。
受　傷　者	38名
出　　動　　隊	消防隊5隊（人員搬送隊を含む。）、救急隊4隊、指揮支援隊2隊、救助隊2隊、調査隊1隊　計14隊
使 用 測 定 器	ドレーゲル検知管、JCAD

2　活動概要

消防隊現場到着時、臭気等はなく受傷者数名が建物外に出ている状況であったので、受傷者を救急隊に引き継いだ。建物関係者に事情を聴取し、1階ゲームコーナー付近及び2階ボウリング場にて異臭がしたとの情報を得たため、先着隊が空気呼吸器を着装し、1、2階付近をドレーゲル検知管（ポリテスト）により検知するも反応なしを確認した。二次災害防止のため、建物内に残る入場者の避難と空調設備の停止措置をとり、到着した救助隊を2班に分け、A班はドレーゲル検知管及びJCADによる物質の検知作業、B班は付近のゴミ箱内等の不審物の発見作業に従事させた。検知の結果については、ドレーゲル検知管のCO_2に反応があったのみで、付近にも不審物はなく活動を終了した。なお、救急隊についてはトリアージ及び患者の病院搬送に従事した。

測定実施検知管（酸・ポリ・アミン、フッ化水素、塩素、窒素酸化物、シアン化水素、ホスゲン、CO_2）

3　所見

消防隊到着時は、気分が悪いと訴えている者は数名であった。その後、施設内に残る入場者を屋外へ避難させた後、次々と喉の痛み等を訴える者が続出し、38名にも上ったが、全員が咽頭痛及び咽頭不快感等の軽症で、収容医療機関での血液検査等は行っていない。

事例 62　ヒスタミン中毒の集団発生

1　災害概要
(1)　民間企業の社員食堂で昼食のメニューにあった「カジキマグロの照り焼き」を食べた社員32名が、集団ヒスタミン中毒を起こし、数名がアナフィラキシーショックによる重症に陥った。13名の患者を受け入れて治療に当たった医療機関では、3名がショック症状の重症であったが、翌日全員軽快し退院した。
(2)　最も多くの受傷者を受け入れた医療機関では、当初「故意の毒物混入事件（NBC災害）の可能性あり」と判断し、警察に「毒・劇物による災害の可能性あり」を通報している。
(3)　警察は、第1機動捜査隊、NBCテロ捜査隊を出動させ、科学捜査研究所と連携して患者の体液から、毒・劇物の有無の分析確認を行っている。
(4)　消防本部は、集団救急事故として多くの救急隊と消防隊を出動させたが、医療機関と警察がNBC災害対応を行っていることは認識していない。

覚　　　　知	平成15年2月　13時27分（119）
発　生　場　所	事務所ビル　民間事業所内診療所
119番通報内容	救急要請
受　傷　者	32名
出　動　隊	救急隊13隊（救急特別第1出動で対応）、消防隊8隊、指揮隊4隊、マイクロバス2隊（軽症者搬送用）、ポンプ隊2隊　計29隊
使用測定器	なし

2　活動概要
(1)　救急要請までの経緯
　　事業所の社員6名（男性4、女性2）が、体調の異常を訴えて、同ビルの診療所で次々と受診した。医師の診察の結果、数名が特に重い症状であったため、医師が他の医療機関での治療が必要と判断し、救急隊を要請するに至った。
　　その後、更に25名の社員が体調異常を訴え、救急隊により医療機関に搬送された。診療所では、体調異常を訴えた社員の共通点として、社員食堂で食事をとっていることが判明したため、社員食堂で食事をした残りの39名の社員を呼んで異常の有無を確認している。
　　結果として31名が救急隊で搬送され、1名が自力（タクシー）で通院した。
(2)　原因
　　原因として疑われた社員食堂で出された「カジキマグロの照り焼き」及びその食材であった「生のカジキマグロ」の分析の結果、カジキマグロの照り焼きによるヒスタミン中毒であることが判明した。

3 所見

　国民保護法に基づき、国や各自治体がNBC災害対応策の強化を進めている情勢の中で、本災害のような集団食中毒に端を発する事例に遭遇したとき、その原因が単なる食中毒であるか、何者かが故意に食材中に有毒物質を混入させたC災害の可能性があるかを疑う危機意識の必要を感じた事例である。

　医療機関が大量の患者受け入れのため、いち早く非常時体制に切り替え、毒・劇物災害も視野に入れた対応を展開し、警察もそれに応じてNBC専門捜査隊を投入して分析活動をしている傍らで、消防だけが通常の救急搬送業務のみを行っていた事実は、今後のNBC災害対応やテロ災害対応を行う上で、参考とすべき内容を含んでいる。

4 解説　ヒスタミン中毒

(1) ヒスタミン中毒について
　ア　熱処理により失活しない。
　イ　必ずしも調理過程が原因ではない。
　ウ　食中毒ではなくアナフィラキシー（アレルギー）症状を呈する。
　エ　症状出現は、5～10分、1～2時間とばらつきがある。
　オ　症状持続時間は、3～36時間であるが、その多くは自然軽快する。

(2) ヒスタミン中毒を起こす魚
　　サンマ、カツオ、マグロ類、マカジキ類、メカジキ類、ブリ、マアジなど。

事例 63　回収したゴミからの異臭

1　災害概要
　清掃業者がゴミステーションに捨てられていたゴミ（固形物）を回収した際、異臭がしたので市環境事務所に処理をしてもらうため搬送した。

覚　　　　　知	平成18年4月　11時01分（119）
発　生　場　所	ゴミステーション
119番通報内容	20cm四方の固形物（一部粉体）を7個回収した際、異臭がした。
受　傷　者	なし
出　動　隊	指揮統制車1隊、特殊災害対応車1隊、水槽車1隊、特別救助隊1隊、救急隊1隊　計5隊
使 用 測 定 器	ガステックTG-2、FTIR、GC-MS

2　活動概要
(1)　大隊長は、特殊災害対応車隊へ分析活動を下命した。
(2)　検知隊員3名は、ゴム手袋・ゴーグル・N95マスクを着装後、ガステックTG-2による測定を実施した結果、微量のため可燃性ガスは検出できなかった。
(3)　FTIRによって固形物の粉をサンプリングした結果カーバイトと判明した。
(4)　GC-MSによって危険性があるガスは検出されなかった。

3　所見
　第一発見者が異臭のするゴミを搬送したため、化学剤などであった場合、拡散のおそれがあった。

事例 64　水素ステーションにおいて水素ガス漏洩が疑われた事例

1　災害概要

営業時間外の水素ステーション前で、通行人が「シュー」というガス漏れのような音を聞いたため119番通報した。

覚　　　　知	平成31年3月　1時05分
発　生　場　所	水素ステーション
119番通報内容	通行人からの通報「シューというガス漏れのような音を聞いた。」
受　傷　者	なし
出　　動　　隊	ポンプ隊2隊、特別救助隊1隊、特殊災害部隊1隊、消防救助機動部隊1隊、指揮隊1隊　計6隊
使　用　測　定　器	酸欠空気危険性ガス測定器（GX-2003）、携帯型複数ガス検知器、水素ガス濃度測定器

2　活動概要

(1) 大隊長は出動途上に風上部署を下命し、各隊は風上側から指令番地に接近した。

(2) 先着ポンプ中隊の先行隊は、酸欠空気危険性ガス測定器による測定（以下「ガス検知」という。）を行いながら、水素ステーションから見て堅牢な建物の陰になる場所に部署し、送水隊は水素ステーションから約100m離れた消火栓に水利部署した。

(3) 先着中隊長が敷地外から確認すると、水素ステーションは営業時間外であり、中央付近から「シュー」という漏気音が聞こえた。

(4) 大隊長は、漏気音があることから水素ステーションの敷地全体を爆発危険区域及び火災警戒区域に設定した。
　　また、隣接する道路南北100mに消防警戒区域を設定し、警察官に依頼して車両や歩行者の進入を制限した。

(5) 大隊長の下命により、先着ポンプ中隊は警戒線2線の延長とガス検知、特別救助隊は熱画像直視装置を活用した漏洩及び火災発生の確認、後着のポンプ隊は施設背面側にある共同住宅の敷地内のガス検知をそれぞれ実施した。いずれも可燃性ガスの検知など異常は確認されなかった。

(6) 到着した警備会社から管理室の鍵を受領した後、大隊長は特殊災害部隊を爆発危険区域内に進入させ、各設備を開錠しながら水素ガス測定器等、複数のガス測定器により確認したが、ガスは検知されなかった。
　　また、管理室にある警報装置の受信盤を確認したが異常はなかった。

(7) 消防救助機動部隊により、漏気音のするディスペンサーの扉を開錠し、水素ガス測定器等による測定を行ったが、ガスは検出されなかった。

(8) 覚知から約1時間後、施設関係者と電話連絡が可能となり、ディスペンサーのノズルから常に放出している空気の音であることが判明し、活動を終了した。指揮隊のみ、最終確認と説示のため、施設関係者が到着するまで現場に待機した。

3 所見
(1) 水素ガス漏洩を消防隊が確認し、又は情報を得た場合は、原則として施設全体を爆発危険区域に設定することを検討する。本事例の場合、大隊長はガスの漏洩音を確認したため、可燃性ガスが検知されない状況でも、施設全体に爆発危険区域を設定し、隊員の進入を厳重に統制した。
(2) 水素ステーション周辺には共同住宅が立ち並んでおり、住民の避難誘導を判断するためにも、早期に水素ガス漏洩の有無を確認する必要があった。そのため、大隊長はNBC専門部隊による爆発危険区域内での活動を判断した。
　NBC専門部隊が危険区域内に進入する際には、最低限の活動人員とし、静電気発生防止のため防火衣を水で濡らすなど防爆措置をとった。
　また、漏気音が確認されたディスペンサーの上方に検知器を設置し、速やかに脱出して、その後は警報音で監視を継続するなど、進入時間の短縮にも配意した。
(3) 本事例は営業時間外に起きたものであり、指揮隊は施設関係者への早期連絡に努めたものの、電話がつながるまで時間を要した。そのため、当該事業所と協議し、営業時間外の緊急連絡や臨場の体制を改善した。

4 解説
(1) 水素ステーションについて
　ア　燃料電池自動車（Fuel Cell Vehicle。以下「FCV」という。）に燃料となる水素ガスを供給する施設であり、今後も新設が計画されている。
　イ　水素の供給元として、製造した水素を水素ステーションに搬入して使用するオフサイト式と、水素ステーションで都市ガス等から水素ガスを製造するオンサイト式がある。
　ウ　ガソリンスタンドのように建物として設置される定置式と、トラックの荷台が水素ステーションになる移動式がある。
　エ　FCVの水素ボンベの充填圧は非常に高く、これに水素ガスを供給するため、施設内で82MPaまで加圧され、これをディスペンサーから供給する。
　オ　水素ステーションの各設備は、水素ガスが滞留しない構造になっている。
　カ　水素ステーションの各設備には、ガス検知器や温度計などが設置されており、異常時には警報装置や散水設備などが作動する。
(2) FCVに供給される水素ガスは、圧力変動により高温になるのを防ぐため、あらかじめ－40℃くらいまで冷却されていることから、FCVへの供給時にノズルが凍結しないように、ノズル先端からは常に空気が放出されており、「シュー」という音がする。本事例では、空気量を調整する弁が劣化して空気の放出量が多くなり、普段より音が大きくなったため通報されたものである。
(3) 純粋な水素火炎の光は、ほぼ紫外線であるため、人の目や熱画像直視装置でも見ることが困難である。しかし、空気中の塵や水蒸気の影響を受け、熱画像直視装置で水素火炎の姿を捉えられることもある（写真2-58参照）。また、水素火炎から受

熱した壁体等は高温部分として捉えることができる。

水素火炎
（見えない）

 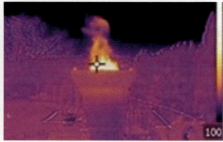

　　写真2-57　水素火炎のデジカメ画像　　　　写真2-58　水素火炎の熱画像

・水素の炎をデジタルカメラ（写真2-57）と熱画像直視装置（写真2-58）で撮影し比較したもの
・可視画像では火炎が見えないが、熱画像では燃焼状況が確認できる。

第2節　放射性物質・原子力に関する災害

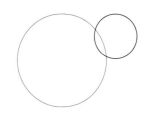

第1　放射性物質関係

事例　65　　火災調査に出向した隊員が放射能汚染検査を受けた事例

1　災害概要

　大学の放射線管理区域内において、ウラン水溶液を加熱する実験を行った後に火災が発生した。自動火災報知設備の鳴動で気付いた大学の警備員が消火した後、大学教授が消防出張所に火災を届け出た。

　消防隊員が火災調査に出向した際に、監督官庁の専門官が放射能汚染測定を行って異常がなかったことから執務服のまま内部進入したが、翌日核燃料サイクル機構にて肺モニタ検査を受けることになった。

覚　　　　知	平成17年3月　15時（駆け付け）
発　生　場　所	耐火造1／0大学実験室
119番通報内容	消防出張所駆け付け
受　傷　者	なし
出　動　隊	ポンプ隊1隊、指揮隊1隊　計2隊
使用測定器	広域線量率計

2　活動概要

(1)　災害概要

　ア　火災発生前の状況

　　　研究員が10時頃から実験室内のドラフトチャンバー内で、ウラン水溶液をホットプレートで加熱する実験を行った。21時頃実験を終了し、実験装置を片付けて帰宅したが、翌日未明の3時過ぎに、警備員が自動火災報知設備の鳴動で火災の発生に気付き、実験室を確認したところ、ドラフトチャンバー内部で炎が上がっているのを発見したため、近くにあった粉末消火器で消火した。

　イ　火災通報までの経緯

　　　警備員は実験棟の責任者である同大学助手に電話で火災発生と消火の旨を連絡した。助手から報告を受けた同大学教授は、消防出張所に出向き火災の発生事実

を通報した。
　ウ　消防隊の調査出向
　　　教授からの通報を受けた出張所長は直ちに大隊長に連絡し、ポンプ1隊と指揮隊を現場に調査出向させた。先着したポンプ隊長は、実験棟の出入口前で助教授他1名に接触し、以下の2点を聴取した。
　　①　火災発生場所が放射線管理区域内であること。
　　②　午前中に監督官庁の専門官がサーベイメータ測定器を使用して放射能汚染測定を実施したが異常がなかったこと。
　エ　ポンプ隊の行動
　　　消防隊が調査を開始した時点で、監督官庁専門官3名が通常の服装（背広）で放射線管理区域内の調査を継続していた。ポンプ隊長は大学側の助教授の供述から、現場は放射能汚染の危険なしと判断し、隊員4名で執務服のみで内部進入し調査を開始した。
　オ　指揮隊の行動
　　　大隊長は監督官庁専門官と接触し、通常の服装で内部進入しても安全であることを確認したが、念のために広域線量率計を携行して、火災調査担当員とともに火災現場に進入した。そのとき、広域線量率計には反応がなかった。
(2)　隊員の放射能汚染検査
　ア　指令室は、23時00分、所轄消防署に対し、大学の火災に調査出向して実験室内に進入した隊員全員に汚染検査を受けさせる決定を行い、所轄消防署に下命した。
　イ　翌朝、火災調査のため実験室内に進入した大隊長以下7名の消防職員が他県の専門機関へ検査出向し、肺モニタ測定。結果は7名全員異常なしであった。

3　所見

(1)　隊員が放射線管理区域内の災害現場に立ち入る場合は、指令室を通じて専門的見地から安全に関する情報の根拠を確認する手順を踏んだ上で行動すべきである。
　　指令室の決定は、事故現場に立ち入った隊員が、現場に滞留していた可能性がある放射性物質により、体内汚染を受けた可能性を否定できなかったために行われたものである。
(2)　災害内容が臨界事故のように大量の放射線に照射されるような場合を除き、放射線事故では隊員が放射線に被ばくしても、放射能に汚染されても、自覚できる症状は一切現れないことを十分に理解すべきである。

事例　66　　火災建物内にウラン鉱石があった事例

1　災害概要

(1) 消火活動から危険排除へ移行するまでの経緯

　　残火処理を実施中に火元建物1階居室の床付近から白煙及び炎が立ち上がったことから、付近に堆積していた畳及び雑誌類を掘り返しながら注水していると、黒い茶筒（長さ約30cmの円筒形）のような容器があった。この容器に注水したところ、「バーン」という音とともに爆発し、白煙が2m程度あがり、中に入っていた金属ナトリウム（火元所有者供述による）が炎とともに周囲に飛散したため、活動中の隊員を全員退避させ、危険排除へ移行した。

　　筒先を保持し注水していた消防隊員（防火帽のフード及びしころは完全着装していた。）は胸部及び防火帽のフードに爆風を受け、顎及び頬にⅠ度熱傷を負った。

(2) 危険排除

　　火元関係者は、個人的な花火製作の目的から10種類の薬品（ウラン鉱石150ｇ、金属ナトリウム300ｇ、塩素酸カリウム500ｇ、硫黄10kg、マグネシウム250ｇ、ヒ素化合物200ｇ、硝酸ストロンチウム50ｇ、エタノール500mL、金属アンチモン50ｇ、水銀500ｇ）を保有していたとの情報を得たことから、危険排除へ移行したものである。

覚　　　　知	平成18年2月
発　生　場　所	一般住宅（防火造2階建）火災残火処理中
119番通報内容	＜指令内容＞ 残火処理中、化学反応により爆竹が破裂したような臭気
受　　傷　　者	1名（消防職員）
出　　動　　隊	特殊災害部隊2隊（ウラン鉱石情報入手以降）
使 用 測 定 器	広域線量率計（プローブを装着し、サーベイメータとして使用）

2　活動概要

(1) 先着消防隊の活動内容

　　残火処理中の消防隊員は全員退避していた。

(2) 所轄指揮隊の指揮内容

　　火元建物から約10mの位置にテープで危険区域が設定され、特殊災害部隊到着まで、立入禁止とされていた。特殊災害部隊到着後、大隊長は、専門機関、消防本部研究員、特殊災害部隊2中隊を応援要請し、分担して火災出動各隊の防火服・靴底の放射性物質汚染確認のための汚染検査を実施した。

(3) 特殊災害部隊の活動概要

　ア　現場指揮本部は、専門家から「ウラン鉱石については、直接触れずに飛散を防止し、物質を密封せよ。」とのアドバイスを受けた。

イ　pH試験紙による測定（アルカリ性）及び放射線測定器による汚染検査の実施。
　　ウ　ドレーゲル検知管（酸・ポリ・アミンテスト）による測定（反応なし）。
　　エ　現場での測定の結果、活動障害になるような化学物質等は認められず、再度、専門家のアドバイスで、危険区域を解除した。

3　所見
(1)　放射性物質に関わる消防活動上で最も重要なポイントは以下の3点である。
　　ア　「被ばく」と「汚染」の違いを明確に理解する。
　　イ　放射線による外部被ばく危険の有無の確認
　　ウ　飛散した放射性物質を人体内に取り込むことによる内部被ばく危険の有無の確認
　　　ウの内部被ばくの危険性は、放射性物質が漏洩しているかどうかによって確認する。漏洩がなければ汚染の危険はない。したがって内部被ばくの危険もない。
(2)　活動初期は、「被ばく危険、漏洩による汚染危険の両方がある」という前提で活動を開始する。
　　ア　放射性物質に係る災害を覚知した場合には、直ちに放射線物質専門機関等の専門家に技術的支援を求め、放射線測定器による汚染検査体制を早期に確立させる必要がある。
　　イ　放射性物質専門機関は、土日祝日は休業であり、技術支援や汚染物質の引取りができない場合がある。特に放射性物質に汚染されたものの処理に問題が残るので、警察庁や自治体との協議が必要となる。
　　ウ　この災害の場合、天然のウラン鉱石は、放射線を出しながら壊変を続けるが、鉱石から発する放射線は極めて弱いもので、直接触れても外部被ばくは人体にほとんど影響を及ぼさないため、被ばく防護措置は無視してよい。
　　　ただし、ウラン鉱石の粉末が体内に入ると、体の内部で一生涯にわたり被ばくを受けるので、内部被ばくの防止措置が必要である。具体的方策は、放射性物質を含んだ粉塵を吸わないための呼吸保護具（空気呼吸器、防毒マスク）の着装と、粉塵を人体に直接付着させないための防護服（簡易型防護服等）の着装である。
　　エ　放射線源のレベルが高く、被ばく危険が存在する場合は、活動時間制限による被ばく管理を行う。
　　　その場合は、線量率計による被ばく線量を、隊員ごとに記録し、被ばく履歴を保存しておく。
　　オ　放射性物質による汚染の可能性のある現場で活動した場合は、本事例のように使用した個人装備、資機材、隊員の身体について汚染検査を実施して汚染の確認をしなければならない。

第2　原子力関係

事例 67　核燃料加工施設で発生した臨界事故

1　災害概要

　高速実験炉の燃料（ウラン濃縮度18.8％）を加工する過程において、法令等の許認可を受けて決められた取り扱い方法や作業手順書を無視し、使用目的が異なり、また、臨界安全形状に設計されていない沈殿槽でウラン溶液の混合作業を行い、臨界量以上のウランを含む硝酸ウラニル溶液を注入した結果、臨界事故が発生した。

覚　　　　知	平成11年9月　10時43分（119）
発　生　場　所	核燃料事業者事業所　燃料加工施設転換試験棟（鉄骨造軽量ブロック張り平屋建て、延べ床面積260㎡）
119番通報内容	建物内で男性1名が倒れた。てんかんの症状あり。詳細不明 ＜指令内容＞ 事業所において、急病人発生救急隊出動
受　傷　者	3名
出　動　隊	救急隊1隊、ポンプ隊2隊、指揮隊1隊　計4隊
使 用 測 定 器	警報付ポケット線量計、電離箱サーベイメータ、シンチレーションサーベイメータ

2　活動概要

　正門に到着した救急隊は、施設職員の案内によりウラン加工施設転換試験棟に到着した。救急隊長及び隊員は救急資機材を携行し施設内除染室へ案内された。受傷者1名と接触し観察及び聴取を実施した。観察したところ外傷等はなく、状況を聴取すると「けいれんが10分位続き」「前頭部に鈍痛があり」「腹部に痛みがある」との主訴があった。また、1名の者がこの受傷者に寄り添い屈んでいた。観察しているところへサーベイメータを持った核燃料事業者職員に「ここはレベルが高いので早く外に出て。」と言われ、受傷者を施設の担架に乗せ屋外へ出た。

　救急車のメインストレッチャーに乗せかえるが、「ここもまだレベルが高い。」と言われ、核燃料事業者職員に状況を聴取したが「分からない。」との回答であった。また、救急隊長は、放射線の事故ではないかと感じ、受傷者の汚染検査を依頼したが、「ここも危険である早く。」と言われた。そこで救急隊は受傷者をストレッチャーに乗せたまま正門まで曳行した。正門到着後、情報収集したところ放射線事故であることが判明した。救急隊は病院検索と放射線事故の情報収集と火災への発展を考慮し、警防隊出動を要請した。

　その後の情報収集により、2名が不調を訴え受傷者は3名になった。

　救急搬送するために、受傷者3名の汚染検査を再度核燃料事業者に強く求め、測定結果は「異常なし」の報告を受けた。

警防隊現場到着後指揮本部を設置し情報収集に当たった。
(1) 現場確認については、事故現場は線量が高いので近づくことはできない。
(2) 事務棟付近のモニタリングを開始する（電離箱サーベイメータの測定値は50μSv/h）。
(3) 核燃料事業者施設付近の住民に対し屋内退避の広報を開始した。
　指令室から、国立病院へ搬送の指示があり、関係者を同乗させ現場を出向した。
　病院到着後、受傷者の初期診断名は「急性放射線症」であり3名とも重症であった。病院には無菌室がないことと受傷者の症状悪化により、放射線医学総合研究所への搬送を病院関係者と協議決定した。搬送手段として防災ヘリを使った。

3　所見

　我が国初の臨界事故が発生した。119番受信時には、一般的な急病との通報であり、救急隊は放射線防護装備及び線量計を着装しないで出動したことに問題があった。また、臨界反応によって発生した透過力の強いガンマ線と中性子線により、救急活動を行った救急隊3名が被ばくした（最大で9.4mSv）。

※1回の活動における被ばく線量限度10mSv

　事故発生から臨界状態停止の作業が功を奏するまで約20時間にわたって、緩やかな核分裂状態が継続した。

　この事故で3名の従業員が重篤な被ばくを受け、2名が死亡したほか、防災業務従事者・核燃料事業者職員・周辺住民等667名が被ばくした。

　事故現場からおおむね半径350m圏内住民に対し避難要請した。また、10km圏内の屋内退避要請が行われ、約31万人に影響があった。

写真2-59　施設全景

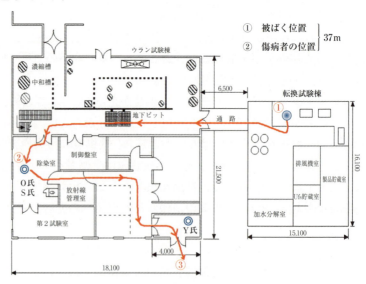

図2-13　災害発生施設平面図

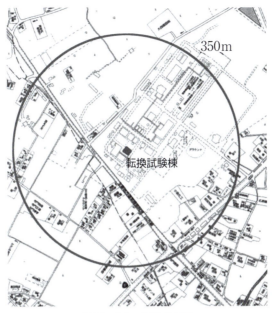

図2-14　現場地図

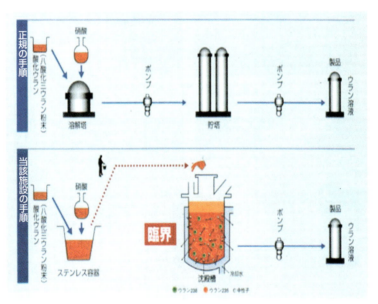

図2-15　作業手順

写真2-60　沈殿槽

写真2-61　救急隊の移動経路

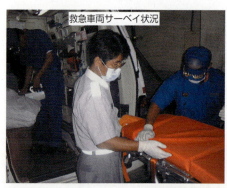
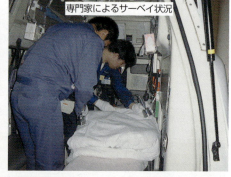
写真2-62　サーベイ状況

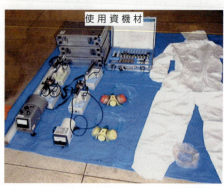

写真2-63　使用資機材

事例 68　原子力発電所蒸気噴出事故

1　災害概要

3号機タービン建屋2階脱気側天井付近に設置の直径56cm、肉厚約10mmの炭素鋼2次系復水配管が破口し、約140℃、約10気圧の高温水が噴出、蒸気となって同建屋全体に充満し、付近で作業中の作業員11名が熱傷により死傷したものである。

覚　　　　　知	平成16年8月　15時35分（119）
発　生　場　所	原子力発電所3号機タービン建屋2階
119番通報内容	3号機タービン建屋内で蒸気が漏洩し3名の受傷者が発生している。受傷者は多数になる可能性がある。救急車を数台要請します。事故の内容は不明。
受　傷　者	11名
出　動　隊	消防隊1隊、救急隊6隊、指揮隊1隊、指揮支援隊2隊、救助隊2隊、救助支援隊2隊、ヘリ支援隊1隊、監察1隊、調査隊1隊、県防災航空隊1隊　計18隊（17台、1機、出動人員52名）
使用測定器	なし

2　活動概要

(1)　15時41分、救急隊2隊、救助隊2隊、現場指揮本部設置のため本部次長が出動し、消防本部に特別警備本部を設置した。

(2)　事故発生場所は放射線管理区域外で放射能漏れによる汚染はないが、室内は高温となっていた。

(3)　先着の救急小隊は3号機従業員詰所にて受傷者数名が応急処置されているのを確認。さらに3号機タービン建屋内に受傷者が何名残っているか確認できていないとの情報を得た。

(4)　15時49分、CPAの受傷者1名を収容し医療機関に搬送、現場ではトリアージを実施し、救急小隊4隊により受傷者10名を2医療機関に搬送した。

(5)　16時20分、救助小隊は耐熱服着装隊員2名と空気呼吸器着装隊員6名の計8名の隊員がタービン建屋3階へ進入し人命検索を実施した。検索範囲は、タービン周辺100m×40mを約10分間、計2回検索するが、要救助者は発見できなかった。さらに応援隊が現場到着し、18時00分から耐熱服着装隊員5名と空気呼吸器着装隊員1名の計6名がタービン建屋2階に進入し、人命検索を約20分実施するが要救助者は発見できなかった。

(6)　18時22分、「行方不明者なし」との情報もあり、人命検索活動を終了した。

(7)　19時10分、発電所から事故概要の説明を受け、事故報告書の提出と現場保存を指示。19時55分全隊が現場を引き揚げた。

3 所見

本活動においては、高温熱気の中、終始耐熱服と空気呼吸器着装による人命検索活動を余儀なくされたが、耐熱服内も高温となり隊員の体力消耗が激しく、内部冷却ができる耐熱服等が必要であり、さらに建屋内の入出人員が速やかに把握できず、情報収集に支障があったため、事業所と事業関連会社相互の連絡・管理体制の強化及び事故の教訓を基に、消防機関も含めた特殊災害訓練等の実施が必要である。

事例　69　　地震、津波による原子力発電所の事故

1　経緯

　福島第一原子力発電所では、3月11日の地震発生直後の大津波により、原子炉1～5号機の全交流電源が喪失状態となったため、冷却装置が使用不能となり、3月12日に1号機での水素爆発、14日には3号機で同じく水素爆発、15日及び16日には4号機で火災が発生し、各原子炉建屋内の使用済燃料の過熱が危惧される状況となった。

　東京電力株式会社（以下「東京電力」という。）だけでは原子炉建屋内の使用済燃料の冷却が困難となり、自衛隊や警視庁等による放水活動とともに、消防庁長官から緊急消防援助隊の派遣が要請され、3月19日から25日までの間に全国7の消防本部により3号機の使用済燃料プールへの放水活動が行われた。

　東京消防庁は、消防機関として最初に現地での放水活動を行う部隊として活動するとともに、現地における関係機関等との調整及び他消防本部の放水活動の支援等の活動を行った。

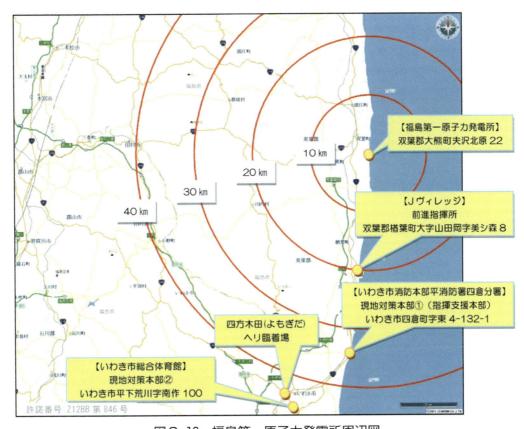

図2-16　福島第一原子力発電所周辺図

2　部隊派遣の概要

　3月12日に原子力安全・保安院から消防庁災害対策本部に対し、原子炉施設を冷却するための装備を持った部隊の派遣の要請が入り、これを受けて、14時50分に消防庁長官

第2節　放射性物質・原子力に関する災害

から東京消防庁へ部隊の派遣要請がなされ、第三及び第六消防方面本部消防救助機動部隊等から8隊28名が現地に向け出動したが、15時36分に1号機の原子炉建屋で水素爆発が発生したことから、原子力安全・保安院からの出動要請の取消しの連絡により、18時00分に全隊引揚げとなっている。

　3月13日から翌14日にかけて、内閣官房長官指示により、消防庁から近隣消防本部に対し、消防ポンプ車の東京電力への貸与の協力要請がなされていた。

　東京消防庁へも3月16日に消防庁長官から特殊災害対策車の貸与について依頼があったため、同日16時25分に第三消防方面本部消防救助機動部隊から特殊災害対策車が福島県いわき市にある小名浜コールセンターに向け出発したが、東京電力側の受入れ体制が整っていなかったため中止となった。

　その間にも、原子力発電所敷地内では使用済燃料の過熱の危険性が高まり、翌17日には自衛隊のヘリコプターによる3号機の使用済燃料冷却プールへの空中放水や、警視庁の高圧放水車による放水が実施されていた。

表2-1　派遣部隊一覧

派遣日	陸上部隊				航空部隊			
	部隊種別	隊数	車両数	人員	部隊種別	隊数	機体数	人員
3/12	0次派遣	8	8	28				
3/18	一次派遣	32	32	139				
	二次派遣	8	8	27				
3/19	三次派遣	10	10	45				
	一期交替	21	12	83				
3/20	四次派遣	2	2	6	一次派遣	1	1	4
	二期交替	6	5	19				
3/21	三期交替	7	3	28				
3/22	四期交替	8	8	33				
3/23	五次派遣	1	1	2	二次派遣	1	1	3
	六次派遣	1	0	3				
	七次派遣	1	1	8				
3/25	五期交替	7	6	29	三次派遣	1	1	6
3/26	八次派遣	5	5	10				
3/27	六期交替	8	7	31				
3/30	七期交替	9	8	35				
4/1	九次派遣	3	3	6	四次派遣	1	1	5
4/2	10次派遣	2	2	4				
5/16	11次派遣	2	2	13				
6/6	12次派遣	2	2	9				
	陸上計	143	125	558	航空計	4	4	18

　このような中、同日夜、内閣総理大臣から東京都知事に対し、施設の冷却を目的とした消防隊の派遣の要請があり、都知事がこれを受諾、これを受け、18日0時50分に消防

庁長官から東京消防庁に対して派遣要請が入った。

警防本部では、警防副本部、総務副本部、第六消防方面本部、第三、第六、第八消防方面本部消防救助機動部隊及び上野消防署隊の指定部隊、計32隊139名を18日3時00分までに、第六消防方面本部消防救助機動部隊隊舎に集結させ、同3時20分に福島第一原子力発電所災害現場に出動させた。

3 想定訓練の実施

自衛隊や警視庁等による放水活動の状況等を踏まえ、東京消防庁独自に、消防部隊による原子炉建屋内への放水活動を想定した、活動部隊及び特殊車両の選定や効果的な放水戦術の事前検討が行われた。送水は、遠距離大量送水車（スーパーポンパー）を用い、放水は、高所からの放水を可能とする屈折放水塔車及び40m級はしご車を活用することとした。

さらに、隊員の被ばくを防ぐための短時間での活動戦術や放水効果等を検証するため、3月17日に、第六消防方面本部消防救助機動部隊訓練場に上記車両を運用する第六、第八消防方面本部消防救助機動部隊、線量測定及び除染を担当する第三消防方面本部消防救助機動部隊を集結させ、約7時間にわたり想定訓練を実施した。

写真2-64　第六方面消防救助機動部隊訓練場での想定訓練

写真2-65　荒川河川敷での想定訓練

4　放水活動の準備

　福島第一原子力発電所の災害への対応のため、現地対策本部が、いわき市消防本部平消防署四倉分署内に設置され、前進指揮所（現地調整所）がJヴィレッジに設置されていた。なお、19日以降、現地対策本部はいわき市総合体育館に移動されている。

　3月18日3時20分、警防部長を東京都総隊長とする32隊139名が災害現場に向けて出動した。18日7時過ぎには、先行部隊が高速道路のサービスエリアやインターチェンジで順次放射線の測定等を行いながら福島県に入り、東京都隊は7時35分には、いわき市消防本部平消防署四倉分署に到着し、消防庁、双葉地方広域市町村圏組合消防本部及び東京電力とともに作戦会議が開かれた。

写真2-66　現地対策本部での会議

　会議において、東京消防庁からスーパーポンパーのペア隊で海水を岸壁から吸水し、3号機直近まで最短距離で送水するという作戦を示したが、東京電力から、最短距離による送水は原子炉冷却ホースを横断するため避けてほしいとの要請があり、迂回する送水ルートに決定した。また、同日、四倉分署前において、はしご車及び屈折放水塔車を活用した放水訓練を実施し、現場では海風に左右されない屈折放水塔車を活用することに決定した。

写真2-67　四倉分署前での事前訓練

表2-2　主な時系列

日付	時刻	派遣経過等
3/17	（夜）	内閣総理大臣から東京都知事へ緊急消防援助隊の派遣要請
3/18	0:50	消防庁長官　消防組織法第44条第2項による緊急消防援助隊の派遣要請
	2:00	震災警防本部長命令　緊急消防援助隊出動命令
	7:35	派遣隊　いわき市消防本部平消防署四倉分署に到着
	13:40	先遣隊　Jヴィレッジに向けいわき市消防本部平消防署四倉分署を

		出発
		【1回目放水】
	15：00	先遣隊　原子力発電所正門に向け出発
	15：35	放水部隊　原子力発電所正門に向けJヴィレッジを出発
	16：22	先遣隊　原子力発電所の正門に到着、敷地内の調査開始
	16：57	放水部隊　原子力発電所正門に到着
	17：30	先遣隊　現場確認の結果、予定していた作戦の実行が困難と判断し、放水部隊とともにJヴィレッジまで一旦引揚げ
	23：20	放水部隊　原子力発電所正門に再集結、進入開始
3/19	0：30	3号機に対する放水開始
	0：50	3号機に対する放水停止（放水量約60トン）
	1：30	原子力発電所正門にて一次スクリーニング後引揚げ
		【2回目放水】
	12：45	放水部隊　原子力発電所正門に到着、進入開始（13：50）
	14：05	3号機に対する放水開始
	14：30	放水は継続したまま、放水部隊員は免震重要棟に移動
	17：00	放水部隊　屈折放水塔車の放水角度調整実施（17：35調整完了）
	18：00	原子力発電所から引揚げ
	23：50	原子力発電所に向けJヴィレッジを出発
3/20	1：10	原子力発電所内の免震重要棟に到着
	2：00	屈折放水塔車の放水角度修正実施
	3：40	3号機に対する放水（第2回目）停止（放水量約2,430トン）、引揚げ
		【3回目放水】
	17：50	放水部隊　原子力発電所正門に向けJヴィレッジを出発
	21：30	3号機に対する放水開始
	22：20	放水停止要員を除く放水部隊　原子力発電所から引揚げ
3/21	3：58	放水停止要員　3号機に対する放水停止（放水量約1,137トン）、引揚げ
		【4回目放水】
	15：35	放水部隊　原子力発電所に向けJヴィレッジを出発、正門で待機
	18：45	2号機の状況の変化から3号機に対する放水中止　引揚げ開始
3/22	13：25	放水部隊　原子力発電所に向けJヴィレッジを出発
	15：10	3号機に対する放水開始
	16：00	放水停止（放水量約150トン）、引揚げ
		【5回目放水】
3/25	13：30	川崎市消防局　3号機へ放水開始
	16：00	川崎市消防局　放水停止（放水量約450トン）

5　原発敷地内での活動

(1)　活動の準備

　　震災の発生から1週間が経過していたが、甚大な被害のため依然として情報は錯そうしており、特に原子力発電所敷地内の詳細な状況は、現地対策本部においても

完全には把握できていなかった。

　3月18日、現地対策本部での会議後、四倉分署での放水訓練と並行して、一部の隊がJヴィレッジに向かい、東京電力等関係機関との打ち合わせを実施した。

　Jヴィレッジで最終の任務確認をした後、活動現場の状況を調査するため、15時に先遣隊が原子力発電所へ出動した。先遣隊は、化学防護服（ディスポーザブル）の上に防火服及び防護マスクを着装し、原子力発電所の正門から敷地内に進入を開始した。放射線量の測定値は東京電力から提供されていたが、自己部隊により、敷地内の多数の地点で放射線量を測定した。

写真2-68　防護服等の着装

　先遣隊は、16時57分に原子力発電所正門に到着した放水部隊と合流し、現場の状況を踏まえ作戦を検討した結果、当初の作戦では、3号機付近の岸壁から直接海水を汲み上げることになっていたが、予定ルート上には瓦れきや流木が散乱しており、車両での通行が不可能であるため、一旦撤退し作戦を変更する必要があるとの結論に至った。

写真2-69　放水部隊の出動

(2)　放水（1回目）

　作戦を立て直した後、同日23時30分、再度敷地内に入った。車両によりホースを約450m延長後、約350mは手作業によりホースを結合しながら送水態勢を整えた。1本50m、100kgを超える

写真2-70　原子力発電所正門前

ホースを隊員数名がかりで手びろめにより延長した。

　放水活動に46名、活動統制及び除染活動に36名が従事した。活動隊員の緊急避難用に第三消防方面本部消防救助機動部隊の特殊災害対策車を最前線に停車させ、測定専従隊員による線量測定をしながらの活動となった。

　19日0時30分、屈折放水塔車の高さ約22mの位置にあるノズルから、地上約50mの3号機建屋の残骸を越し、地上約30mの使用済み燃料プールに向かって、機関員が屈折放水塔車の放水角度を調整しながら、20分間、60トンの海水を放水した。

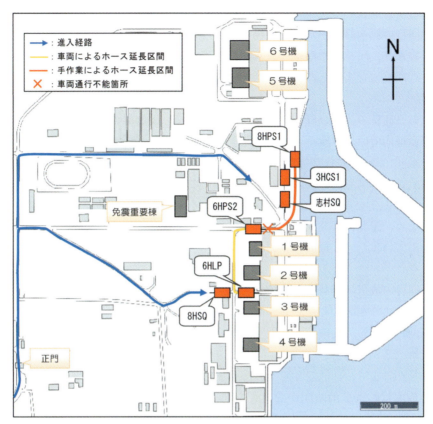

図2-17　放水活動の部署図①

図2-18　放水活動の部署図②

(3) 放水（2回目）

　1回目の放水終了から13時間後の19日14時05分から、2回目の放水を実施した。この放水は、屈折放水塔車の放水角度を固定しての無人放水により、13時間を超える長時間放水を実施した。放水活動に11名、指揮統制及び除染活動等に22名が従事した。

　この2回目の放水以降、敷地内の免震重要棟を最前線の活動拠点とした。この免震重要棟内では、防護マスクを離脱することができ、無線の使用環境も整っていた。

　放水前、3号機の使用済み燃料プールの温度は上昇し続けていたが、放水後は水温の上昇が抑制され、注水が有効であったことが確認された。3号機周辺の放射線量は60mSv/hと非常に高い値であったが、その放射線は、3号機の使用済み燃料だけでなく、爆発により飛散し瓦れきに付着した放射性物質や格納容器内の燃料棒からも出ているため、放射線量の変化から注水の効果を定量的に把握するのは困難であった。

　2回目の放水は13時間以上連続で実施したため、屈折放水塔車の排気ガス浄化装置が目詰まりを起こした。短時間での修理は不可能なことから、3回目以降は同型の車両に交代し、連続放水時間等に配意しながら活動することとなった。

(4) 放水（3〜5回目）

　3月25日まで、合計で5回の放水を実施し、総放水量は4,000トンを超えた。5回目の放水は、東京消防庁が設定した消防車両を活用して、川崎市消防局が実施した。

　その後、消防機関による放水以外に、民間の建設業者が、高層建物建設時に使用する特殊なコンクリート流入用車両を活用して、東京消防庁の方法と同様に、1号機、3号機及び4号機の使用済み燃料プールに放水を実施した。

表2-3　放水の状況

	放水期間		放水時間	放水量
1回目	19日	0時30分から	20分	60トン
	19日	0時50分まで		
2回目	19日	14時05分から	13時間35分	2,430トン
	20日	3時40分まで		
3回目	20日	21時30分から	6時間28分	1,137トン
	21日	3時58分まで		
4回目	22日	15時10分から	50分	150トン
	22日	16時00分まで		
5回目※	25日	13時30分から	2時間30分	450トン
	25日	16時00分まで		
合計			23時間43分	4,227トン

※5回目は、川崎市消防局による活動

(5) 関係機関等との連携

　3月20日以降、消防庁長官から消防総監への依頼を受け、東京電力本社にある福

島原子力発電所事故対策統合本部内において消防機関の代表としてのリエゾン（＝連絡）対応を行った。

主な任務は、福島第一原発事故における緊急消防援助隊の統括、交替要員・消防車両等の確保に係る消防庁への依頼及び現地調整所における自衛隊等との調整であった。

(6) 隊員の被ばく量管理

活動に従事した隊員のうち、最も被ばく量が多かった隊員は29.8mSv/hで、10～20mSv/hが16名であった。東京消防庁は緊急時の人命救助のための被ばく量の基準を最大100mSv/hと設定しており、当該基準を超える結果には至らなかった。

※ 東京電力作業員の基準は、100mSv/hから250mSv/hに引き上げられている。

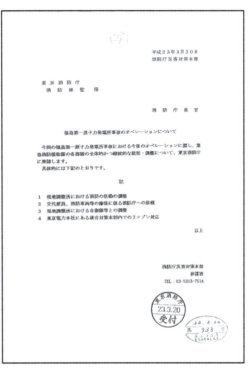

写真2-71　消防庁長官からの要請文書

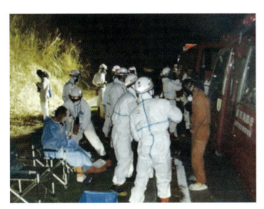

写真2-72　隊員の除染

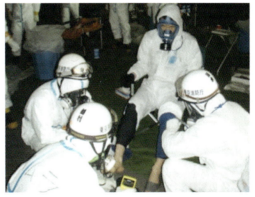

写真2-73　放射線量測定

(7) 屈折放水塔車の操作指導

5月11日に東京電力株式会社取締役社長から消防総監宛てに、福島第一原子力発電所敷地内の放射能に汚染された塵等への飛散防止剤散布のため、発電所内にある東京消防庁の屈折放水塔車の使用承諾及び東京電力関係作業員に対する操作指導について、文書にて依頼があった。

これを受け、平成23年5月14日、渋谷区幡ヶ谷にある東京消防庁の装備工場にて、東京電力関係作業員7名に対し、屈折放水塔車の操作指導を実施した。

その後、5月27日から6月10日までの間、操作指導を受けた作業員により屈折放

水塔車を使用して飛散防止剤の散布が行われた。
【資料写真】使用資機材等

（簡易型防護服）　（簡易型防護服＋防火服）　（簡易型防護服＋化学防護服（ディスポーザブル））
写真2-74　ホース延長隊員　　　　　　　　　写真2-75　線量測定隊員

写真2-76　特殊災害対策車　　　　　　　写真2-77　除染車
（鉛板で放射線を遮蔽）

6　特殊災害支援アドバイザーの活動
　(1)　派遣経緯等
　　　東京消防庁では、特殊な状況の災害に対応するため、各分野の専門家が災害状況を確認し（若しくは災害現場からの情報に基づき）、専門的な知見から安全かつ効率的な消防活動要領等に関する助言、指導等を得る「特殊災害支援アドバイザー」制度を運用している。
　　　福島第一原子力発電所における活動では、放射線量等の環境に応じた活動隊員の健康管理に加え、万が一活動隊員が被ばくした場合の専門処置を早期に実施するた

め、杏林大学病院の医師である東京消防庁特殊災害支援アドバイザーが東京DMATとして東京DMAT連携隊とともに出動することとなった。

1回目の出動先は、福島県いわき市消防本部平消防署四倉分署、2回目の出動先は福島県双葉郡楢葉町のJヴィレッジであった。

表2-4 派遣状況一覧

出動命令	部隊種別	派遣隊（括弧内は連携隊）
3/18 17：45	二次派遣	杏林大学病院（武蔵野）
3/24 8：45	七次派遣	杏林大学病院（三鷹、町田）

(2) 活動内容

福島第一原子力発電所事故への対応に伴い、特殊災害支援アドバイザーから、活動隊員の被ばくによる影響を最小限に食い止めるための、隊員の活動管理及び個人ごとの被ばく線量管理、安定ヨウ素剤の服用等に関する多くの助言及び支援を現地で受けた。

特殊災害支援アドバイザーは、Jヴィレッジにおいて朝夕2回開催される合同連絡会議（東京電力本社対策本部、Jヴィレッジ、福島第一原子力発

写真2-78 Jヴィレッジでの検討状況

電所、福島第二原子力発電所、柏崎刈羽原子力発電所、福島県庁オフサイトセンターのテレビ会議）、及び夕方のJヴィレッジ合同調整会議（自衛隊、消防庁、東京消防庁、派遣消防本部、放射線医学総合研究所、原子力保安院等の会議）に出席し専門家としての助言等を行った。

また、3月28日、厚生労働省からの依頼により、Jヴィレッジ医療担当者会議（消防庁、厚生労働省、自衛隊、東京電力、放射線医学総合研究所等の会議）に出席し、現地での調整業務に当たった。

帰庁後も、特殊災害支援アドバイザーは、福島第一原子力発電所事故に伴う災害に出動した全隊員の臨時健康診断結果を確認し、医学的見地からの助言を行うなど、東京消防庁の行う隊員の健康管理に協力した。

なお、東京消防庁の特殊災害支援アドバイザーの派遣を契機として、消防庁からも、3月21日から4月1日まで救急専門医が、3月23日から4月2日まで診療放射線技師が派遣されている。

7 後方支援活動

(1) 通信手段の確保等

通信手段の途絶した被災地において、現地と警防本部（派遣隊支援本部）との情

報通信ネットワークを確保するため、指揮支援本部（いわき市総合体育館）に衛星携帯電話等を設定したほか、表2-5に示す対応を行った。

表2-5　通信手段の確保等

目　的	方　法
前進指揮本部（Jヴィレッジ）と派遣隊支援本部間の通信連絡	Jヴィレッジに衛星可搬局を設定 ※ファクシミリの送受信についても、本通信回線を利用
通信バックアップ環境等の強化	活動初期においては、Jヴィレッジ周辺の携帯電話回線が不安定だったため、情報通信工作車に積載されている衛星車載電話及び衛星携帯電話を活用
指揮支援本部と前進指揮本部間の通信手段の確保	指揮支援本部に伸縮ポールを活用した福島県防災行政無線の屋外アンテナを設営し、指揮支援本部からその周辺地域及びJヴィレッジ建物内との通話を実施
出動隊と前進指揮本部間との通信手段の確保	いわき市消防本部を中継し、前進指揮本部と出動隊間で、全国共通波（150MHz無線機）による通信を実施
活動支援	指揮支援本部及び前進指揮本部の活動支援を実施

第3節　B災害と疑わしい災害

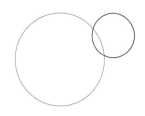

事例　70　地下鉄車内で白い粉がまかれた危険排除

1　災害概要

　駅の地下5階にある列車の折り返しヤードに停車した当駅止まりの回送電車内に白い粉が散乱していた。乗客乗務員にけが人は発生していない。管轄の指揮隊現場到着時、警察が先着して活動を行っており、警察のNBCテロ捜査隊と特殊災害部隊、3本部機動部隊により、白い粉の分析を実施した。分析の結果、白い粉の主成分は片栗粉（バレイショデンプン）と判明し、特殊災害部隊の生物剤チケットによる判定が陰性であったとの分析による「生物剤の反応なし」の情報とあわせて、「危険性なし」の判断をして活動を終了した。

覚　　　　知	平成17年7月　15時45分（地下鉄専用加入電話）
発　生　場　所	地下鉄駅　引込み線車両内
119番通報内容	終点の電車を引込み線に停車させ、電車の客席の点検を行っていた運転手が、最後部車両の座席と床に白い粉がまかれているのを発見した。白い粉はビニール袋に入ったものも置かれていた。
受　傷　者	なし
出　動　隊	ポンプ隊1隊、救急隊1隊、指揮隊1隊、特殊災害部隊1隊、3本部機動部隊　計5隊
使用測定器	HazMat ID、生物剤チケット

2　活動概要

(1) 消防活動

　　3本部機動部隊長が、分析をしていた警察職員から分析結果を聞いたところ、「澱粉であり、生物剤は含まれていない。」という結果が提供された。

(2) 分析結果

　ア　原因物質

　　　片栗粉

　イ　測定に使用した資機材

　　　HazMat ID

ウ　測定経緯

　　警察から入手した白い粉を使用した。

3　所見

(1)　「白い粉事案」による通報の多くは、110番に入電し、現場に「気分が悪い」等の受傷者がある場合などに警察から消防に転送される。したがって、消防隊が現場に到着する時点では、既に警察による調査も捜査も終わっていることも多く、警察からの情報を収集することで、初期の対応要領が決定できる。

(2)　「白い粉事案」が起こると、粉に接触した人の中で「気分が悪い」という者が出ることがあるが、感染から発病までの時間を考えて、精神的なショックによるものか、若しくは白い粉が有害な化学物質の可能性が高い。

写真2-79　現場状況

(3)　「白い粉事案」の第1報が消防に入った場合は、

　ア　感染防止レベルの身体保護と呼吸保護具を着装する。

　イ　消防警戒区域、感染危険区域を設定する。

　ウ　現場の白い粉が飛散しないようにビニールシート等で養生する。

　エ　白い粉の成分分析、生物剤チケットやPCR法測定器で生物剤が含まれているかを分析する。

(4)　HazMat IDがタンパク質を検出し、生物剤チケットに陽性反応が出たら、保健所等の関係機関との連携を開始する。

(5)　活動隊員の除染体制は、水による除染から次亜塩素酸ナトリウムによる除染に切り替える。

第4節 特殊火災

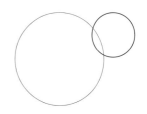

事例 71 博物館爆発火災事故

1 災害概要

町役場敷地内に建つ、博物館と中央公民館とからなる複合用途建築物の博物館の文書収蔵庫で天然ガスによる爆発火災事故が発生、博物館側の鉄筋コンクリート造平屋建コンクリート下地、銅板葺、建築延面積891.465㎡を全損し、中央公民館側の鉄筋コンクリート造3階建の窓ガラス及び外壁等を破損、駐車中の車両48台が損壊した。

人的被害にあっては、女性1名と男性1名の計2名で、男性にあっては、駆け付けた役場職員により発見、救出され、ドクターヘリにて病院収容、女性は救出時点で死亡が確認された。

なお、この爆発により、同一敷地内に建つ町役場内に設置された震度計で、震度2を観測した。

覚　　　　知	平成16年7月　8時59分（119）
発 生 場 所	耐火造3／1複合用途建築物　博物館地下1階文書収蔵庫
119番通報内容	博物館で爆発事故が発生、爆発音とともに屋根が噴き飛び受傷者がいる模様。
受　傷　者	女性1名と男性1名
出　動　隊	指揮原調車1台、警防車1台、署所指揮車2台、水槽付き消防ポンプ自動車3台、救助工作車1台、救急車3台（高規格1台、2B2台）、消防団車両20台　計31台 活動人員は消防職員62名、消防団員197名　計259名
使 用 測 定 器	酸欠空気危険性ガス測定器（GX-111）、GL-103、コスモテクター（高濃度ガス検知器）、マノメーター（高精度圧力計）、デドラーバッグ（ガス採取器）　※　警察関係使用機材を含む

2 活動概要
(1) 救出活動

119番入電後、消防隊8隊がほぼ同時出動、現場指揮本部を設置し活動を開始した。先着した救急隊が、役場職員により発見救出された男性を車内収容、119番入電と同時に要請したドクターヘリに引き継ぎ病院収容した。

写真2-80　現場状況

　消防隊は、関係者から行方不明者等の聞き込み調査を実施、聞き込み当初は2名の行方不明者がいるとのことであったが、その後1名であることが判明、警戒区域を設定したうえで行方不明者の捜索活動を実施した。爆発した文書収蔵庫は、爆風により四方の壁及び天井が噴き飛び、室内には大量のコンクリートの瓦礫、古文書等が散乱しており、これらを手作業で取り除き行方不明者の捜索に当たった。

　ファイバースコープにて10時22分に行方不明者を発見するが、鉄筋コンクリートの壁厚約20cmの壁と壁に挟まれているため消防用救助資機材では救出が困難、民間業者の協力を得て大型掘削機等で壁を取り除き14時05分救出完了、救出時点で行方不明者の死亡を確認した。

(2) 調査活動

　翌日から警察が捜査令状を提示し、火災原因調査及び損害調査を建物内外に分けて実施する。損害調査実施班から、罹災建物北東側の水田からガスらしきものが出ているとの報告があり、GX-111を使用し測定すると可燃性ガスを検知する。建物内の調査にあっては、文書収蔵庫のコンクリート床面に、エアコンのダクト管と思われる管と床面に亀裂があるのを発見、GX-111で可燃性ガスを最高値で50%、コスモテクターで14%、GL-103で6,000ppmを検知する。損害調査班が発見した水田のガス噴出箇所と、文書収蔵庫内の床面からデドラーバッグを使用し採取したガスを鑑定すると天然ガスの成分を検知した。このことから、床面から噴出した天然ガスが窓もないタンク状の文書収蔵庫内に蓄積し、天然ガスの爆発限界である5%から14%に達したとき、古文書の保存管理のために使用した燻煙殺虫剤の火花が引火し、爆発したものと推定した。

　この調査には延べ8日間を要した。

写真2-81　建物上部の状況

写真2-82　建物内部の状況

3　所見

　最先着隊の消防隊及び救急隊は災害概要を把握できず、現場活動初期の段階において、呼吸保護具等を着装せず活動を実施、受傷者を救出後にガス検知作業を行った経緯があった。役場職員により受傷者を救出し、救急隊が一刻も早い救命措置をとった経過はあるが、爆発火災事故に関しては、災害現場内に可燃性ガス等が残留しているかどうか、ガスの検知作業及び呼吸保護具の着装が必要である。火災原因損害調査に当たっては、消防、警察、民間業者一体となって行い、消防及び警察が原因調査に当たる一方、民間業者は上方からの落下物等の排除及び安全管理面の監視に当たり、三者が一体となっての調査であった。

事例 72　製油所屋外タンク火災における消火活動（その1）

1　災害概要

平成15年9月26日4時50分に発生した北海道十勝沖地震（M8.0）により、ほぼ同時に浮き屋根式屋外タンク貯蔵所（円筒縦置型シングルデッキ、内径42.7m高さ24.39m、タンク容量32,778kL、出火時貯蔵量30,720kL）から出火し、リング火災及び防油堤内の火災となった。

覚　　　　　知	平成15年9月26日　4時52分
発 生 場 所	製油所（第一種レイアウト事業所）＃30006タンク（原油タンク）
119番通報内容	火災です。爆発、多分工場だ。見える限りかなり火柱が上がっている。
受 傷 者	なし
出 動 隊	消防本部：17隊、54名 共同防災組織：6隊、32名（自衛消防組織含む。） 広域消防応援：3隊、9名 緊急消防援助隊（航空隊含む。）：5隊、25名 石油備蓄基地共同防災組織（応援）：4隊、10名 計35隊、130名
使 用 測 定 器	ガス検知器

2　活動概要

十勝沖地震発生2分後の4時52分に火災を覚知した。

初期の段階で、公設消防、自衛消防隊、共同防災隊、3点セットを含めた消防車両22台により実施、逐次広域消防応援隊等を増強した。

現場到着時、タンク東側（写真2-83）及びタンク北側（配管破断）（写真2-84）の防油堤内の2箇所の火災及びリング火災（写真2-85）を視認している。

写真2-83

防油堤内の火災は、タンクのスロッシングによりタンクからオーバーフローした原油及び配管が破断し漏洩した原油が防油堤内で炎上したものである。

(1)　タンク東側火災

防油堤内タンク東側の火災は、

写真2-84

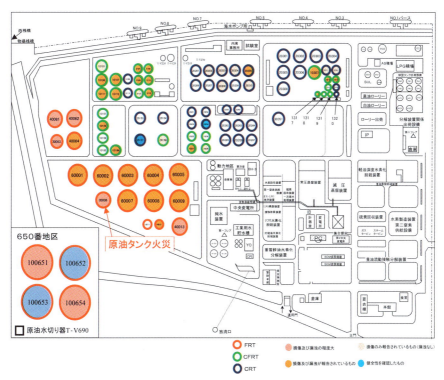

図2-19 製油所配置図

自衛消防隊と共同防災隊によって短時間で消火することができた。

(2) 北側配管火災

防油堤内タンク北側配管火災は、48B受け入れ配管1本と24B払い出し配管2本、破断箇所4箇所から炎上しており、熱と火勢が強く近づけず一挙に消火することは不可能な状況であった(写真2-86)。

配管内の原油を常設ポンプでスロップタンクへ移送しようとしたが、配管破断からエアーを吸い込むこととなり移送はできず、結果的に仮設のエアーポンプを設置しスロップタンクへ移送した。配管内の圧力が低下した段階で泡放射により消火した。消火後も原油の漏洩があったことから再出火防止のため、配管破断部の泡シールを

写真2-85

写真2-86

継続した。
(3) リング火災

リング火災は、高所放水車2台でフォームダムをめがけて泡放射を続けたが、リングの約半周は有効射程距離に達しなかったことから高所放水車による完全消火には至らなかった。また、固定泡消火設備は作動していたものの、固定泡消火設備のエアーブロー弁のシール部が熱により損傷しエアーフォームチャンバーからの泡放射はなかったものと考えられる。

写真2-87

現場は、余震が続く中での活動であり、隊員をタンクに上げない活動を模索し、隣接タンクから泡ハンドノズルによる泡放射を試みるが完全消火に至らず、最終的にヘリコプター及び梯子車からの監視体制、隣接タンク及び高所放水車からの援護体制の下で隊員をタンクに上げての消火活動となった（写真2-87、2-88）。

写真2-88

3 所見

配管内の原油移送及びタンク上での活動に躊躇したため、時間を要したがマニュアルどおりの消火活動ができたと考察している。

事例 73　製油所屋外タンク火災における消火活動（その２）

1　災害概要

平成15年9月26日に発生した北海道十勝沖地震（M8.0）により、浮き屋根式屋外タンク貯蔵所（円筒縦置型シングルデッキ、内径42.7m高さ24.39mタンク容量32,779kL、出火時貯蔵量26,600kL）の浮き屋根が破損し、浮き屋根が沈没、その後火災が発生し、タンクの全面火災に至った。

覚　　　知	平成15年9月28日　10時46分
発 生 場 所	製油所（第一種レイアウト事業所）＃30063タンク（ナフサタンク）
119番通報内容	出火報
受 傷 者	なし
出 動 隊	消防本部：22隊、65名 共同防災組織：7隊、28名（自衛消防組織含む。） 広域消防相互応援：9本部、25隊、92名 緊急消防応援隊（航空隊含む。）：10本部、34隊、102名 石油備蓄基地共同防災組織（応援）：3隊、11名 計91隊、298名
使 用 測 定 器	温度測定器、ガス検知器

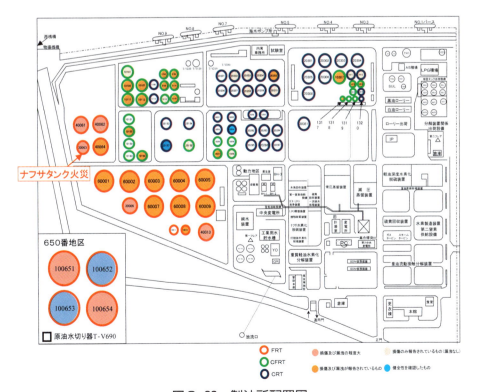

図2-20　製油所配置図

2　活動概要

　9月28日10時46分、火災覚知後、3点セットを含めた10台の公設消防隊及び自衛、共同防災隊10隊計20隊の消防隊が出動した。

　消火隊は、大型化学車、高所放水車及び泡原液搬送車の3点セット4セットで構成した。当地区では、公設消防、共同防災組織等で7セットを配置されているが、車両の修理及び地震による損壊で2台の高所放水車が出動できない状況であった。4台の高所放水車により泡放射を開始したが、火勢が衰えないことから12時58分、近接市に対し、3点セット及び化学車等の応援要請を行った。

　泡消火原液は、コンビナート火災対策として、155kLを備蓄していたが、26日発生した原油タンク火災等により、ほとんどを使用し保有量はわずかであったことから、直ちに、北海道が備蓄していた約140kLの泡消火原液の払出を開始した。その後、16時40分北海道に対して泡消火原液の緊急調達を要請した（同時に広域消防応援・緊急消防援助隊を要請）。

　火災タンクからの油の抜き取り（シフト）は、12時頃から毎時800kLで開始、タンクの3分の1をシフトするのに約12時間、シフト完了日時は29日23時頃の見込みであった。その後、タンクの座屈防止の観点からシフトを一時停止した。

　消火活動は、発災タンクが浮き屋根構造であることから爆発現象は発生しないこと、貯蔵物がナフサであり水より沸点が20度程度低いことからボイルオーバー発生の可能性はなくファイヤーボール現象に対する警戒と隣接タンク3基（油種灯油）への延焼危険を重視した活動を行った。

　火災タンクは、当初、黒煙と炎が北側に斜め上方に上昇していたが、風速が強まるとともに、北側タンクの上部から巻き込むようにタンクの側板やタンク内に吹き付ける状況に変化、延焼危険が増大していった（写真2-89）。

写真2-89

　隣接タンクのシフトは、発災タンクと同一配管系統によるシフトであり、同時シフトはシフト量が限定されることから風下側タンクを優先に実施した。

　延焼危険の隣接タンクは、上空ヘリコプターの「隣のタンクに火が着いた。」との目撃情報が報告されたが、北側及び東側の灯油タンクの浮き屋根上に漏洩した灯油が一時的に着火したものと推測されるも確認はなかった。

　延焼危険タンクの監視は、側板の温度測定（赤外線温度測定）やシフト油の温度測定により継続実施した。

　28日16時55分頃、大型高所放水車6台（2台増強）による一斉泡放射を行ったが、平均風速7〜8m、瞬間風速十数mと強く、タンク内へ十分な泡投入のできない状態が続

いた。その後もタンク内への泡投入やタンク冷却を繰り返し実施した（写真2-90）。

火炎の状況は、泡をタンク内に投入している時は黒煙が多く、輻射熱も少なかったが、泡放射を止め側板冷却のみの場合は炎が多くなり、ファイヤーボール現象に類似した中小規模の火球が出現し、強い輻射熱で直近での放水活動が困難となり、かつ、隣接タンクへの延焼危険が高まることが懸念される状況であったことから、十分な効果は期待できないが泡放射を継続せざるを得なかった。

写真2-90

29日2時頃、事業者が要請した大容量泡放射砲2台（毎分5,700L）が搬入された。消火活動は一進一退の繰り返しであり、隣接タンクへの延焼防止が重要な局面であったことから、1台は北面の隣接タンクの冷却を目的に、火災タンクの北側中仕切堤に配置、1台を南面中央に配置、6時50分高所放水車3台及び大容量泡放射砲1台により泡放射を開始した。開始時は、風速も最も強い時期であり、放射泡が風に押され十分な投入ができない状況が続いていた（写真2-91）。

写真2-91

泡消火剤の液面下注入方式による消火方法について、研究機関から提起され、大型化学車及び泡原液搬送車の配備を行い試みたが、実行中は火炎の赤熱部が増し輻射熱が強く感じられ、直近での活動が困難となってきたことから、その効果は確認できないが投入を中止した。

写真2-92

タンクの座屈現象は、発災1時間後から風下側で視認されており、風下北側から徐々に東西の風横側に進行していった。タンク冷却放水は、タンク消火放水と併用して行ったが、風横からの放水は強風に押されタンクに到達せず、風上から風横に流す以外に方法がなかった。タンク風下側は、防油

堤内の内側となり消防車部署不能の位置であり、唯一の防御手段であったタンク冷却散水設備は、早い段階から高熱にさらされ、ほとんど散水機能を失ったものと思われる。

29日13時20分頃、火災タンクに急速な座屈が始まり、消防隊員の一時退避が必要となり、放水を継続しながら隊員のみ一時退避を行った。タンクの座屈で一段と燃焼が激しく（酸素供給大）なり輻射熱により一部車両の塗装の変色や車幅灯の溶解、変形、芝生の炎上する状況も発生したが、最も心配されたナフサの防油堤内流出が発生しなかったことは幸いであった（写真2-92）。

写真2-93

座屈現象の状況、防油堤内流出の有無を確認後、消防隊を再配置し消火活動を再開した。風が弱まったこと、タンクが低くなったことにより、泡を十分に投入できるようになり徐々に火勢を抑える状況になった（写真2-93）。

写真2-94

20時頃、火炎は、東西に分割され制圧に向かったものの、座屈した側板、沈没した浮き屋根が泡の展開を阻害して完全消火には至らなかった。

小康状態の中、翌30日2時11分、再度火勢復活し急激に炎上したが、3時50分火勢をほぼ制圧、慎重な泡放射により5時10分鎮圧、タンク冷却及び泡シールの強化を行った後、30日6時55分に鎮火したものである（写真2-94）。

3　所見

この度の消火活動では、消防機械のトラブルも多く発生した。

泡消火剤の種類の相違により、薬液槽のストレーナ部分、バルブ等で薬剤がゲル化し、泡放射が不能になる車両が多く発生したほか、高熱や泡混合液の放射（自衛噴霧や他車の放射）のため高所放水車の各種スイッチや配線系統に絶縁不良等のトラブルが発生、部署車両の入れ替え等を強いられた。

切迫し混乱している火災現場で、積載泡原液を掌握し種類に適合する泡原液を絶やさずに補給していく体制の構築は困難な作業であった。

また、風の影響を受けやすい泡放射は、風上部署が絶対条件となり路上に大型車両を集中して配備することとなるが、トラブル発生車両の入れ替えは時間が多くかかり、消

火体制構築に多大な影響があった。

4 解説 製油所屋外タンク火災の活動原則
(1) 注水厳禁
　　泡の発泡状態が安定しない状態（よい泡でない状態）で放水すると、スロップオーバーを誘発する危険があるので、泡の状態がよい泡に安定してから複数の筒先を揃えて一気に消火を開始する。
(2) 同種泡消火薬剤の集結
　　泡消火薬剤を集結する場合には、異種泡消火薬剤の混合使用を防ぐために、同種泡消火薬剤ごとに集結する。
(3) 泡放射要領
　　泡放射は、1箇所に集中させて行う。散布放射は効果が激減する。
(4) 十分な泡消火薬剤を準備してからの消火開始
　　泡放射の途中で泡消火薬剤が不足すると、水の多い混合液が放射されるのでスロップオーバー誘発危険が増加する。泡消火薬剤の絶対量を集結してから消火を開始する。泡消火薬剤が十分でない場合は、周囲への延焼阻止を重点とする。
(5) タンクの冷却（座屈防止）
　　タンクの風上側からのみの消火によって、風下側との温度差によりタンクの座屈危険が発生する。タンク風下壁面（タンク上部の赤熱部分よりも1.5m以上下側部分）の冷却を同時進行するよう努力する。冷却注水はタンクの下方から行い、徐々に上部に注水する。
(6) Sub-Surface Injection消火法（SSI消火法）の実施
　　タンク側壁の底部から泡を注入するSSI消火法を実行するときは、油の巻き込みが少ない「フッ化たん白泡消火薬剤」「水成膜泡消火薬剤」を使用する。なお、浮き屋根式タンク火災の場合は、泡が油の表面に浮き上がることができないのでSSI消火法は実施できない。

事例 74　タイヤ製造工場火災

1　災害概要

タイヤ製造工場の精練棟（バンバリー棟ともいう。原材料ゴムと硫黄、オイル類の液体粉体薬品及びカーボンブラック等を混練りし、シート状のゴムに加工する施設）耐火造3階建ての2階から出火、同建物（延べ面積40,884㎡）を全焼した。また、隣接する屋外に野積みされていた製品タイヤに延焼拡大し、同タイヤ165,000本を焼失した。

覚　　　　知	平成15年9月　12時00分（119）
発　生　場　所	耐火造3／0タイヤ製造工場　2階（精練棟）
119番通報内容	タイヤ製造工場で、バンバリーの2階で火災が発生（通報者自身は現場を確認していないため詳細については、問い掛けに回答できない状態であった。）。
受　傷　者	なし
出　動　隊	消防隊174隊（県内応援隊60隊、緊急消防援助隊26隊を含む。）、救助隊1隊、救急隊1隊、航空隊3隊　計179隊
使 用 測 定 器	なし

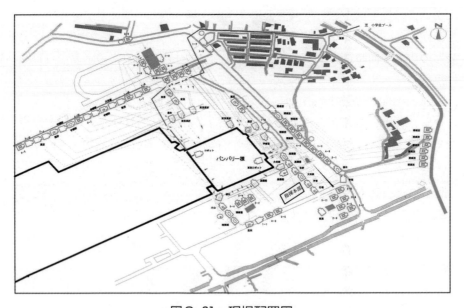

図2-21　現場配置図

2　活動概要

先着消防隊は、関係者に受傷者、逃げ遅れ者のいないことを確認し、直ちに消火活動に専念する。

出火階の2階はすでに火災が拡大し、消防隊の屋内進入ができないほど延焼拡大していた。

大規模な建物で地上から建物全体の状況を把握することが困難なため、航空隊の出動を要請し上空からの情報収集と消火活動を要請する。

　燃焼物がタイヤ製造用原材料のゴム類・化学薬品・ゴム半製品等のため、大量の黒煙と高温で激しい火炎が発生し消火活動は困難を極めた。

　大量の黒煙発生により風下側住民の避難を要請、さらに消防力の増強が必要となり、隣接消防本部・消防団、県内各消防本部、緊急消防援助隊指揮支援隊・特殊災害部隊を要請する。鎮火までに46時間30分を要した。

・鎮圧日時：発生翌日11時50分
・鎮火日時：発生翌々日10時30分

3　所見

　今回の火災がこのように拡大した最大の要因は、出火建物内のタイヤ製造の原料にあった。原料製造メーカーでは非危険物の判定をしているものでも、いったん着火すると危険物に相当する燃焼形態を現し、非常に消火が困難になる物品があった。

　また、各タイヤ製造工程中の混合された原料もその性状が把握しきれず、熱に対し複雑な反応を見せることが推測された。その他、鎮火までに時間を要した屋外の野積みタイヤに関しても指定可燃物として届出どおりに集積単位及び離隔距離を遵守していたにもかかわらず、すさまじいばかりの延焼を見せ、消火活動も効果が低いように見られた。

　このように消防力を超えた大規模な火災に際し、県内外からの迅速な応援消防隊の存在は活動上非常に大きなウエイトを占め、その存在により人的被害や付近の住宅地への被害拡大が阻止できた。

写真2-95　延焼状況

写真2-96　鎮火後の現場

事例 75　危険物移送車両の積荷（ガソリン）に引火した火災事例

1　災害概要

　国道の追越し車線走行中のタンクローリーのタンク（24kL）と、走行車線を左折中の大型トレーラーの積載していた鋼材（長さ約20m、重さ18トン）が接触した事故で、タンクローリーのタンクが損傷し、積載ガソリンが漏洩すると同時に接触時の摩擦熱によりガソリンに引火して火災となった。

　漏洩引火したガソリンは、道路上に流出して側溝をつたい、沿線の釣具店倉庫等20㎡及び自動販売機、ガードレール、送電線（トランス含む。）、電話線が焼損した。さらに、引火したガソリンは、側溝から水路に流れ落ち、水路の枯れ草、樹木も焼損した。積載ガソリンのうち、漏洩又は焼失したガソリンの量は、9,500Lであった。

覚　　　　知	平成10年10月　5時32分（119）
発 生 場 所	国道下り車線
119番通報内容	飲食店（国道北側）南で建物が燃えている（第1報）。その後の通報で、タンクローリーが炎上中であることが判明（119通報15件）。
受 傷 者	なし
出 動 隊	水槽付ポンプ車（タンク車）3隊、ポンプ車2隊、化学車1隊、泡原液搬送車1隊、救助工作車1隊、救急車1隊、指揮車1隊、査察車2隊、資機材搬送車2隊　計14隊
使 用 測 定 器	なし

2　活動概要

　建物が燃えているとの通報（第1報）で、建物火災指令により出動する。現場到着時、タンクローリーから高さ10m以上の火炎が立ち上がり、流出したガソリンが側溝をつたい、10箇所以上から火炎と黒煙を上げていた。

　先着隊は、要救助者及び受傷者がないのを確認し、ピックアップ方式による泡放水により、釣具店倉庫及び水路から吹き出ている火炎の消火活動を実施する。側溝から噴出している火炎は、西側から順次ホースを延長して消火する。化学車隊が現場到着後に、同時3線泡放水により鎮圧、鎮火させた。

3　所見

　ガソリン火災では、泡消火薬剤による一斉大量放水が必要であり、二次爆発の危険性も考えられることから、複数の高所放水車等からの泡放水を実施するため、近隣への応援要請が必要であった。流出したガソリンは、雨水用の側溝と用水路に流れ込み、自動販売機、ガードレール、送電線（トランス含む。）、電話線及び枯れ草等を焼損させたが、用水路が渇水状態だったため他に流出することはなかった。ガソリン等の流出現場では、必ず流路確認をする必要があり、水路又は下水道等の関係者と連携する必要がある。

事例 76　廃油地下タンク貯蔵所の爆発火災

1　災害概要

　廃油、廃液処理事業所において廃油を焼却処理中、廃油地下タンクの通気管からベーパーが勢いよく噴出し始めた。このため、当該事業所の所長が焼却炉を停止させるとともに、加入電話で所轄署に通報した。通報を受け現場に到着した消防隊がガス検知器等により調査していたところ、ベーパー噴出量が増大し、音をたてて噴出し始めたことから消防隊長が危険を察知し、隊員及び関係者を避難させた。その直後、地下タンクマンホールを破壊して廃油が噴出し爆発音と共に火災が発生した。なお、被害状況は次のとおりであった。
　(1)　人的被害：なし
　(2)　物的被害：火元である産業廃棄物焼却プラント（危険物一般取扱所）の付属設備機器、建物等のほか、隣接する3事業所の建物、車両等を焼損及び破損した。

覚　　　　知	平成9年5月　10時11分（加入電話）
発 生 場 所	危険物地下タンク貯蔵所　容量50,000L
119番通報内容	第一石油類廃油の地下タンク通気管から、何らかのガスが噴き出している。
受 傷 者	なし
出 動 隊	警戒出動：タンク車1隊、救助工作車1隊、指揮車1隊 特命出動：タンク車1隊、化学車1隊、その他（資材搬送車）1台（石油コンビナート火災出動）高所放水車2隊、化学車3隊、消防艇2隊、救急車1隊、その他（広報車）1台 計13隊、13台、2艇
使用測定器	酸欠空気危険性ガス測定器（GX-111）

2　活動概要

　(1)　警戒出動した消防隊は、警戒筒先（ピックアップノズルによる泡放射）1本を配備するとともに、GX-111にて周辺の可燃性ガス測定を実施し、ガス濃度が爆発下限界未満であることを確認した。
　　また、警戒筒先の増強を図るため、ターレット3基を積載した化学車及びタンク車の特命出動を要請した。
　(2)　現場到着から約20分後、地下タンク通気管からのベーパー噴出量が増大してきたため、隊員及び関係者を避難させた。
　(3)　隊員及び関係者が避難した直後、地下タンクマンホールを破壊して廃油が噴出し爆発音と共に火災が発生したため、石油コンビナート火災出動部隊の出動を要請した。
　(4)　冷却注水による延焼防止及び高所放水車、消防艇による泡放射等を実施し、火災は14時45分に鎮火した。

写真2-97　火災発生時の状況

写真2-98　施設の焼損、破損状況

写真2-99　地下タンク貯蔵所の状況（事故後）

3　所見

　調査の結果、本火災の原因は、アクリロニトリルを含む廃油に過酸化物を含む廃油を混合させたことにより、地下タンク内で重合反応が起こり、重合熱により地下タンク内部の温度が上昇、加圧状態となり通気管からベーパーが多量に噴出した。その後、さらに圧力が高まったことから鋼製マンホール蓋が吹き飛び、この部分から廃油が一気に噴出したため、付近に設置されている焼却炉の余熱により着火し火災に至ったものと推定された。

　このことから、産業廃棄物（廃油）は焼却処分されるためか、組成や成分が不明なまま、また、処理を急ぐあまり混合危険性が把握されていない状態で取り扱われてしまうこともある。したがって、この種の施設での現場活動においては、爆発等の危険性が潜在していることを予測し、発災の予兆を見逃すことなく二次災害を回避する的確な判断を行うことが必要であると考える。

事例 77　アルミニウムから出火した火災

1　災害概要

産業廃棄物中間処理業の作業場内で鉄骨の溶断作業をしていたところ、飛散した火花により付近のドラム缶4本に集積された粒子状のアルミニウム屑約360kgに着火し、火災となった。

覚　　　　知	平成17年2月　7時57分（119）
発 生 場 所	準耐火造2／0作業場
119番通報内容	倉庫内のアルミニウム屑を集積したドラム缶に着火
受 傷 者	なし
出 動 隊	警防隊10隊、救急隊1隊、指揮隊1隊、救助隊2隊、航空隊1隊、消防団5分団　計15隊、5分団
使用測定器	なし

2　活動概要

災害救急指令センターは火災指令後、出動隊に対しアルミニウムの性状等についての情報を送信した。

消防隊の現場到着時、1本のドラム缶内のアルミニウム屑が燃焼し、他のアルミニウム屑を集積したドラム缶及び周辺の可燃物へ延焼中であった。関係者は避難済みで、要救助者はない状況であった。

初動時、消火方法として乾燥砂の使用による直接消火を検討し、保有先の確認を行ったが、必要量の乾燥砂を早急に準備することが困難な状況であった。アルミニウム屑及びその周囲の燃焼状況から急速に延焼拡大する危険性は低いと判断されたことから、アルミニウム屑以外の燃焼物の消火及び延焼のおそれがある物品等の除去により、火災の延焼拡大を抑制することを主とした防ぎょ活動を行った。

写真2-100　火災状況

周囲の燃焼物の消火手段として、まず消防車両に積載されたABC粉末消火器を使用した。次に、消防隊が水防活動用に備蓄されていた土のうを現場へ搬送し、その中の砂を

写真2-101　活動状況

写真2-102　鎮火後のアルミニウム屑の状況

取り出して散布した。また、消火困難な物品等については、重機（関係者保有）を活用して屋外へ搬出し、放水により消火した。

　アルミニウム屑の燃焼が沈静した時点で、集積用のドラム缶を屋外の安全な空き地まで搬送し、作業場内に放水して残火鎮圧を行った。

　その後、アルミニウム屑の燃焼が完全に終息したことを確認し、鎮火に至った。

3　所見

　本事案では粒子状に破砕され、集積されていたアルミニウム屑から出火した。アルミニウム等の金属が燃焼している火災の場合、燃焼している金属に水分が接触すると水蒸気爆発等の危険性があり、火災を拡大させるおそれがある。このため注水はもとより水溶液の消火薬剤等を使用した直接消火は厳禁である。

　また、ABC粉末消火器は、燃焼している金属に対して消火効果がほとんどないため、延焼抑制等への活用となるが、本事案では、燃焼しているアルミニウム屑の一部が薬剤の放射圧によって飛散し、燃焼箇所が拡大する場面もあり、使用に際しては注意する必要がある。

事例　78　アクリル酸製造設備の爆発火災事故

1　災害概要

高純度アクリル酸製造プラントでアクリル酸混じりの廃液（以下「アクリル酸廃液」という。）を貯蔵するタンクが爆発し、火災が発生するとともに燃焼したアクリル酸廃液が周囲広範囲へ飛散し一気に火災が拡大したため、活動中の消防隊員等が多数受傷した。

覚　　　　知	平成24年９月　14時33分（消防隊活動中に爆発火災が発生したため、消防隊が自己覚知したもの）
気　　　　象	天候：晴れ、風向：南西、風速：3.0m/s、湿度：46％、気温：26.1℃
発　生　場　所	アクリル酸製造施設製造所（危険物施設（第四類））
119番通報内容	「○地区内異常反応、第四類第二石油類のアクリル酸から煙が出ている。」（ホットライン）
受　傷　者	37名（活動隊員25名）
出　動　隊	管轄本部：消防車25台、救急車８台、その他の車両11台 他本部：消防車等12台、救急車10台、ヘリコプター２機、ドクターカー３台
使 用 測 定 器	なし

2　活動概要

(1) 活動状況

ア　初期活動時系列

① 13時48分（警戒出動指令）

事業所からホットラインで通報を受け、管轄する消防署から消防隊を警戒出動させた。

② 13時57分（警戒出動隊到着時の状況）

消防隊が事業所正門に到着し、従業員に状況説明を求めるとともに、従業員１名を消防車両に同乗させた。プラント施設内の精製塔で分離された廃液を回収塔に送る際の液量を調節するために一時貯蔵するタンク（以下「中間タンク」という。）から白煙が上昇し自衛防災組織が高所放水車で当該タンクへの放水を実施していた。

消防隊は、情報指令課へ「コンビナート出動」を要請するとともに、付近に火災警戒区域を設定し、従業員を区域外へ退避させた。

③ 14時05分（コンビナート第１出動指令）

コンビナート第１出動指令により、消防隊７隊、救急隊１隊が出動し、近隣消防署から化学車隊、高所放水車隊、本部指揮支援隊等が到着した。

④ 14時33分（爆発発生）

中間タンクが爆発し、爆発音とともに周囲へ同心円状に広範囲で燃焼したアクリル酸廃液が隙間なく飛散し、一気に火災が拡大し、多数の受傷者が発生した。

⑤ 14時35分頃（応援要請）
　情報指令課へ応援を要請
⑥ 14時37分（大規模救助救急指令）
　大規模救助救急指令により、救助隊2隊、消防隊2隊、救急隊1隊の計5隊を出動させ、現場での応急救護に当たらせた。
⑦ 15時05分（コンビナート第2出動指令、他都市消防本部への応援要請）
　コンビナート第2出動指令により、消防隊3隊を出動させた。その後も適宜特命出動で消防隊、救急隊を増隊出動させたほか、県広域消防相互応援協定に基づき、8消防本部へ消防隊、救急隊の応援要請を行った。
⑧ 15時50分（使用停止命令）
　全ての許可施設168施設に対して消防法第12条の3の規定に基づき、使用停止命令を発令した。

写真2-103　全景（消防防災航空隊撮影）

写真2-104　消火活動の状況

イ 消防活動の終了
　現場では、周囲のタンクや配管からの危険物抜き取り作業を継続しており、消防庁の専門的なアドバイスを受けて、周辺施設からの再出火の危険性がないことを確認し、翌日の15時30分に鎮火と判断した。
ウ その他
　① 焼損状況
　　防油堤内の中間タンクは、原形をとどめず側板はめくれ返り東側へ飛ばされ、残存した基礎部分を中心に広範囲で製造設備等が焼損している（写真2-105）。

写真2-105　焼損状況（爆発した中間タンク周囲）

　② 焼損範囲
　　中間タンク基礎部分を中心に半径50m以内には燃焼したアクリル酸廃液が飛散し、製造設備、建物、消防車両等が焼損している。タンクは側板から天板の中央にかけて裂け、天板は側板の一部と接合されたまま二つに割れ、片方は中間タンクから北東側のA地点、片方は正反対側の南西側B地点の位置に飛ばされている（図2-22、2-23、写真2-106）。

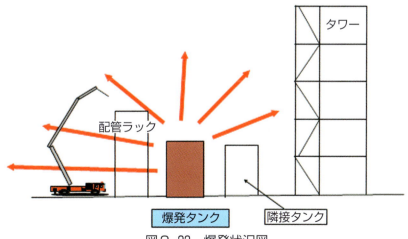

図2-22　爆発状況図

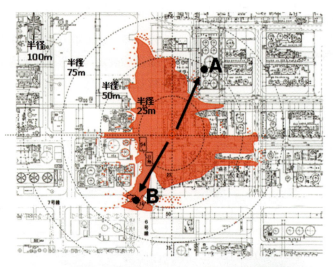

図2-23 焼損範囲及び中間タンク天板等飛散状況図

写真2-106 南西側へ飛散した天板（図2-23のB地点）

③ タンクの放爆構造

屋外タンクは、危険物の爆発等によりタンクの内圧が異常に上昇した場合に内部のガス又は蒸気を上部に放出することができる構造とすることと危険物の規制に関する政令第11条第1項第6号に規定されている。固定屋根式屋外貯蔵タンクの側板と屋根部分の溶接構造は、一般的に側板と側板、側板と底板との溶接強度より弱くし、爆発時に天板が放爆する構造となっている。本件火災では、タンクの側板から亀裂が発生した可能性があることが分かった。

④ 出火の原因

現場見分の結果、中間タンクの液温を一定に保つ付帯設備が正常に作動されていないことが判明した。中間タンクは、アクリル酸が含まれている大量の液体を貯蔵し、冷却が不足したことから、内容物のアクリル酸が重合反応を起こし、更に温度が上昇することにより反応が進行し、爆発したものと推定する。

3 所見

確実な警防体制及び隊員の安全を確保する目的で、予防・警防対策等について検証を実施し、次の六つの項目を柱とする方策の構築に向けた取組を実施することとした。
(1)　消防活動体制の構築
　　　指揮体制確立を目的に情報収集、安全管理を担う指揮隊の設置への取組実施
(2)　情報収集体制強化
　　　事前：積極的な立入検査、警防計画の適宜見直し、事業所との連携強化（合同訓練、合同連絡会、合同研修会の実施）
　　　現場：消防技術説明者（特定事業所で選任させ、災害情報を消防機関へ正確に伝達する担当者）を新設し連携を図る。
(3)　安全管理体制の強化
　　ア　出動基準見直し（事業所との役割を明確化）
　　イ　消防戦術見直し（コンビナート活動指針作成）
　　ウ　活動困難災害対応策見直し（大規模災害時の活動指針作成、安全管理要綱の修正）
　　エ　安全管理研修実施（学識経験者研修実施）
(4)　事業所との連携
　　ア　自衛消防隊（合同訓練、合同研修実施）
　　イ　警防的査察（事業所との連携目的での実施）
　　ウ　消防技術説明者の新設（情報共有化）
(5)　消防活動能力向上
　　ア　隊員育成（化学危険物知識習得研修、指揮者研修、指揮担当者研修、昇任者研修、先進消防本部派遣研修）
　　イ　知識・情報共有（警防・予防の連携強化）
(6)　装備・資機材の充実
　　ア　消防ロボット導入の検討（現場の無人化）
　　イ　産官学による耐化学薬品対応防火衣の開発

写真2-107　耐化学薬品対応防火衣

ウ　無人泡放水銃、無人放水銃の導入

写真2-108　無人泡放水銃による放水訓練

4　解説　アクリル酸

　アクリル酸及びアクリル酸エステル類は、刺激臭のある無色透明な引火性液体（消防法第四類第二石油類）である。化学的性質は、分子中に二重結合を有するため、反応性に富み、種々の化学反応を起こすことが挙げられ、主な二重結合に関わる反応としては、二量体（DAA）生成反応と重合反応が挙げられる。このため、アクリル酸製造工程中には各所において、重合反応を抑制する目的で安定剤が添加されている。

〔参考１〕主なNBC関連測定器

※「第2章　NBC災害事例」等で使用されている測定器を紹介する。

ガス検知器

ガラス管内に薬剤を封入したガス測定器で、ポンプでサンプリングしたガスをガラス管内を通過させることによって、薬剤が呈色反応を示してガスの定性・定量分析ができる。分析結果は精密でppmオーダーの分解能がある。
対象ガスごとのガス検知管とガス採取器（ポンプ）で構成されるセットである。

●ドレーゲル検知管

●北川式ガス検知器

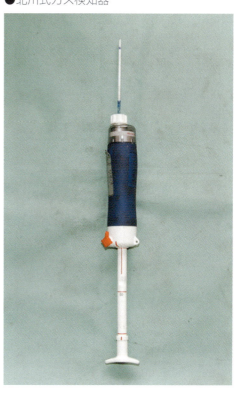

酸欠空気危険性ガス測定器

可燃性ガス、酸素濃度、硫化水素濃度、一酸化炭素濃度の同時測定ができ、それぞれ爆発下限界の30％濃度、許容濃度に達すると警報を発する機能を持っている。

● GX-2012

携帯式可燃性ガス警報器

接触燃焼式の可燃性ガス警報器で、メタンを基準とする一般可燃性ガス、都市ガスに対応する。

● GP-01

測定対象：可燃性ガス
サイズ：W35×H104×D20mm　約80ｇ
電源：専用Ni-Cd乾電池又は単４形乾電池２本使用

可搬型質量分析ガスクロマトグラフィ

可搬式の屋外使用が可能な、質量分析装置。10万種類のガス状化学物質の定性・定量分析ができる。

●GUARDION

●HAPSITE

可搬型赤外線分析装置

可搬式の屋外使用が可能な、化学物質検出装置で、7万種類の固体・液体状化学物質の定性分析ができる。無線でデータ通信ができる本体とノートパソコンで構成され、本体は防水性能を持っており、汚染されても除染が可能である。

●HazMat ID

携帯型化学剤検知器

化学兵器に使われる化学物質を、神経剤、びらん剤、血液剤、窒息剤、不明物質の分類によって検出し、定量分析する。検出した場合は、警報を発する。

● LCD

● Chempro 100i

携帯式生物剤検知器

生物剤を病原菌ごとにテストするチケット式の検知器である。

● 生物剤検知チケット（又は生物剤テストストリップ）

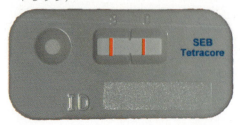

放射線測定器

機種によって環境測定、汚染検査、個人被ばく管理の用途に使用される。

◇シンチレーションカウンタ（線源同定機能付き）
● PDS-100GN/ID

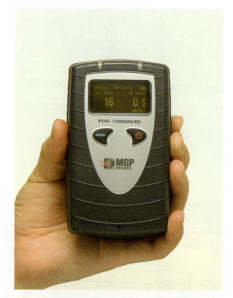

◇γ線・中性子線測定用
● HDS-101GN

◇GM計数管(汚染検査用)
●RDS-80

◇GM計数管(環境測定用)
●RDS-30

◇電離箱
● ICS-323C

◇個人線量計
● DOSEi-nγ
γ（X）線、中性子線を検出して警報を発する。

◇中性子線測定器
● ASP2e/NRD

〔参考２〕訓練実施の主な現示要領

1　酸欠空気危険性ガス測定器による測定時の現示要領
　○　**活動のポイント**
　　・　吸引ホースの長さに応じて、物質吸引に時間がかかり測定結果表示まで時間を要する。
　　・　可燃性ガスは、ガスの種類により測定器に付属の換算表を活用した測定結果の換算を要する。
　　・　GX-2003、GX-2012は、電源投入後に手動校正が必要である。
　○　**現示の準備**
　　・　測定場所及び測定場所に応じた各種ガスの濃度を設定する。
　　・　屋内等閉鎖空間の場合、蒸気比重を考慮した測定場所を設定する。【応用】
　　・　測定場所に対応したカードを作成する。

　　※　酸欠空気危険性ガス測定器用現示カード作成例

	現示内容	現示カード記載内容
裏面	測定中	物質吸引・測定中
表面	全て反応なし	可燃性ガス……………………　実測値 酸素……………………………　実測値 一酸化炭素……………………　実測値 硫化水素………………………　実測値
表面	硫化水素のみ５ppmの反応 他の３種ガスは反応なし	可燃性ガス……………………　実測値 酸素……………………………　実測値 一酸化炭素……………………　実測値 硫化水素………………………　５ppm
表面	硫化水素→測定上限超過 可燃性ガス→２％LEL 他の２種は反応なし	可燃性ガス……………………　２％LEL 酸素……………………………　実測値 一酸化炭素……………………　実測値 硫化水素………………………　Over

　○　**現示要領**
　　・　機器の状態を確認し、手動校正が終了し、測定が開始されていることを確認する。
　　　　手動校正中の場合は、校正終了まで結果の提示をせず、電源未投入の場合はガスの影響のないところで機器の準備をやり直させる。
　　・　測定者から測定開始の意思表示がされたら、カードの裏面「測定中」の現示を

行い、機種及び吸引ホースの長さに応じた時間経過後にカード表面の測定値（上記「現示カード作成例」を参考）を提示する。
　なお、浮子式ガス採集器を使用しない場合は、測定開始の意思表示後、一息おいて表面（測定値面）を提示する。

> 【吸引ホースと提示時間の例】
> 　浮子式ガス採集器（8m）を使用した場合、20秒経過後提示

- ガスの種類により蒸気比重が違うことから、想定したガスにより測定結果が出る場所を低所、居室内上部等蒸気比重に応じた場所に限定すると、さらに実戦的になる。

酸欠空気危険性ガス測定器の写真を活用した現示例

測定器の写真に、Wordのテキストボックス等の描画により想定数値を入れ込む。

2 ドレーゲル検知管による測定時の現示要領
　○　活動のポイント
　　・　想定ガスに応じた検知管を使用しないと反応しない又は正しい結果が示されない。
　　・　検知管に設定された吸引回数、実際に吸引させる回数及び検知管の反応結果から物質の濃度の計算が必要となる。
　　・　ポンプに検知管を差し込む際に、正しい向きで差し込まないと正しい結果が示されない。
　　・　ポンプの圧縮・解放の動作をしっかり行い、適正量のガスを吸引しないと正しい結果が示されない。
　○　現示の準備
　　・　期限切れ検知管を活用する。
　　・　測定場所及び測定場所に応じた各種ガスの濃度を設定する。
　　・　屋内等閉鎖空間の場合、蒸気比重を考慮した測定場所を設定する。【応用】
　　・　測定場所に対応したカードを作成する。

　　※　ドレーゲル検知管用現示カード作成例
　　　・　吸引回数10回、測定濃度50ppmに設定されている検知管を活用した測定訓練

現示内容	現示のタイミング		現示カード記載内容
測定中	吸引開始から設定した吸引回数までの間	裏面	物質吸引・測定中
反応ない場合	10回吸引した時点で表面を提示	表面	吸引回数＝10 実測値
ガス濃度 10ppmの場合	10回吸引した時点で表面を提示	表面	吸引回数＝10 10ppm
ガス濃度 200ppmの場合	2回吸引した時点で表面を提示	表面	吸引回数＝2 40ppm

濃度表示を数値でなく、実際の検知管を使用した現示（2回吸引で40ppm反応の例）

2回吸引した結果、40ppmの目盛の位置まで反応

両端をテープ等で密閉　　40ppmまで反応させた検知管を貼り付け

　○　現示要領
　　・　検知管の種類を確認し、想定しているガスに適合するか確認する。適合していない場合は、検知管が不適であることを伝え、検知管の選択からやり直させる。

- 期限切れの検知管を活用し測定訓練を実施する際は、検知管の開封状況を確認し、開封されていない場合は機器の準備をやり直させる。
- 検知管の差し込み方向を確認し、向きが合っていることを確認する。向きが合っていない場合は、機器の準備をやり直させる。
- 活動隊から測定開始の意思表示がされポンプの吸引を開始したら、カードの裏面（測定中）の提示を行い、測定場所に設定した吸引回数（現示カードに記載の回数）を吸引したところでカード表面の測定値（上記「現示カード作成例」を参考）を提示する。

> ※　ドレーゲル検知管の実戦的な訓練要領
> 　　有効期限切れの検知管を訓練用とし、実際に検知管を開封して訓練を実施する。
> 　　（検知管の開封要領、吸引時のポンプの動きなどを体感する。）

ドレーゲル検知管の写真を活用した現示例

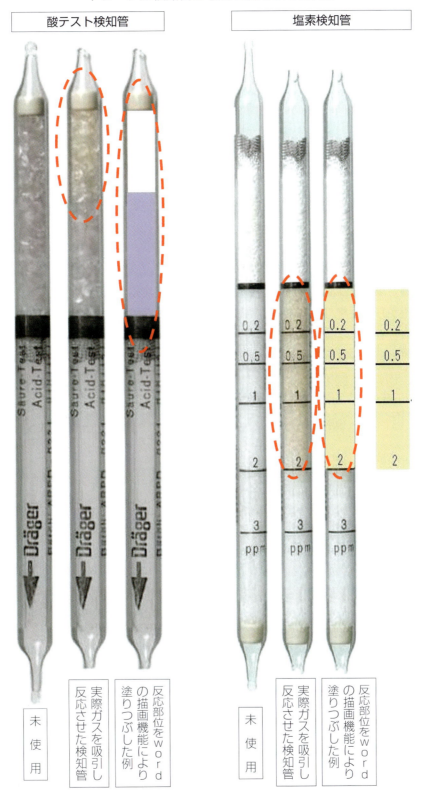

315

3 放射線測定器(環境測定用)による測定時の現示要領
  ○ 活動のポイント
    ・ 出動時に電源を投入する必要がある。
    ・ 自然界には放射線が存在することから、電源投入時のバックグラウンドレベルを把握する必要がある。
    ・ 測定器には検出部が存在することから、測定しようとする場所に応じて測定器の向きを変える必要がある。
    ・ 測定器により検出可能な放射線の種類及び測定範囲が決まっているため、災害現場に合わせ、測定器を選択する必要がある。
    ・ 測定器の種類により、反応に時間差があることから、正確な測定値を把握する場合は測定値が安定するまで静止する。
    ・ 測定器自体の汚染に配意する必要がある。
  ○ 現示の準備
    ・ 放射線の発生場所を決める。
    ・ 測定場所及び測定場所に応じた空間線量率を設定する。その際、放射線の発生場所からの距離(放射線の強さは発生源からの距離の二乗に反比例する)及び遮蔽物の有無を考慮する。
    ・ 測定場所に対応したカードを作成する。

    ※ 放射線測定器(環境測定用)用現示カード作成例

現示内容	現示カード記載内容
測定した結果、数値変化なし	実測値(バックグラウンドレベル)
測定した結果、0.4μSv/h検出	0.4μSv/h

  ○ 現示要領
    ・ 機器の状態を確認し、電源が投入されていることを確認する。電源未投入の場合、測定結果等を現示せず機器の準備をやり直させる。
    ・ 活動隊から測定開始の意思表示がされたら、カードを提示する。
    ・ 測定器の検出部が測定面に面していることを確認し、検出部の向きが不適切な場合は、測定者に告げ是正させる。
    ・ 汚染箇所に設定した部位に測定器を接触させた場合、測定器が汚染したことを測定者に告げる。ただし、測定器がビニール袋やラップなどで被覆されている場合は、ビニール袋等を除去することにより再測定可能とする。

4 放射線測定器（汚染検査用）による測定時の現示要領
- ○ 活動のポイント
  - ・ 自然界には放射線が存在することから、電源投入時にバックグラウンドレベルを把握する必要がある。
  - ・ 測定器には検出部が存在することから、測定しようとする場所に応じて測定器の向きを変える必要がある。
  - ・ 測定器の反応に時間差があることから、測定器の移動速度が速すぎると正確な測定結果が示されない（汚染検査の際の測定器の動きは、1秒間に3～6cmの速さとする。）。
  - ・ 測定器自体の汚染に配意する必要がある。
- ○ 現示の準備
  - ・ 隊員又は要救助者の汚染箇所を決める。
  - ・ 汚染箇所の計数率を設定する。
  - ・ 汚染場所に対応したカードを作成する。

※ 放射線測定器（汚染検査用）用現示カード作成例

現示内容	現示カード記載内容
測定した結果、数値変化なし	（実測値）バックグラウンドレベル
測定した結果、50CPS検出	50CPS

- ○ 現示要領
  - ・ 機器の状態を確認し、電源が投入されていることを確認する。電源未投入の場合、測定結果等を現示せず機器の準備をやり直させる。
  - ・ 測定器の検出部が測定面に面していることを確認し、検出部の向きが不適切な場合は、測定者に告げ是正させる。また、測定面と汚染検査対象が1cm以上離れている場合は、測定面と汚染検査対象の距離が1cm以内となるよう是正する。
  - ・ 活動隊が汚染検査を開始し、測定器が汚染箇所に移動したところでカードを提示する。
  - ・ 汚染箇所に設定した部位に測定器を接触させた場合、測定器が汚染したものとして使用不能を測定者に告げる。ただし、測定器がビニール袋やラップなどで被覆されている場合は、ビニール袋等を除去した際は測定可能とする。

5 放射能測定器（個人線量用）による測定時の現示要領

○ 活動のポイント
- 出動時から被ばく管理を行う必要があるため、出動時に電源を投入し、胸ポケットに着装する。
- 測定器には検出部が存在することから、測定器の向きに配意して着装する必要がある。
- 測定器自体の汚染に配意する必要がある。

○ 現示の準備
- 活動終了時の被ばく線量を決める。
- 被ばく線量の数値を明示したカードを作成する。

※ 放射線測定器（個人線量用）用現示カード作成例

現示内容	現示カード記載内容
活動終了後確認した結果、数値変化なし	実測値
活動終了時、0.6mSv被ばく	0.6mSv

○ 現示要領
- 活動隊が活動終了し、安全な場所で測定器を確認したところでカードを提示する。電源未投入の場合、結果を提示せず、測定未実施であることを伝える。
- 空間線量率測定時は、放射能測定器（環境測定用）に準じた現示要領を実施する。

6 その他の現示要領

(1) 要救助者等の汚染状況の現示要領

汚染部位と想定する箇所に水性絵の具等を活用し、汚染部位を作成する。

(2) 臭気の状況の現示要領

○ 現示の準備
- 臭気を感じる区域（場所）を設定
- 「臭気あり」及び「臭気なし」のカードを作成する。想定により「刺激臭あり」「硫黄のような臭気あり」等、臭気の性状を付加するとさらに実戦的な現示が可能となる。

○ 現示要領
- 活動隊から臭気確認の意思表示がされたら、カードを提示する。
- 臭気確認時、マスクをしている、呼吸器の面体や防毒マスクを着装している場合は「臭気確認不可」のカードを提示する。

参考文献

アンソニー・ツー著　井上尚英監修　『中毒学概論』、（株）じほう、1999年
内藤裕史著　『中毒百科』、南江堂、1991年
渡利一夫・稲葉次郎編　『放射能と人体―くらしの中の放射線』、研成社、1999年
経済産業省資源エネルギー庁電力・ガス事業部原子力政策課編　『原子力2005』、（財）日本原子力文化振興財団、2005年
総務省消防庁　『原子力施設等における消防活動対策ハンドブック』、2004年
日本原子力産業会議編　『放射性物質等の輸送法令集（2002年度版）』、2002年
『3版　やさしい放射線とアイソトープ』、（社）日本アイソトープ協会、2002年
『中毒研究』Vol.11、（株）じほう、1998年
『中毒研究』Vol.19 No.1、（株）じほう、2006年
『中毒研究』Vol.19 No.3、（株）じほう、2006年
マチソンガスプロダクツ・日本酸素編　『ガス安全取扱データブック』、丸善、1989年
日本化学会著　『化学防災指針集成』、丸善、1996年
『許容濃度等の勧告』、日本産業衛生学会、2013年
『化学辞典　第1版』（株式会社　東京化学同人発行、2000年10月）
『中毒百科－事例・病態・治療－　改訂第2版』（株式会社　南江堂発行、2001年6月）
「一酸化炭素による中毒事故について」、（公財）日本中毒情報センターホームページ（http://www.j-poison-ic.or.jp/）より

事例執筆協力一覧（順不同）

苫小牧市消防本部
根室北部消防事務組合消防本部
仙台市消防局
会津若松地方広域市町村圏整備組合消防本部
那須地区消防本部
　（旧・黒磯那須消防組合消防本部）
ひたちなか・東海広域事務組合消防本部
　（旧・東海村消防本部）
土浦市消防本部
さいたま市消防局
千葉市消防局
山武郡市広域行政組合消防本部
東京消防庁
横浜市消防局
川崎市消防局
小田原市消防本部
　（旧・足柄消防組合消防本部）
静岡市消防局
名古屋市消防局
海部南部消防組合消防本部
金沢市消防局
福井市消防局
敦賀美方消防組合消防本部
京都市消防局
福知山市消防本部
京丹後市消防本部
堺市消防局
　（旧・堺市高石市消防組合消防本部）
大阪南消防局
　（旧・柏原羽曳野藤井寺消防組合消防本部）
神戸市消防局
姫路市消防局
広島市消防局
松山市消防局
福岡市消防局

実戦NBC災害消防活動

平成19年 4 月10日	初　　版　発　行
平成19年11月 1 日	2 訂版　発　行
平成21年12月15日	3 訂版　発　行
平成30年 5 月10日	4 訂版　発　行
令和 6 年 8 月15日	5 訂版　発　行

編　　　集／全国消防長会

編集協力／東京消防庁

発　　　行／一般財団法人　全国消防協会
　　　　　〒102-8119　東京都千代田区麹町1−6−2
　　　　　麹町一丁目ビル5階
　　　　　TEL　03(3234)1321　（代表）
　　　　　FAX　03(3234)1847
　　　　　URL　　https://www.ffaj-shobo.or.jp
　　　　　E-Mail　ffaj@ffaj-shobo.or.jp

東京法令出版株式会社

112-0002	東京都文京区小石川5丁目17番3号	03(5803)3304
534-0024	大阪市都島区東野田町1丁目17番12号	06(6355)5226
062-0902	札幌市豊平区豊平2条5丁目1番27号	011(822)8811
980-0012	仙台市青葉区錦町1丁目1番10号	022(216)5871
460-0003	名古屋市中区錦1丁目6番34号	052(218)5552
730-0005	広島市中区西白島町11番9号	082(212)0888
810-0011	福岡市中央区高砂2丁目13番22号	092(533)1588
380-8688	長野市南千歳町1005番地	

〔営業〕TEL 026(224)5411　FAX 026(224)5419
〔編集〕TEL 026(224)5412　FAX 026(224)5439
　　　　https://www.tokyo-horei.co.jp/

Ⓒ　Fire Chiefs' Association of Japan, Printed in Japan, 2007
本書の全部又は一部の複写、複製及び磁気又は光記録媒体への入力等は、著作権法での例外を除き禁じられています。これらの許諾については、当社までご照会ください。
落丁本・乱丁本はお取替えいたします。

ISBN978-4-8090-2553-2